À PROPOS DE L'AUTEUR

Paul Sexton est un auteur, journaliste et présentateur musical. Il couvre, depuis plus de trente ans, la carrière des Rolling Stones. Son travail est publié entre autres dans *The Sunday Times, The Times et Billboard*, et il a réalisé de nombreux documentaires et émissions pour la BBC Radio 2. Il vit à Londres.

Charlie Watts,
l'antirockstar

PAUL SEXTON

Charlie Watts, l'antirockstar

Traduit de l'anglais (Royaume-Uni) par
VALÉRIE LE PLOUHINEC

Harper
Collins
POCHE

Titre original :
THE LIFE, THE TIMES, AND THE ROLLING STONES.
CHARLIE'S GOOD TONIGHT

Ce livre est publié avec l'aimable autorisation de HarperCollins Publishers,
Limited, UK.

HARPERCOLLINS FRANCE
83-85, boulevard Vincent-Auriol, 75646 PARIS CEDEX 13
Tél. : 01 42 16 63 63

www.harpercollins.fr

ISBN 979-1-0339-1906-3

À la mémoire de mes parents,
avec ma gratitude éternelle
pour leur amour et leurs encouragements.

Sommaire

Avant-propos
par Mick Jagger

Charlie était un musicien extraordinairement ouvert d'esprit, dont le jeu respirait la subtilité. Ses goûts, très éclectiques, allaient du jazz au boogie-woogie, au blues, au classique, à la musique africaine, à la dance, au reggae en passant par des chansons pop idiotes, pour peu qu'elles soient bonnes. On le décrit toujours comme un fondu de jazz, mais il n'écoutait pas que ça. C'est simplifier à l'excès ses goûts musicaux, et ce qu'il appréciait de jouer.

L'idée qu'il n'aimait pas sortir est un peu un mythe. Bien sûr qu'il sortait. On allait voir des matchs, on se promenait dans plein d'endroits différents, on se faisait des restaus, des concerts. En studio, on jouait souvent juste entre nous des morceaux de genres très divers, une fois les autres partis ou avant leur arrivée. Il jouait de temps en temps des beats africains, et c'était parfois fantastique. Sans être trop branché technique, il était très adaptable, alors quand il sortait un nouveau beat, ça le rendait fou de joie.

Il était fan de classique, aussi. Il aimait Dvořák, Debussy, Mozart, et on écoutait du Stockhausen et du Mahler tous les deux. On écoutait des compositeurs modernes en essayant d'y piger quelque chose.

Tout en étant intelligent et doux, il pouvait se montrer direct et dire ce qu'il pensait. Il préservait sa vie privée, mais on se comprenait. Malgré sa grande discrétion, il avait beaucoup d'humour, et on riait tout le temps. Il me manque énormément.

Mick Jagger
Juin 2022

Avant-propos
par Keith Richards

Chaque fois que je me dis : « Je vais parler de Charlie Watts », je prends conscience que l'essence de cet homme ne s'exprime pas par des mots. Charlie avait une telle présence que le simple fait qu'il soit là suffisait.

Charlie et moi, on communiquait essentiellement par traits d'humour. On se payait la tête des gens sans même se parler. On avait une sorte de langage visuel par signes, nécessaire entre un guitariste rythmique et un batteur, parce qu'il faut se passer des messages. Mais, nous, on avait raffiné ce langage jusqu'à en faire un art permettant d'exprimer l'ironie, la contrariété – ou sur scène : « OK, là on est en plein vol, comment on atterrit ? »

Charlie avait un humour extrêmement sec et pince-sans-rire, mais je connaissais certains mots-clés, que je ne révélerai pas. Je ne faisais pas ça souvent, mais il y avait deux ou trois mots qui l'auraient fait se rouler par terre de rire si je les avais prononcés au milieu d'un aéroport. Les fois où je l'ai mis dans cette situation, on était heureusement dans des chambres d'hôtel car, quand il partait à se marrer comme ça, il se lâchait complètement. Et allez savoir quelle était la blague : comme toujours avec ce genre de fous rires, ce qui l'avait déclenché n'était même pas forcément très drôle.

C'était quelqu'un de très discret sur sa vie. J'ai toujours eu le sentiment que je n'avais pas à m'en mêler ni à le questionner, sauf quand il souhaitait en parler. Il n'avait pas de face cachée, pas de faux-semblants. Charlie était simplement celui que vous voyiez : lui-même, c'est tout. Le mec le plus vrai que j'aie jamais connu.

Keith Richards
Juin 2022

Prélude
par Andrew Loog Oldham[1]

Ma première rencontre avec Charlie Watts a eu lieu sur Eel Pie Island[2]. C'était un mercredi, un 1er mai. J'avais vu les Stones en live pour la première fois le dimanche précédent au Station Hotel de Richmond. Je ne lui avais pas parlé – j'avais peut-être salué de la tête Mick et Keith, mais je n'échangeais qu'avec Brian Jones, qui était à l'époque leur porte-parole désigné.

Le groupe m'avait subjugué au Station Hotel. Je n'avais aucune idée de ce qui m'était arrivé, sauf que ça avait changé mon regard sur une foule de choses, et que je voulais en être. Dès le mercredi suivant, je me démenais en mon nom et en celui de mon proprio, l'agent Eric Easton, qui me louait une pièce et un téléphone sur Regent Street. Le set était terminé, et j'attendais nerveusement, pressé de réussir l'audition et de passer à la suite.

J'étais à côté de Charlie et de sa batterie. Comme je ne savais pas du tout quoi dire, je lui ai proposé mon aide pour la trimballer. Il a souri et a décliné poliment ; il savait déjà qu'il valait mieux éviter, et que mon talent était ailleurs. Il m'avait hypnotisé au Station Hotel, comme eux tous.

1. Premier manager des Rollings Stones qui a joué un grand rôle dans leur succès.
2. Île sur la Tamise, où se trouvaient les Eel Pie Studios, appartenant à Pete Townshend.

Dans ma première autobiographie, *Rolling Stoned*[1], j'ai écrit : « Le batteur, on aurait dit qu'on l'avait téléporté là. On ne l'entendait pas autant qu'on le ressentait. J'aimais la présence qu'il apportait au groupe autant que son jeu. À la différence des cinq autres en bras de chemise, les deux boutons supérieurs de sa veste étaient méticuleusement boutonnés par-dessus une chemise et une cravate tout aussi impeccables, quelle que soit la température de la salle. Il se tenait droit derrière ses fûts, feignant un dédain calculé adressé aux fans en adoration devant lui. Il était avec les Stones mais pas l'un d'entre eux, *kind of blue*[2], comme si on l'avait enlevé du Ronnie Scott's ou du Birdland et d'un espace-temps où régnait Julian "Cannonball" Adderley. Il était le seul et l'unique, un homme de son monde, le gentleman du tempo, de l'espace et du cœur. Son talent musical rare est l'expression d'un encore plus grand talent pour la vie ; je venais de rencontrer Charlie Watts. »

Nos dernières sessions ensemble ont été pour *We Love You* et *Dandelion*. Comme bien souvent quand un morceau des Stones s'enregistrait, il n'y avait pas de fin prédéterminée : mieux valait voir si la viande et les patates étaient en place avant d'ajouter les légumes. Ça s'est fini avec Nicky Hopkins et Brian Jones au clavier et aux bois, Keith et Mick aux chœurs célestes, et Charlie menant les troupes avec des *fills* improvisés. À l'époque, j'ai cru que ces *fills* m'étaient adressés. En fait non, ils étaient simplement ce dont Charlie avait besoin.

Dans les années 1980, il est passé me voir à New York, pendant une de ses virées jazz en solo. J'ai commis l'erreur de lui faire écouter un truc sur lequel je travaillais. Ça ne l'intéressait tout simplement pas. « Andrew, m'a-t-il

---

1. Rolling Stoned d'A. L. Oldham, traduit par Nikola Acin, © Flammarion, 2006. (Toutes les notes sont de l'éditeur.)
2. « Un peu mélancolique », référence à l'album de Miles Davis (1959).

dit, peut-être en guise d'explication, je me fous de ce que peuvent faire les Stones. Je ne m'intéresse qu'à ce que je joue. » Heureusement, les conflits se sont apaisés, le cri de ralliement a prévalu, et le groupe a continué de tourner. La dernière fois que je l'ai vu, c'était à Seattle en 2005 : il était exactement le même que le type à qui j'avais dit bonjour à Eel Pie Island.

Dans le monde du cinéma, on parle d'un âge d'or. Le nôtre aura été Charlie Watts. Les grands groupes ont tous un point commun : un batteur qui sort du lot.

Andrew Loog Oldham
Juin 2022

Introduction

Hors du temps, mais toujours dans le tempo

Madison Square Garden, New York, novembre 1969. Alors que le « plus grand groupe de rock 'n' roll au monde », comme l'a qualifié Sam Cutler, le maître de cérémonie de la tournée, termine *Little Queenie* de Chuck Berry pour enchaîner avec son dernier tube, *Honky Tonk Women*, Mick Jagger fait une petite remarque en passant : « Charlie est bon ce soir, hein ? »

Bien sûr qu'il était bon, et il le serait toujours. La seule mention du nom de Charlie Watts, dans le contexte de cette biographie ou dans une conversation, suffit à mettre musiciens et fans au garde-à-vous ou presque. Exactement le genre d'éloge qu'il aurait fui, comme il l'a toujours fait pendant son existence aussi singulière que surprenante.

Il était la preuve que toutes les rockstars ne sont pas faites du même bois et que les clichés doivent être démentis. Dans son esprit, par exemple, il n'en était pas une. Charlie, c'était la célébrité mondiale qui détestait attirer l'attention et qui a dit un jour préférer la compagnie des chiens à celle des humains ; le passionné de voitures qui ne conduisait pas ; l'amoureux des chevaux qui ne montait pas ; l'esthète fortuné qui avait grandi dans un préfabriqué ; le batteur qui a parcouru le monde pendant cinq décennies et demie, toutes passées à se languir de

19

son chez-lui ; le musicien cherchant des petits boulots qui pensait que les Stones seraient oubliés au bout d'un an et qui a finalement été le pilier du groupe toute sa vie. Si on l'inventait, il n'y aurait pas grand monde pour y croire.

Écrire au passé à son sujet est évidemment triste, mais il se serait sans doute abstenu de lire ce livre de toute façon. J'imagine qu'il aurait peut-être jeté un coup d'œil pour voir quelles photos de lui en costume élégant on aurait choisies, mais c'est tout. J'espère que cette biographie racontera avec douceur une vie bien vécue et certainement très aimée. Si vous cherchez la polémique, vous avez soulevé la mauvaise pierre (qui roule).

Comme j'ai eu pendant trente ans le bonheur de l'interviewer avec ses camarades des Stones, on m'a approché en 2020 pour que je réfléchisse à travailler avec Charlie sur une autobiographie. C'était à la fois enthousiasmant et perdu d'avance ; l'idée même qu'il puisse écrire sur lui était fondamentalement illusoire.

Il reconnaissait ouvertement que la musique des Rolling Stones n'était pas sa tasse de thé et qu'il n'écoutait pratiquement jamais rien d'eux, à moins de devoir donner son accord pour une réédition ou quelque chose dans le genre. En revanche, il a toujours été parfaitement courtois chaque fois qu'il devait se montrer et faire la promotion qu'on attendait de lui. Avec le temps, on apprenait à slalomer dans son processus mental et ses manières imprévisibles de s'exprimer, et à attendre ce sourire chaleureux, radieux, qui était le sien. Même si, à certains moments, son cerveau et sa bouche tournaient à des vitesses différentes, et s'il avait parfois l'expression distraite de l'homme qui cherche à se rappeler s'il n'a pas laissé quelque chose sur le gaz.

Un récit de sa vie à la troisième personne, on le sent bien, lui aurait nettement mieux convenu, et l'empressement avec lequel ses proches ont donné leur accord et proposé leur participation en dit long sur lui. Tout comme les acclamations ferventes qui ont accueilli sa présentation par Mick Jagger lors de tous les concerts des Stones et les torrents de témoignages d'affection déclenchés dans le monde entier par sa mort à l'âge de quatre-vingts ans, en août 2021.

Du jeune batteur courant les *gigs* à la paire de mains fermes dégageant une aura au-delà de leur âge, du début des années de gloire à l'icône du style aux cheveux d'argent, Charlie Watts a vécu toutes ces existences, mais laissé les autres faire du bruit en son nom. L'exhibitionnisme ? Très peu pour lui. Il avait seulement hâte de rentrer chez lui et se demandait pourquoi on faisait tant d'histoires.

À sa mort, presque tous les hommages rendus ont évoqué le Stone silencieux, la colonne vertébrale du groupe, l'homme qui n'a jamais manqué un concert en cinquante-sept ans (ce n'est pas tout à fait exact : il en a raté au moins un, en 1964, car il n'avait pas noté la bonne date, comme nous le verrons). Mais on a nettement moins parlé du collectionneur invétéré, de la largesse dont il faisait preuve quand il offrait des présents, de l'homme dont le style à l'ancienne donnait souvent le sentiment qu'il s'était trompé de siècle.

Charlie, qu'il le veuille ou non, avait un don pour résumer une histoire, une situation ou une vie d'un simple uppercut verbal : le seul qui l'égalait dans ce domaine était son ami Ringo Starr, avec ses formules décalées comme « hard day's night » (la nuit d'une dure journée) ou « tomorrow never knows » (demain ne sait jamais)[1]. « Cinq ans à travailler, vingt à glander » était l'une de ses plus fameuses répliques, mais Charlie en avait bien d'autres. En avoir entendu quelques-unes, avoir vu de près son stoïcisme impassible, ce visage de granit soudain éclairé par son sourire radieux, avoir écouté ses phrases heurtées, hachées, et ses apartés désinvoltes, tout cela vaut plus encore que le prix du billet pour ce que les

---

1. Devenues des titres de chanson.

Stones ont apporté au monde : le plus grand spectacle de la Terre.

On voit assez fréquemment des musiciens d'envergure mondiale que l'adulation de millions de fans n'immunise pas contre des doutes parfois insoutenables. En revanche, il est extrêmement rare d'en entendre un dire quoi que ce soit de particulièrement humble. Presque à chacune de nos rencontres, Charlie marmonnait quelque chose sur le fait qu'il ne valait pas grand-chose comme batteur ou qu'il n'arrivait pas à la cheville de ses idoles percussionnistes.

On pourrait y voir un manque de lucidité sur lui-même, mais c'était fondé sur un sens très anglais de la réserve et de l'humilité, plus développé chez lui que chez quiconque. Brian Jones, au moment où lui-même entrait dans sa spirale de destruction toxicomaniaque, l'a décrit comme « la personne probablement la plus détachée et équilibrée de toute la scène pop ».

Dans le premier couplet d'*If You Can't Rock Me*, la première piste de l'album *It's Only Rock 'n roll*, Mick chante : « *The band's on stage and it's one of those nights the drummer thinks that he is dynamite*[1]. » Il ne parlait certainement pas de Charlie. Pour lui, l'arrogance était tout simplement vulgaire. Il savait qui il était, et il n'a jamais changé, à l'exception d'une assez brève période d'égarement toxicomaniaque dans les années 1980, dont il s'est détaché sans les affres habituelles de la désintox (après quoi il a toujours gardé les idées claires).

« Sa philosophie, c'est : "J'ai des besoins modestes", a dit un jour de lui le premier manager des Stones, Andrew Loog Oldham. Il s'y est tenu, et ne s'est pas laissé distraire par les conneries. » Même quand la célébrité a commencé

---

1. « Le groupe est sur scène et c'est un de ces soirs où le batteur se prend pour de la dynamite. »

à lui tomber dessus, Charlie disait à la presse musicale :
« Je donne l'impression de m'ennuyer, mais en fait non.
J'ai seulement une tête incroyablement barbante. »

Aussi surprenant que cela puisse paraître de citer
un coach de basket américain, la signature au bas des
derniers mails d'Oldham, reprenant les sages paroles
de feu John Wooden, semble pertinente : « Le talent est
un don de Dieu, sois humble. La célébrité est un don
des hommes, sois reconnaissant. La vanité est un don
que tu te fais à toi-même, sois prudent. » Charlie est né
avec le premier, la deuxième lui a été jetée à la tête, et
il était fondamentalement incapable de faire preuve de
la troisième.

Cette biographie ne se veut pas un énième rabâchage
de la légende du plus-grand-groupe-de-rock-au-monde,
mais plutôt le récit des tribulations d'un être singulier
qui l'a rendu meilleur, comme il a rendu meilleurs tous
ceux qui l'ont rencontré. Elle suit un ordre chronologique,
entrecoupé d'interludes, ou *backbeats*, pour s'arrêter
sur certains aspects spécifiques du monde de Charlie,
notamment ses longues années de mariage avec sa
bien-aimée, Shirley.

Oui, ce récit parle des Stones, mais aussi d'un homme
comme on n'en verra plus, qui semblait presque d'une
autre époque : un homme hors du temps, mais toujours
parfaitement dans le tempo.

1
Une enfance
en préfabriqué
et un camarade de jazz

Mozart touchait sa bille,
mais il lui manquait un bon batteur.
Keith Richards, 2011

Le « riff humain », comme la presse a surnommé Keith Richards, était en train de m'expliquer l'association des musiques hillbilly et noire qui a donné la recette du rock 'n' roll, cette étincelle qui allait embraser les Rolling Stones naissants et la génération de rustres pleins d'espoir qu'ils représentaient. Mais ce mot d'esprit m'a toujours fait l'effet d'une allusion laconique et amusée à l'homme assis derrière lui pendant cinquante-sept ans. Dans un autre espace-temps, on aurait pu imaginer que Wolfgang Amadeus regarde Charlie Watts avec admiration. Comme tout le monde.

Charlie n'était pas seulement la plus grande star malgré elle de l'histoire de la musique, il était aussi le candidat le plus inattendu pour partager tant de décennies avec les plus grands représentants du rock. Le jour où, cédant à leurs avances répétées, il s'est joint à leur groupe, ni lui ni personne n'imaginait que les Stones et leur rhythm and blues tapageur perdureraient plus d'un an.

Au début du mois de juin 1941, tandis que le *Bismarck* repose au fond de l'Atlantique, l'Allemagne se prépare à envahir l'Union soviétique avec une armée de trois millions de d'hommes. Comme dans une terrible préfiguration de l'année 2022, les chars ne tardent pas à s'affronter du côté de Kiev. À Londres, les Proms, concerts classiques de la BBC, ont été chassés du Queen's Hall par les bombes et accueillis par le Royal Albert Hall, tandis que le ministère du Commerce de Churchill annonce la mise en place de tickets de rationnement pour les vêtements. Comme ils ne sont pas encore imprimés, on utilise les tickets de margarine : seize pour un imperméable, sept pour une paire de bottes. Mais à l'hôpital universitaire à Bloomsbury, au centre de la capitale, Lil Watts a autre chose en tête.

Elle vient d'avoir vingt ans. Lillian Charlotte Watts, fille de Charles et Ellen Eaves, est née à Islington. Elle a épousé en 1939 Charles Richard Watts, qui a un mois de plus qu'elle. Il a servi dans la Royal Air Force en tant que personnel au sol et chauffeur pour les officiers. Une fois démobilisé, il est devenu chauffeur de camion pour la London, Midland and Scottish Railway, un emploi qu'il occupera encore quand les Stones partiront à la conquête de la Grande-Bretagne. Le lundi 2 juin 1941, Lillian met au monde leur premier-né ; comme Bill Wyman et Brian Jones, il portera le prénom de son père. Charles Robert Watts bat sa première mesure.

À l'époque, les classements de ventes de disques n'existent pas (ils arriveront seulement dix ans plus tard), mais les Andrews Sisters remontent le moral des troupes avec *Boogie Woogie Bugle Boy*. Bientôt, Glenn Miller et bien d'autres, y compris notre chère Vera[1], annoncent l'arrivée « d'oiseaux bleus au-dessus des falaises blanches de Douvres ». La TSF de l'époque prend aussi goût au programme comique *It's That Man Again*, à la chanson *Waltzing in the Clouds* de Deanna Durbin, aux Ink Spots

---

1. Vera Lynn est une chanteuse britannique qui devient très populaire pendant la Seconde Guerre mondiale. Elle a rendu célèbre le morceau *(There'll Be Bluebirds Over) The White Cliffs of Dover* créé par Walter Kent et Nat Burton.

et à Bing Crosby, tandis que Noël Coward entonne *Could You Please Oblige Us with a Bren Gun ?* Au cinéma, Abbott et Costello sont les nouvelles vedettes avec leur troisième film, *Deux Nigauds marins*, une production Universal avec Dick Powell. Joan Crawford, qui figurera plus tard dans le collage photographique de la pochette d'*Exile on Main St.*, remplit encore les salles obscures avec le dernier George Cukor, *Il était une fois.*

Charlie est envoyé vivre chez l'une puis l'autre de ses grands-mères pendant que son père est engagé dans la RAF. Il gardera peu de souvenirs des années de guerre, et dira plus tard : « J'entendais des bombes exploser dans le quartier. Je me souviens des cavalcades entre la maison et les abris. J'étais encore tout petit. Je prenais la guerre un peu comme un jeu : je crois que je n'ai jamais eu réellement peur. »

Comme son père, mais aussi son grand-père (Charles A. Watts), son oncle et son cousin portaient le même prénom que lui, ses parents le surnomment souvent « Charlie Boy ». Il fréquente la petite école de Fryent Way, à Kingsbury, dans le nord-ouest de Londres. C'est à la fin de la guerre qu'il fera la connaissance de Dave Green, avec qui il se lie d'amitié et qui va l'accompagner toute sa vie dans ses diverses formations de jazz, sur scène et en studio.

Bien que plus jeune de neuf mois, Dave a gardé des souvenirs plus vifs de la guerre. « Je suis né en 1942 à Edgware, et nous vivions à Kingsbury. Mon père était dans les Royal Engineers. Il est parti pour l'Allemagne le jour du débarquement, et je me rappelle – je devais avoir deux ans – l'explosion des V1. Il en est tombé un dans notre rue, à environ soixante numéros de chez nous, et il a complètement détruit la maison. Je revois ma mère me disant d'aller me mettre sous l'escalier. C'était ce que conseillaient les autorités, je crois. »

Dave se rappelle que sa mère écoutait *Music While You Work* sur la TSF. Elle a raconté plus tard que lui-même chantait la ligne de basse des airs à la mode, un signe précoce de sa future carrière de contrebassiste. Il partage ses souvenirs avec tant de chaleur et de générosité qu'on a vite l'impression d'avoir toujours été son ami. À bientôt quatre-vingts ans, au moment où je l'ai interviewé pour ce livre, il conservait tout en humilité une joie de vivre qui ne pouvait que le rendre cher aux yeux du batteur des Rolling Stones.

En 1946, Charlie et Dave deviennent voisins et, bientôt, âmes sœurs musicales. À cause de la Luftwaffe, en effet, les deux familles sont relogées dans Pilgrims Way, à Wembley, dans les préfabriqués proposés à tant de ménages britanniques frappés par les bombardements. Ces petits pavillons modulaires semblent bien sommaires avec le recul mais, en ces temps difficiles, ils étaient un émerveillement pour la famille Green. « Quand on vivait encore dans Brampton Road, à Kingsbury, les préfas n'étaient pas très loin, et je me rappelle que j'allais les regarder, raconte Dave. La route n'était même pas encore construite, et il y avait de grands tas de boue partout. Mais ma mère les adorait, ces préfas. La cuisine était fantastique, très moderne, encastrée, avec un frigo et tout. Elle a fait une demande et, une fois le chantier terminé, on a emménagé. » Charlie et ses parents habitent au numéro 23, les Green au 22.

En 1944, Lillian donne le jour à la sœur de Charlie, Linda, dont il a toujours été proche, surtout quand il habitait encore chez ses parents. L'interview qu'elle m'a accordée avec son époux Roy Rootes est la première qu'elle ait jamais donnée à propos de son frère. Elle est toujours restée discrète, au point que beaucoup de gens ignorent que Charlie avait une sœur.

« Non, ils n'en savent rien, parce que je ne me suis jamais mise en avant, dit-elle doucement, assise avec son mari et moi dans leur maison du Buckinghamshire. Ce n'est pas dans mon caractère, et je sais que ça ne lui aurait pas plu. Mais, devant les salles de concert, il

y avait parfois quelqu'un pour dire : "Oh ! vous êtes la
sœur de Charlie. Ce que vous devez être fière !", et je
répondais : "Oui, je suis fière de lui." Il n'a jamais été
exubérant. L'idéal, pour lui, c'était le tête-à-tête, car il
était assez réservé. Il tenait de ma mère, et moi de mon
père. Il restait dans son coin sans dire un mot. »

Elle évoque avec une chaleur nostalgique ces années
passées à la maison avec son frère et leurs parents, et le
sens de la communauté qui régnait dans ce lotissement
compact. « Papa a décidé que, puisqu'ils aimaient le
sport et le billard, ils allaient acheter un petit billard
américain », se souvient Linda. « Pour jouer, il fallait
ouvrir la fenêtre », précise Roy très sérieux. « Ça faisait
venir tout le quartier, et mon père adorait ça, renchérit
Linda. Ma mère était un peu plus réservée, mais ça ne
la dérangeait pas tant qu'on la laissait tranquille dans la
cuisine. » Roy, qui a un an de plus que Charlie, a épousé
Linda en 1965.

« Je crois que la première fois que j'ai rencontré
Charlie j'avais quatre ans, et on venait d'emménager dans
les préfas, se rappelle Dave. Nos mères sont devenues
bonnes amies, tout simplement, et en grandissant on a
construit une belle amitié. C'est vraiment remarquable
qu'on ait eu cette même passion du jazz et qu'on l'ait
développée en tandem. »

« Jusqu'à dix ans, m'a raconté Charlie, on se retrouvait
en passant par un trou dans la clôture entre nos deux jardins.
Nos parents étaient copains. Puis Dave a commencé à se
produire sur scène avec des groupes de skiffle[1], et moi
aussi. On a joué ensemble dans notre première formation de jazz, enregistré ensemble nos premiers disques,
et c'est toujours lui que j'appelle quand je fais quelque

---

1. Genre musical hybride issu des traditions folk, blues et jazz, très
populaire en Angleterre dans les années 1950, incorporant souvent des
instruments fabriqués à partir d'objets du quotidien (bassines, boîtes
à thé ou à cigares, planches à laver, etc.)

chose en dehors des Rolling Stones. » Puis il a conclu, avec son humour pince-sans-rire : « Je ne voudrais pas l'embêter en lui imposant leur présence. »

« Mon père jouait un peu de piano, mais pas du jazz, m'a expliqué Dave. Il reprenait des morceaux de Les Paul, de Mary Ford, par exemple, et nous avions un *radiogram*[1]. C'est comme ça qu'on a commencé, Charlie et moi, vers l'âge de neuf, dix ans. Bien sûr on allait à la même école, Fryent Junior, mais on n'était pas dans la même classe. Puis on est entrés au collège Tyler's Croft à Kingsbury, tout en vivant toujours au même endroit. » Cet établissement a accueilli, quelques années auparavant, l'actrice Shirley Eaton, la James Bond Girl dans *Goldfinger*, et William Woollard, longtemps présentateur de l'émission *Tomorrow's World*.

« Curieusement, poursuit Dave, je n'ai pas de souvenirs de Charlie à l'école. Je ne le voyais pas beaucoup là-bas. Mais nous avons commencé à écumer ensemble les magasins de disques et à collectionner les 78 tours, puis les 33 tours, ceux de Charlie Parker et de Jelly Roll Morton, que je n'avais jamais entendus. On les écoutait dans sa chambre, ou parfois dans la mienne. »

Dans *Rolling with the Stones*, le livre merveilleusement détaillé de Bill Wyman, on découvre Charlie à sept ans, en costume de satin, au mariage de son oncle Albert à Holloway. « Mon père m'achetait des costumes, et je les portais aussi élégamment que possible, m'a confié Charlie. Comme un genre de Petit Lord Fauntleroy, j'imagine. En tout cas, je me rappelle que je n'aimais pas les jeans et les pulls, déjà à l'époque. Je trouvais qu'ils faisaient négligé, et je ne m'y sentais pas aussi bien que dans mes petits costumes à pantalon large. » Cela, au moins, n'a jamais changé.

Le mariage de ses parents battant de l'aile, Dave est envoyé chez des cousins à Yeovil, mais rentre à Londres

---

1. Meuble combinant TSF et gramophone.

après deux ans de bonheur bucolique et reprend contact avec Charlie en 1953. « Alors qu'elle vivait dans les préfas, ma mère s'est vu proposer un logement social, une maison neuve à Kingsbury, si bien que nous avons déménagé. Je me souviens du brouillard – une vraie purée de pois – et du chauffeur de bus qui avait dû en descendre pour marcher devant. On n'y voyait rien, ce brouillard était incroyable. Il y a eu beaucoup de morts.

« Nous sommes restés un an dans ce lotissement neuf, mais ma mère a fait une demande pour réemménager dans les préfas, continue Dave en riant. Ça lui manquait trop, les préfas, Lil Watts et tout le reste. C'était un concept formidable. Tout le monde avait exactement le même logement, et un jardin à peu près de la même taille. C'était une sorte d'utopie dans laquelle on vivait, une communauté, et ça manquait à ma mère. On n'a pas pu retourner juste à côté de chez Charlie, mais on s'est installés au bout de la rue. »

Le petit Watts fête ses treize ans en juin 1954, au moment où Doris Day, dans la chanson *Secret Love*, crie son amour du sommet des collines. À Tyler's Croft, dans une classe de quarante élèves, il commence à montrer un intérêt marqué pour le dessin plutôt que pour la musique, car le professeur de cette matière ne parvient pas à passionner ses élèves. Il excelle aussi au football, où il fait un ailier droit rapide, comme au cricket, où il va jusqu'à se présenter aux sélections pour l'équipe du Middlesex. « C'était un grand garçon aux jambes puissantes, a expliqué Lil. On a souvent pensé qu'il deviendrait footballeur. »

« Je pense que mon souvenir le plus ancien de Charlie remonte à une partie de cricket, se remémore Linda. Il était vraiment très bon, on a encore ses médailles au grenier. Il a toujours été bien bâti, et nos parents le soutenaient en tout. Le préfa n'avait que deux chambres, et mon frère dormait dans la grande, qui aurait dû leur revenir.

Moi, j'avais la petite, et papa et maman ont dormi des années dans un Clic-Clac dans le salon. »

Peu après, Charlie fait ses premiers pas de musicien, avec un banjo. Il racontait que, dans sa famille élargie, personne ne jouait de rien sauf du gramophone, mais ce n'est pas tout à fait vrai. Étonnamment, l'une des pousses de l'arbre généalogique des Watts s'est retrouvée dans les Migil Five, un combo britannique pour qui Charlie a fait quelques piges en remplacement, et qui allait suivre plus tard le chemin des Stones en mêlant la pop au R&B, accrochant ainsi le *top ten* du Royaume-Uni en mai 1964 avec *Mockin' Bird Hill*.

Le chanteur originel du groupe est un oncle de Charlie, Lennie Peters, avec qui il va commencer la batterie. « C'est le seul aveugle que j'aie connu qui savait poser du papier peint, lâche nonchalamment Linda. Et changer une ampoule. »

Après des années à trimer en solo dans le circuit des pubs de Londres et à sortir des singles qui passent inaperçus chez des labels comme Oriole and Pye, l'oncle Lennie finira par devenir une moitié du duo Peters & Lee, dont les survivants des années 1970 se souviennent comme d'un sommet de la pop pantouflarde. Merveilleux clin d'œil du destin, leur plus grand tube au hit-parade, *Welcome Home*, partagera le *top 20* britannique avec *Angie* des Stones en septembre 1973.

Pour en revenir au banjo, Charlie n'aime pas les points en nacre sur le manche, alors il l'enlève. « Au même moment, a-t-il raconté, j'ai entendu un batteur du nom de Chico Hamilton, qui accompagnait Gerry Mulligan. Je voulais jouer comme ça, avec des balais. » Comme sa première batterie bricolée maison manque d'une caisse claire, il fixe le corps du banjo horizontalement sur un pied en bois de sa fabrication, et joue sur la peau ronde avec des balais métalliques.

Il se débrouille ainsi jusqu'au Noël 1955, où son père et sa grand-mère, pris de pitié, lui offrent sa première vraie batterie : une Olympic d'occasion, rachetée à un type qui se produit au pub du coin. Elle a tout, même les taches de bière sur les peaux et les brûlures de cigarette sur la grosse caisse. « Je me revois la découvrir dans la chambre de ma tante, a raconté "Charlie Boy". Rien n'aurait pu me combler davantage, et je dois dire que les voisins ont été très sport, étant donné le boucan que je faisais. »

Et, d'après les souvenirs de Linda, il était plus que motivé. « Il s'installait dans la cuisine avec deux balles en caoutchouc et les pressait pour renforcer ses poignets. On le regardait faire, et ma mère disait : "Pour l'amour du ciel, pose donc ces machins !" Mais il en était fier. Quand la batterie est arrivée, j'ai pensé : "Mon Dieu, que vont dire les voisins ?" Par chance, ils n'ont pas protesté. Roy et Charlie allaient à Londres ensemble, avec un autre copain, Andrew Wren. Je crois que c'est à ce moment-là qu'il a attrapé le virus. »

Le savoir-faire technique de son ami Roy Rootes, qui est ingénieur TV, lui rend alors bien service. « C'est moi qui ai permis à Charlie de jouer dans sa piaule, en faisant courir des câbles entre le *radiogram* du salon et la chambre, explique-t-il. J'ai installé un haut-parleur, et comme ça il a pu avoir la musique dans sa chambre et jouer dessus avec sa batterie. »

Ah ! et les disques ! Ses premières passions en tant qu'auditeur comprennent le titre R&B d'Earl Bostic classé n° 1 aux États-Unis, *Flamingo*, acheté par son oncle, et que ses parents écoutent aux soirées qu'ils organisent chez eux. Dans ce morceau, le saxophoniste alto de Tulsa interprète une version suprêmement swing d'un air lancé dix ans plus tôt par Duke Ellington et son orchestre. C'est une parfaite initiation au jazz sophistiqué, assaisonné de rhythm and blues. *Out of Nowhere* de Charlie Parker, enregistré en 1947, inaugure une histoire d'amour à vie entre le saxophoniste de génie et la batterie diaphane de

Max Roach. On y entend aussi un certain Miles Davis, âgé de vingt et un ans, à la trompette.

« Si je suis ce que je suis, c'est grâce à cet homme, a dit Charlie Watts à propos de Charlie Parker. Tout batteur qui a un peu d'oreille voudrait être son batteur. » Et, en effet, celui qu'on surnommait Bird a voleté plus d'une fois dans l'imagination du futur Rolling Stone. À Cheltenham, c'est après l'écoute d'un disque de Parker que Brian Jones demande à ses parents de lui acheter un saxophone. Comme nous le verrons un peu plus loin, l'un des Charlie va inspirer un livre à l'autre.

La conversion du jeune Watts à la batterie est confortée par le jeu de Chico Hamilton, déjà évoqué, le natif de Los Angeles dont le style agile aux balais s'est épanoui lorsqu'il est entré dans le quartette de Gerry Mulligan, sorcier du saxo baryton. Leur 33 tours *Volume I*, de 1952, avec Chet Baker à la trompette, comporte *Walkin' Shoes*, composition de Mulligan : une merveille d'élégance tout en retenue. Ces disques fascinent le jeune Charlie. Il faut qu'il joue comme Chico Hamilton. Plus que jamais, il est certain que c'est derrière une batterie qu'il veut s'asseoir.

Charlie et Dave (qui restera toujours « David » pour son ami) emplissent le préfa des sons contemporains du skiffle, Dave accompagnant vaillamment Charlie sur sa basse *tea-chest* – bricolée avec une caisse à thé, un manche à balai et un bout de ficelle. Mais Charlie, dans l'ensemble, apprend la batterie seul en écoutant ces premiers héros du jazz, tout en rapportant de l'école des bulletins médiocres. Lorsqu'il quitte le lycée à seize ans, il n'a la moyenne qu'en arts plastiques – ses seules autres faits d'armes étant deux coupes gagnées en course à pied. Son don pour le dessin le pousse alors à s'inscrire à la Harrow Art School.

« Quand j'étais jeune, j'avais beaucoup de mal à dormir, alors je dessinais, a-t-il confié plus tard. Je le faisais comme une thérapie, et ça m'évitait sans doute de faire des bêtises. » Dave ajoute : « Il était extrêmement doué.

Je sais qu'il aspirait à devenir illustrateur, mais il a été recalé à une épreuve, je crois. Je ne sais pas comment c'est possible, avec le talent qu'il avait. Je pense qu'il l'a reçu comme une gifle. À partir de là, il s'est tourné complètement vers la musique. »

Pendant ce temps, les deux amis poursuivent leur éducation, autant chez eux, à Pilgrims Way, que dans les quartiers animés du centre-ville. « On apprenait en écoutant des disques et on sortait dans les clubs, se souvient Dave. On est allés ensemble au 100 Club voir Humphrey Lyttelton et ses musiciens… Ça devait être en 1958, par là. Plus tard, en 1965, j'ai rejoint Humph et sa formation, et j'y suis resté dix-huit ans. Charlie y adorait la batterie d'Eddie Taylor. Il y avait aussi Brian Brocklehurst à la contrebasse. On écoutait de toutes nos oreilles. On écoutait, on observait la relation entre batterie et contrebasse, on se repassait les disques, et on copiait. Charlie jouait sur les disques, tout comme moi. »

« J'ai été biberonné à ça : regarder jouer certaines personnes, a expliqué Charlie. Quand j'allais dans les salles de bal des environs, je ne dansais jamais ; j'allais me placer à côté du batteur et je le regardais jouer. Mes préférés étaient invariablement des Noirs américains, qui jouaient une musique qu'on appelait le jazz. C'est comme ça que je voulais jouer. »

On perçoit le manque d'assurance qui caractérisait Charlie à cette époque dans l'émission de radio *Desert Island Discs* en 2001. « Quand j'étais jeune, j'aurais dû prendre des cours, j'aurais dû apprendre à lire la musique correctement, mais j'ai préféré les paillettes. »

En 1958, Dave et Charlie décrochent leur premier contrat. Les Joe Jones Seven, formation jazz du nord de Londres, cherchent de nouvelles recrues, leur contrebassiste et leur batteur étant partis au service militaire. Jones vit dans Meadowbank Road, à Kingsbury, non loin de chez Charlie et Dave. Le leader de la formation s'appelle en réalité Brian Jones, à ne pas confondre avec le leader original et cofondateur des Stones, ni avec le batteur américain Jo Jones, dont Charlie admirait beaucoup le travail remarquable avec le Count Basie Orchestra.

« Je connaissais une gamme, celle de si bémol, se souvient Dave, qui jouait alors dans un groupe de skiffle. Je me suis procuré une vraie contrebasse, j'ai commencé à apprendre, et là on a entendu dire que les Joe Jones Seven faisaient passer des auditions. C'était une formation de dixieland mainstream, et on écoutait déjà ce genre de disques. Alors on s'est pointés, comme ça. On n'aurait jamais imaginé être pris. Mais il faut dire que, comme me l'a rappelé Brian récemment, personne d'autre ne s'était présenté ! C'était soit nous soit rien, alors on a eu le job.

« Faire des solos ne nous intéressait ni l'un ni l'autre, continue-t-il. Tout ce qu'on voulait, c'était être là et swinguer pour le groupe. C'est une attitude qui n'a jamais changé chez lui et, dans l'ensemble, chez moi non plus. On a tous les deux l'esprit d'équipe. Quand je joue dans un groupe, quel qu'il soit, je joue pour le groupe, pour la musique, pour en être. C'est aussi ce que faisait Charlie. »

Jones, âgé de quatre-vingt-trois ans en 2022, me détaille ce moment : « Nous avions passé une annonce dans le *Melody Maker* pour faire savoir que nous ferions passer des auditions dans un pub appelé l'Upper Welsh Harp, à West Hendon. Ils l'ont lue et sont venus, et ce sont les deux seuls qui se sont présentés. En tant que semi-professionnels, ils étaient assez bons pour nous à l'époque, car nous étions tous en train d'apprendre. Et c'est comme ça qu'ils ont intégré le groupe. Je crois que ça a été le premier job de Charlie.

« C'était un jeune homme élégant, toujours bien sapé, avec du style. Il savait garder le tempo, et c'est principalement ce qu'on demandait, mais c'était à peu près tout à ce stade. Ce n'était pas un petit prodige. Au début, il jouait sur les temps, ce qu'un batteur ne doit jamais faire. Mais ça n'a pas duré. Il s'est vite corrigé. »

Jones, qui tout comme Charlie admirait particulière-ment Louis Armstrong, ajoute : « Les parents de Charlie étaient très accueillants, et nous répétions au préfa. Nous avions un pianiste dans le groupe, mais évidemment ils n'avaient pas de piano dans leur salon, et le clavier élec-trique n'était pas encore inventé. Il n'y avait donc que la batterie et la contrebasse, parfois un guitariste, et un trio de cuivres composé d'un saxo, d'une trompette et d'un trombone. Je crois que ses parents étaient contents que leur fils ait une occupation. Beaucoup de parents étaient comme ça : ils préféraient supporter le bruit plutôt que voir leur enfant traîner dans la rue. C'était une bonne époque. On y passait deux ou trois heures le dimanche, et le groupe répétait aussi chez moi. »

« Ils venaient tous au préfa, rebondit Linda à cette évocation, et le son qu'on entendait, c'était du jazz. Jamais du rock ni de la pop. Charlie aimait Billy Eckstine, qu'écoutaient aussi mes parents. Mais, en dehors de ça, rien que du jazz. » Johnnie Ray et Nat King Cole passaient également sur le phonographe. « Mon père et ma mère étaient très fans de chanteurs comme Perry Como », a raconté Charlie, qui était allé voir Eckstine au London Palladium. Le styliste de Pittsburgh combinait tout ce qu'il aimait dans la musique, étant à la fois un élégant chanteur de jazz et de pop, un leader de groupes swing et be-bop, et un trompettiste. Charlie pouvait parler des heures du groupe qu'Eckstine avait formé dans les années 1940 et qui avait vu défiler Dizzy Gillespie, Charlie Parker et Art Blakey.

Avec Charlie et Dave dans la formation, les Joe Jones Seven décrochent un passage hebdomadaire au Masons Arms, à Edgware. Sur une merveilleuse photo de 1959 prise là-bas, où l'on voit le groupe avec ses recrues adolescentes, Green est à la contrebasse et porte un vieux pull tandis que Watts, à la batterie, est impeccable dans une veste Ivy League, la raie des cheveux bien nette, un mouchoir dans la poche de poitrine.

« Il était très conscient que nous sortions jouer et qu'il fallait s'habiller en conséquence, confirme Dave. Mon père nous conduisait parfois, mais la plupart du temps on allait à la gare en taxi et on prenait le train, avec moi qui trimballais ma contrebasse. On descendait à Canons Park et on prenait encore un bus. On jouait, et on refaisait tout le chemin dans l'autre sens. Je montais sur scène avec ce que j'avais sur le dos. Charlie, lui, se changeait pour le concert. Je ne l'ai jamais vu en jean. »

Les recherches minutieuses de la femme de Jones, Ann, ont permis de retrouver une lettre à Brian (Joe), sur papier à en-tête de Mecca Dancing (« la plus grande organisation de salles de bal au monde »). « On avait fait le voyage jusqu'au Locarno, à Streatham, en août 1958, pour concourir dans une des catégories du championnat national de groupes de jazz amateurs, se souvient Dave. C'était important pour nous, et je nous revois parfaitement en train de nous produire sur la scène tournante. »

Il donne encore un exemple de l'élégance vestimentaire de son ami. « Brian nous a fait jouer en uniforme pour l'occasion, et il se rappelle que Charlie avait mis une cravate de couleur vive au lieu de celle qu'il nous avait choisie. Ann se souvient aussi d'avoir vu un juge au bar, et non à sa place pour écouter et noter les différents groupes. »

Après son passage, le groupe suppose qu'il n'a pas réussi à intéresser le jury – jusqu'au moment où le patron du Locarno reconnaît, dans cette lettre, une erreur de notation. Il informe Jones que son groupe est en réalité arrivé deuxième, derrière le Jack Bayle Quartet. Dave termine l'histoire de manière laconique : « Ça n'a rien changé car on n'a pas pris la peine d'aller jouer en finale. »

Jones se rappelle cette époque : « Il y avait beaucoup de jazz à l'époque. On pouvait se produire dans des pubs partout à Londres, et on faisait aussi des noces et banquets, où on jouait quelques airs pop en vogue : on n'était pas complètement des "mouldy figs[1]", comme on appelait à l'époque les puristes du jazz. Si un concert se présentait, on pouvait gagner dix shillings. Dans le meilleur des cas, trente. Pour cet engagement au Masons Arms, je crois qu'on n'était même pas payés – on avait seulement des bières gratis. Charlie carburait au jus d'orange. »

En août 1959, à l'Edgware Jazz Club, on peut voir Charlie à la batterie et Dave à la contrebasse. Le groupe, rebaptisé « Joe Jones All-Stars », interprète un set qui comprend *Summertime* de George Gershwin, des standards bluesy tels *St. James Infirmary Blues* ou *St. Louis Blues*, et le *Goosey Gander* de Woody Herman. Le père de Charlie les emmène parfois en voiture, avec la contrebasse et la batterie dans le coffre. D'autre fois, les amis prennent le bus, tassant leur matériel dans les porte-bagages et sur la plate-forme. Un soir, la grosse caisse part en roulant dans la rue ! Le chauffeur, charitable, arrête son bus pour leur permettre d'aller la chercher.

À l'aube des années 1960, Charlie a encore assez de temps entre les concerts et les disques pour s'intéresser au sexe opposé. Il se rend à la fête donnée par Jones pour ses vingt et un ans. « Mon beau-frère était là, raconte Jones, et il m'a dit : "Ce Charlie Watts, il m'a demandé si je sortais avec cette fille, parce que si ce n'est pas le cas il compte le faire." »

Le groupe se sépare au bout d'un an, lorsque Jones, fraîchement marié, s'en va vivre avec Ann à Luton. « Chacun a poursuivi son chemin, mais Charlie et Dave sont revenus me voir deux ou trois fois, et nous avons joué avec des gars du coin », se remémore-t-il.

Charlie, ébloui par les grands musiciens de l'époque, s'imagine dans la peau du batteur new-yorkais Art Taylor, jouant avec le pianiste de génie Thelonious Monk. Il quitte son école d'art en 1960 mais, avant cela, pour un projet d'études (qu'il voyait comme « un entraînement pour une

1. Littéralement : des figues moisies.

carrière dans les arts graphiques » a-t-il précisé plus tard), il écrit et dessine un livre – petit par sa taille mais qui deviendra culte – en hommage à Charlie Parker, intitulé *Ode to a Highflying Bird*[1]. Il l'a créé avec amour, chez lui, à l'encre et au pinceau. « Les encres se mélangeaient, car je ne nettoyais jamais correctement le pinceau, ce qui a donné des couleurs très étranges », a-t-il expliqué avec son habituelle attention au détail.

Une fois les Stones célèbres, ce livre sera publié en format poche par Beat Publications, en janvier 1965, au prix de sept shillings. Charlie a lâché ce commentaire laconique : « Le type qui publiait *Rolling Stone Monthly* a vu mon livre et s'est dit : "Tiens, il y a un peu de blé à se faire avec ça !" » Dave Green, qui, suivant sa propre trajectoire dans le jazz, était à ce moment-là sorti de l'orbite de son ami, m'a dit en riant : « Je me rappelle avoir vu ce livre chez le marchand de journaux de la gare de Kingsbury. Je ne l'ai pas acheté parce que je n'avais pas de quoi. »

Avec ses trente-six pages et son format 12,7 × 17,8 cm, *Ode to a Highflying Bird* est ce qu'on appelle un petit livre ; sa calligraphie simple mais élégante et ses dessins auraient pu en faire un livre pour enfants – sauf qu'il est aussi suave que la musique qu'il décrit. Il mérite qu'on s'y attarde parce qu'il s'agit de la première, et peut-être de la dernière, manifestation des passions jumelles de Charlie pour le jazz et pour le dessin.

Le tout jeune homme y représente Parker sous les traits d'un oiseau, avec des lunettes noires, et décrit avec une grâce absolue son ascension et sa chute bien trop rapide. « Une histoire racontée par un Charlie pour un grand et regretté Charlie », écrit-il en guise de préface. Le livre montre les parents de Bird faisant leur « nid » dans le Kansas, et Parker, comprenant qu'il est différent des autres oisillons, travaillant son « sifflement ». Mais,

1. *Ode à un oiseau de haut vol.*

toujours décalé par rapport aux autres, il trouve refuge dans « les mauvaises graines et le seigle fermenté ».

Il est ensuite acclamé à New York, mais ne se débarrasse jamais de ses mauvaises habitudes. Sur cinq pages d'illustrations émouvantes, on le voit décliner, plus petit à chaque page, de plus en plus lointain, pour finalement disparaître. Parker a succombé à ses excès en 1955, à trente-quatre ans, mais avec le corps, dit-on, d'un homme de cinquante ou soixante ans. « Envolé, mais pas oublié », conclut Charlie avec éloquence. Le livre a été réimprimé en 1991, accompagné de l'élégant mini-album *From One Charlie* dans lequel Watts dirige modestement un quintette sur mesure, avec Dave à la contrebasse.

En 1960, ses études terminées, et peut-être encouragé par la première version de son livre, Charlie trouve un emploi payé deux livres par semaine comme garçon de bureau dans un studio de design graphique londonien, Charles Daniels Studios. Ses collègues et lui sont collés à la radio le soir chez eux pour écouter le feuilleton comique *Hancock's Half Hour* et se répètent les meilleures répliques au bureau le lendemain.

Andy Wickham, futur publicitaire de renom qui jouera un rôle clé dans l'expansion du label Warner Brother Records lors de l'explosion du son californien issu de Laurel Canyon, a raconté : « Je travaillais à côté de Charlie au studio. Il s'est révélé être le dessinateur le plus intelligent du service. Il nous aidait tous avec nos dessins quand nous tombions sur un os. Mais, surtout, il fallait l'entendre parler de jazz ! Une encyclopédie ambulante. »

La double fascination de Charlie pour le dessin et pour le jazz va plus tard le pousser vers un jeune photographe qui contribuera à façonner l'identité visuelle des Stones : un certain David Bailey. « Je m'entendais très bien avec Charlie parce qu'il avait travaillé dans le design graphique, a expliqué ce dernier. Il savait qui était Irving Penn [le grand photographe américain] et connaissait un peu mon travail. Et, bien sûr, il était branché jazz, une musique que j'avais beaucoup écoutée : à quatorze ans, je voulais être Chet Baker. »

Charlie est promu au poste de directeur artistique, où il dessine des affiches. Une très belle carrière dans le graphisme s'offre à lui, mais son amour de la musique le travaille beaucoup. Il donne sa démission parce qu'il faut tout simplement qu'il joue, qu'il garde la main (et même les deux), ce qu'il fait avec des sets dans un café deux fois par semaine avant de se trouver une place, à partir de septembre 1961, au Troubadour, vénérable club folk situé à Earl's Court, où son talent lui vaut une rencontre décisive avec Alexis Korner.

Parisien de naissance, Korner est arrivé à Londres avant l'adolescence, pendant la Seconde Guerre mondiale. En 1949, il a rejoint le groupe de Chris Barber, où il a rencontré l'harmoniciste encore aujourd'hui sous-estimé Cyril Davies. Leurs énergies combinées, en tant qu'artistes et bêtes de scène, jouent un rôle immense dans la révolution rhythm and blues à Londres, en particulier quand ces deux-là forment Blues Incorporated en 1961.

Charlie s'est souvent remémoré avec moi cette première époque où il écumait les clubs, à la fois comme client et comme musicien. Il se rappelait sans une hésitation tous ceux avec qui il avait joué des décennies auparavant. Il a travaillé pour des gens comme Art Wood, le frère aîné de Ron Wood, et aussi dans le groupe Blues By Six – dans toutes les configurations possibles. « On gagnait notre croûte, disait-il. On jouait là où on nous demandait de jouer. David, parce qu'il était contrebassiste, et aussi parce qu'il était extrêmement doué, je dois dire, jouait avec une certaine bande. Moi, je jouais dans le groupe d'Art Wood, dont le saxo ténor était Art Themen [qui formera plus tard un duo avec Stan Tracey]. »

Plus tard, il a écrit : « Quand j'ai commencé à jouer, il y avait le jazz moderne et le jazz traditionnel, qui étaient complètement séparés. Les gens qui sortaient dans les mêmes endroits que moi, pour voir Georgie Fame, n'avaient pas du tout le même look, dans leurs coupes de cheveux et tout, que ceux qui fréquentaient le club de Cy Laurie [dans Great Windmill Street] et qui dansaient : c'est là qu'allait ma [future] femme.

« C'est comme ça qu'Alexis [Korner] a commencé, grâce au génial et gentil Chris Barber, a-t-il expliqué. Harold Pendleton était propriétaire du Marquee, et Alexis a obtenu d'y jouer le jeudi soir. Il rassemblait plus de monde que Johnny Dankworth, le dimanche soir. J'y allais justement en fin de semaine, et j'y voyais Bobby Orr [batteur de jazz écossais] et des gens comme ça. » À cette époque-là, Charlie passe le plus clair de son temps à Soho. Il va voir Phil Seamen au Ronnie's et au Flamingo, et achète des disques à Ray Smith, propriétaire de la Mecque du jazz qu'est le magasin Collet's Record Shop dans New Oxford Street.

Korner aurait bien voulu engager Charlie au sein de Blues Incorporated, mais le batteur se voit proposer un poste de dessinateur au Danemark et part vivre à Randers, dans la péninsule du Jutland. Là-bas, il joue avec le multi-instrumentaliste Holger Laumann dans le groupe Safari Jazz, et avec le prestigieux Don Byas, un saxophoniste ténor réputé dans le swing et le be-bop qui a travaillé avec Basie, Ellington et Gillespie.

Charlie rentre au Royaume-Uni en février 1962 avec un job alimentaire de dessinateur pour l'agence de publicité Charles Hobson and Grey. Il joue pendant une brève période dans le trio de Dudley Moore, nouant avec le pianiste et comique en herbe une amitié qui refera surface des années plus tard. Mais, pour l'instant, Blues Incorporated tient enfin son homme.

« J'ai reçu un message me disant qu'Alexis Korner – j'ai dit : "Qui ?" – voulait que je rejoigne son groupe.

J'ai un peu parlé avec Alexis et j'y suis allé, mais je ne comprenais rien à ce qu'ils jouaient. Le blues, pour moi, c'était *Parker's Mood*. Je n'avais jamais entendu de blues de Chicago. Et je ne m'étais jamais vraiment intéressé au rock 'n' roll. Fats Domino, c'était ce que j'écoutais de plus proche, avec Little Richard. Je les trouvais fantastiques, et je le pense encore.

« Je détestais Elvis. C'est Keith Richards qui me l'a fait apprécier, lui et la grandeur de sa période Sun. Je l'aime bien jusqu'à sa chanson *All Shook Up*. Je pense qu'il aurait pris une tournure encore plus douteuse s'il n'était pas mort. Je déteste la dernière période de sa vie, le show. Mais j'adorais quand il avait Scotty Moore et D. J. Fontana, ce petit groupe. Ça devait être quelque chose, à l'époque. C'était sûrement extraordinaire de le voir dans un de ces bals de campagne. »

C'est ainsi que, pour deux livres la soirée, Charlie entre dans une pépinière de futurs talents britanniques à peu près sans égale, à part les Bluesbreakers de John Mayall qui vont bientôt produire des artistes à la chaîne. « Un aimant puissant » : voilà comment Charlie, non sans raisons, décrivait Alexis Korner. Blues Incorporated a été un incubateur pour des personnes comme Jack Bruce, Ginger Baker, Graham Bond, Long John Baldry, Paul Jones, l'américain Ronnie Jones (aucun lien de parenté entre eux deux), Davy Graham ou Dick Heckstall-Smith, et a donné sa chance à un autre petit jeune qui se faisait encore souvent appeler *Mike* Jagger.

« Je regrette parfois de ne pas toucher de royalties sur tous ceux qui ont commencé avec moi, a confié Korner au *Melody Maker* en 1966. Les Stones, par exemple. Charlie Watts était dans mon groupe, et Mick Jagger chantait avec moi. Je l'aurais bien gardé, mais Cyril Davies était contre. »

Jack Bruce m'a révélé un jour : « En arrivant à Londres, j'ai commencé à trouver plus de travail, et heureusement une situation musicale plus intéressante, car je n'avais jamais vraiment été un grand fan de jazz tradi : je trouvais ça très convenu, de la musique de second ordre. Quand j'ai rencontré Dick Heckstall-Smith et rejoint le groupe d'Alexis Korner, avec des gens géniaux comme Ginger, Graham Bond, Charlie Watts et tous ces types formidables rencontrés au début des années 1960, c'est là que j'ai commencé à grandir. »

Charlie, quant à lui, disait de Bruce : « Jack est bon musicien, il l'était déjà à seize ans, même avant. Quand j'ai fait sa connaissance, c'était un merveilleux bassiste, qui formait un groupe avec Ginger et Dick. Il est de ces musiciens qui peuvent arriver les mains dans les poches, ce dont je suis incapable. Enfin si, je peux, mais il y a des domaines où je n'y arrive pas, alors que Jack, si. Quand j'ai commencé à jouer avec Alexis, Jack était à la contrebasse acoustique, au tout début. Il est passé très tôt à l'électrique. »

À l'époque, un autre groupe local n'est pas du tout du goût de Charlie : le tout jeune Screaming Lord Sutch et son numéro de « shock rock ». Il joue près de chez les Watts avec son groupe les Savages, qui comprend leur ami Andrew Wren au piano. Les historiens érudits savent que Wren, injustement méconnu, a remplacé le pianiste d'origine des Savages, Nicky Hopkins, qui deviendra un élément essentiel de tant d'enregistrements classiques des Rolling Stones et de dizaines d'autres. Wren, de son côté, sera bientôt coopté par Brian Jones pour assurer à la fois le piano et le chant lors des répétitions embryonnaires des futurs Stones, mais un certain Mike Jagger ne tardera pas à le remplacer.

« On venait de disputer un match de cricket, se souvient Roy Rootes. J'étais dans l'équipe de la boîte où Charlie travaillait, à Hayes. Dans la voiture, au retour, il m'a dit : "Andrew Wren passe au Centre communautaire de Southall, on passe jeter un œil ?" C'est ce qu'on a fait : Lord Sutch était sur scène, en train de chanter *Great Balls of Fire*. » Il faut imaginer Sutch dans son costume de

scène copié sur celui de l'excentrique Américain Screamin'
Jay Hawkins, avec des cornes de bison collées sur un
casque, une perruque par-dessus, et une veste léopard
aux manches coupées, piquée à sa tante.

« Lord Sutch traverse la scène en courant, et Andy
Wren a dans les mains une grosse cloche d'alarme à
incendie, raconte Rootes. La scène est pleine de fumée
et de détritus, et tout à coup [Wren] s'élance et balance
la cloche à la tête de Lord Sutch. Il se retrouve le visage
en sang. C'est seulement en voyant une ambulance dehors
qu'on a compris que ça ne faisait pas partie du spectacle. »
Charlie, évidemment, est proprement horrifié.

Le jeune Watts est sur scène pour le premier concert
de Blues Incorporated à l'Ealing Club, le 17 mars 1962,
avec Korner à la guitare électrique, Davies à l'harmonica,
Dave Stevens au piano, Andy Hoogenboom à la basse
et Dick Heckstall-Smith au saxophone ténor. Korner
et Davies, avant cela, ont dirigé le London Blues and
Barrelhouse Club au Roundhouse pub, au croisement
de Wardour Street et Brewer Street, là où Davies tenait,
avant leur association, le London Skiffle Club.

L'Ealing Jazz Club, ouvert en 1959 au 42a The
Broadway, en face de la station de métro Ealing Broadway,
est devenu le premier vrai foyer du rhythm and blues
britannique. Charlie y retourne la semaine suivante et y
fait la connaissance de l'« autre » Brian Jones (alors un
fan de jazz traditionnel vivant à Cheltenham), lequel,
deux semaines plus tard, sera à son tour présenté à Mick
et à Keith. Les graines sont semées.

Soixante ans plus tard, pendant les préparatifs de la
tournée européenne qui devait célébrer cette rencontre,
Mick et Keith ont partagé avec moi leurs premiers souvenirs de Charlie, leur ami de toute une vie. « Ah ouais !
l'Ealing Club, a lâché Keith. Mick et moi, on y était
allés parce qu'on avait entendu parler de ce club, et on

s'était dit : "Waouh ! du rhythm and blues à Londres ! Faut qu'on aille voir ça."

Il a détaillé la soirée : « Je ne vois pas l'autre bout de la scène, j'entends seulement la batterie. J'essaye de me faufiler, il y a juste un petit passage entre le coude d'un type et les fesses d'un autre, et tout ce que je vois, c'est une main gauche qui tape un *backbeat* parfait. C'est comme ça que j'ai connu la main gauche de Charlie Watts, en tendant l'oreille et en me démenant pour essayer de voir ce qu'il y avait au bout.

« J'ai fini par réussir à l'apercevoir, le bougre, et Mick et moi on s'est regardés en pensant : "Faut qu'on se débrouille pour l'avoir, c'est l'homme qu'il nous faut." Alexis jouait parfois aussi avec Ginger Baker, et Phil Seamen, et quelques batteurs de jazz très connus. Mais ils n'avaient pas ce truc que Charlie avait, cette touche unique. »

Mick a poursuivi : « J'ai seulement regardé Charlie jouer à l'Ealing Club. Je n'avais jamais entendu parler de lui ni d'aucun de ces types. Jamais entendu parler d'Alexis Korner non plus. J'y allais simplement le samedi soir parce que c'était un groupe accessible. Charlie était l'un de leurs batteurs. C'est comme ça que je l'ai connu.

« C'était une idée très sympa. On pouvait se pointer avec son instrument et espérer jouer sur trois morceaux. J'ai essayé et chanté tous les samedis, sur au moins deux morceaux. Je jouais avec lui. Je chantais seul, ou alors Keith et moi faisions un morceau, mais ça ne leur plaisait pas beaucoup parce que c'était trop rock 'n' roll. Sauf que, évidemment, c'était le morceau le plus populaire de la soirée, parce que c'était celui qui faisait le plus danser. Ensuite je chantais *Dust My Broom* avec Brian, ou pas. »

Fidèle à son habitude, Charlie minimisait ses mérites et ceux de Blues Incorporated. En même temps, il se rappelait le rapide succès de ces soirées à l'Ealing Club et de Blues Incorporated qu'il décrivait comme « un croisement de R&B et de Charles Mingus ». Une centaine de personnes étaient présentes à la première, dans une salle de deux cents places, mais au bout de quatre semaines ils refusaient du monde. « Alexis a décroché le record du club en moins d'un mois, je ne sais pas bien pourquoi, à vrai dire, car ce n'était pas un groupe très soudé, expliquait-il.

« On jouait des chansons que personne dans le groupe n'avait entendues avant. C'était un état d'esprit très particulier. Seuls Cyril Davies et Alexis connaissaient vraiment les morceaux. Nous, les autres membres, on y allait à l'aveugle. C'était surprenant, mais les gens venaient. » Puis, à partir du mois de mai, Blues Incorporated est engagé pour jouer tous les jeudis soir au Marquee, pendant l'entracte du Chris Barber Band.

Hors scène, Charlie fête ses vingt et un ans le 2 juin 1962, alors qu'Elvis Presley continue de régner sur les classements britanniques avec *Good Luck Charm*. Il marque le coup en donnant une fête au Green Man, un pub à Kingsbury. Plus de soixante ans après, Brian « Joe » Jones possède encore la lettre accompagnant son invitation. Elle était ainsi rédigée (fautes comprises) :

Cher Joe,
   Je t'envoie ce mot en espérant qu'Anne et toi pourrez venir samedi 2 juin tous les Copains seront là.
   Je voudrai en profiter pour inviter aussi ta Mère et ton Père et Terry et sa Copine, comme tu vois c'est juste au Green MAN.
   Charlie.

   PS – Il y aura un groupe mais si tu veux apporter ton saxo et jouer en fin de soirée pas de problème. À bientôt.

Jones a répondu qu'Ann (sans *e*) et lui ne pourraient pas venir, car leur fille, Sara, était née quatre jours plus tôt.

Pendant ce temps, Korner et Davies, à la barre de Blues Incorporated, se querellent à propos de la direction précise et du son du groupe – le second préférant un style Chicago blues –, et, de manière inévitable, pour des histoires d'argent. « Je n'allais pas rester entre eux, a expliqué Charlie. Je n'étais que le batteur… Je ne pouvais même pas participer aux disputes, car je ne comprenais rien à ce qu'ils racontaient.

« Cyril Davies était un pur joueur d'harmonica, façon Chicago et Jimmy Cotton. Je n'avais jamais joué avec un harmoniciste avant. La première fois, avec Alexis, je lui ai dit de faire moins de bruit, parce qu'il avait un ampli qui devait faire neuf pouces et qu'il l'avait suspendu au-dessus de ma tête dans ce café appelé le Troubadour. Toujours là-bas, à Earl's Court. Très bohème. Je ne supportais pas le bruit. Ginger Baker était là ce soir-là, je me rappelle. »

Quelques semaines plus tard, au Marquee, le 12 juillet 1962, Blues Incorporated doit annuler son concert, maintenant en tête d'affiche, pour participer au *Jazz Club* de la BBC. Les Rollin' Stones, en pleine formation, s'engouffrent dans la brèche, avec Brian (qui se fait appeler « Elmo Lewis »), Mick et Keith, mais aussi le fidèle pianiste – et bientôt *road manager* adoré – Ian « Stu » Stewart. Dick Taylor est à la basse, et Mick Avory, ou plus probablement Tony Chapman (selon la mémoire des uns et des autres), à la batterie. Ils font leur premier live : le début d'une époque.

« Je les connaissais tous, a raconté Charlie, car j'avais joué avec Mick une poignée de fois, dans le groupe d'Alexis, qui n'avait jamais eu de chanteur [régulier]. Il y avait eu Ronnie Jones – un Américain –, Paul Jones aussi il me semble, et Mick. Keith était avec nous à Ealing, ça je m'en souviens, et j'ai aussi joué avec Brian quelquefois. »

Charlie est présent comme spectateur en ce soir de juillet : l'occasion de jeter un regard sur le monde auquel il sera bientôt lié à vie. Après le *Jazz Club*, il se rend au 165 Oxford Street, première adresse du Marquee. « Nous [Blues Incorporated] avions enregistré une émission de radio, et je me rappelle être arrivé des studios et avoir descendu l'escalier de derrière, ou plutôt latéral, du Marquee. Je me revois à la porte, en train de regarder Brian faire son truc à la Elmore James avec sa guitare slide. »

Cela étant dit, tout le monde n'en garde pas un souvenir impérissable. Harold Pendleton, le fondateur du Marquee, était un homme d'affaires futé du nord de l'Angleterre et fan de jazz tradi. Je l'ai interviewé en 2014, trois ans avant sa mort : à quatre-vingt-neuf ans, il était encore fringant. « Il y a quelques années, la BBC est venue me voir, et le journaliste m'a dit : "La première fois que les Rolling Stones se sont produits dans votre club, qu'avez-vous pensé d'eux ?" J'ai répondu : "J'étais au pub." On n'avait pas la licence de vente d'alcool, et le vrai groupe, les gars de Cyril Davies, était parti boire un coup. J'étais avec eux. Les Stones assuraient l'entracte. » La collaboration Jagger-Richards à l'écriture étant encore loin d'être une réalité, le répertoire de la soirée ne comprend pas une seule composition originale. Il n'y a que des reprises de grands anciens comme Jimmy Reed, Robert Johnson, Muddy Waters ou Chuck Berry. Ils ont même creusé plus loin pour exhumer des titres de Little Willie Littlefield, Jay McShann et Billy Boy Arnold. Et, cherchez l'intrus, une version de *Tell Me That You Love Me*, une face B de 1957 de Paul Anka, la coqueluche des jeunes filles.

Le groupe est encore tout nouveau. Stu, pendant quelque temps encore, réserve les dates depuis son travail à l'Imperial Chemical Industries, les autres Stones n'ayant pas le téléphone. Ils se produisent et répètent, ajoutant à leur concert hebdomadaire à l'Ealing Club des dates dans le sud de Londres, à Sutton, Cham et Richmond, et quelques-unes dans d'autres lieux plus excentrés. En parallèle, ils se cherchent un batteur régulier, les baguettes passant de Tony Chapman (des Cliftons, le groupe dans lequel joue Bill Wyman), qui ne donne pas satisfaction, à Carlo Little, des Savages de Screaming Lord Sutch. Certains soirs, ils n'ont pas de batteur du tout.

Brian Jones tanne Charlie, qui résiste, vivant de son statut de semi-pro et de son salaire. Des décennies plus tard, il niait encore que les Stones l'aient spécifiquement choisi et, au bout du compte, débauché. « Je ne sais rien de tout ça », m'a-t-il lâché une fois où je lui en parlais. Dans une autre interview, il a raconté qu'il « cherchait du travail », qu'il était « entre deux contrats, comme disent les acteurs ».

« Faux et archifaux, réplique Keith en repensant à cette époque. Bien sûr qu'on a essayé pendant des mois de convaincre Charlie de nous rejoindre, se souvient-il. Il nous a dit : "Bon, j'aimerais bien, mais il me faut au moins un concert régulier par semaine, rien que pour couvrir les frais." Alors on s'est démenés pour dégoter encore une soirée, qu'on lui a fièrement présentée : "Regarde, *deux* concerts par semaine !" Là, il a accepté. »

Mick explique : « En voyant Charlie jouer avec Alexis, on s'est dit : "Il sera bon." Mais il faisait beaucoup de petits concerts. Alexis avait plein de batteurs et laissait tout le monde tenter sa chance, que ce soit Ginger Baker ou n'importe qui d'autre. Nous, on n'avait pas assez de dates, et on ne pouvait payer personne. Aussitôt qu'on a eu une soirée régulière, comme à Richmond, à Ealing et chez Ken Colyer, Charlie est venu avec nous. Il attendait seulement qu'on ait de quoi le rémunérer. Ça a pris un peu de temps, mais pas tant que ça non plus. Les gens aiment en faire tout un mythe ; en fait ça a été assez simple. »

Mick et Brian emménagent alors dans l'un des plus célèbres trous à rats de l'histoire du rock, leur appartement d'Edith Grove, à Chelsea, où Keith ne tarde pas à les rejoindre. On oublie parfois que Charlie aussi a vécu un petit moment dans ce « superbe taudis », comme l'appelle Keith. « Je vivais avec Mick, Keith et Brian », a-t-il confirmé, même s'il rentrait chez ses parents le week-end. « C'était à Londres, c'était central, c'était simple, et on se marrait vraiment beaucoup, pour être honnête. »

À la mi-décembre 1962, Bill Wyman, qui en répétition impressionne les Stones encore embryonnaires plus par ses amplis que par son jeu, monte à bord, et Charlie quitte les Blues Incorporated, en prétendant bien sûr qu'il n'est pas au niveau pour rester avec eux. Dès le début de 1963, il recommande une autre future légende de la batterie pour le remplacer et fait le grand saut pour rejoindre les Stones. Et cela même si ses copains pensent qu'il est devenu fou et s'il se demande ce que va dire son père.

2
Tu crois que je fais bien de rejoindre ce groupe qui joue pendant les entractes ?

Peter Edward Baker et Charlie Watts se rencontrent à la fin des années 1950. Déjà surnommé « Ginger », il a deux ans de plus que lui et joue de la batterie depuis 1954. Non seulement chacun aura une influence majeure dans des moments clés de la carrière de l'autre, mais ils vont aussi bâtir une amitié qui durera jusqu'à la fin de leur vie.

Charlie et Ginger font connaissance au club Troubadour, alors que les futurs Stones se produisent encore à quatre. « Il est entré en me fusillant du regard », a raconté Charlie au *Melody Maker* des années plus tard. Ceux qui ont regardé le documentaire *Beware of Mr Baker*, en se planquant à moitié derrière leur canapé pour arriver à le faire, ne seront pas étonnés : Ginger était capable de déclencher une bagarre dans une salle vide.

« Il est vraiment bon, a continué Charlie. Je n'avais jamais vu personne qui ressemble à ce point-là à un musicien américain. Les Américains n'y vont pas par quatre chemins, et Ginger non plus. Pour moi, il sonnait plus comme Elvin Jones qu'Elvin lui-même. » Un compliment de taille : Charlie tenait en haute estime le batteur post-bop connu avant tout pour sa participation au quartette de John Coltrane. Charlie et Jim Keltner, un ami musicien de premier plan lui aussi, ont même interprété une *Elvin Suite* de douze minutes, lors de leur collaboration imaginative et aventureuse de 1996, le *Charlie Watts Jim Keltner Project*, coécrivant le morceau avec

Blondie Chaplin, musicien de scène des Rolling Stones et Beach Boy à l'époque de l'album *Holland*.

« Leur amitié remonte avant ma naissance, relate la fille de Ginger, Ginette, dite Nettie. Ça date de l'époque où ma mère [Liz, la première femme de Baker] et mon père ont commencé à se fréquenter, c'est-à-dire en 1958. Charlie avait entendu parler de mon père dans le milieu du jazz, et ils évoluaient dans les mêmes cercles.

« Ils ne vivaient pas loin l'un de l'autre, faisaient des allers-retours sur la ligne Bakerloo [maintenant intégrée dans la ligne Jubilee] avec ma mère, et rentraient ensemble du centre à la banlieue. Charlie était à Kingsbury, eux à Neasden, alors ils faisaient le même trajet et bavardaient. Il y avait entre eux une adoration mutuelle. Personne n'aurait pu dire un mot de travers sur Charlie chez nous. »

Comme Charlie, Baker avait sacrifié sa passion du dessin pour suivre son tempo. « Ils avaient donc beaucoup en commun, résume sa fille. Quelque chose de cette époque les a liés à jamais, et c'est très rare pour mon père. Je me suis baladée là où se trouvaient certains des anciens clubs de Londres, et je savais que papa avait trimballé sa batterie au club de Cy Laurie, par exemple. C'est important de savoir que Charlie était là aussi à ce moment-là. »

Si Baker fait irruption dans la vie de Charlie à cet instant précis, c'est que le jeune batteur, en quittant Blues Incorporated, recommande Ginger pour prendre sa place. Comme je l'ai évoqué, Charlie sent qu'il a du mal à rester au même niveau que ses camarades. « J'ai quitté Alexis parce qu'il prenait un virage différent, a-t-il indiqué, et que je ne le sentais pas. J'ai dit : "C'est Ginger Baker qui devrait faire ça", et il a pris ma suite. Ginger envoyait du lourd, déjà à l'époque. Je me rappelle la batterie sur laquelle il jouait avec Alexis : il l'avait fabriquée lui-même, en plastique bleu translucide, très avant-gardiste. » Charlie aide même Ginger à installer son matériel pour sa première répétition.

« Il y avait une autre raison au départ de Charlie, ajoute Nettie. Il a lancé à mon père : "Ce n'est pas un avenir très sûr", et papa a trouvé ça hilarant. Puis il lui a passé le flambeau. » L'estime mutuelle ne tarde pas à fonctionner dans l'autre sens, et Ginger recommande Charlie à Brian Jones. « Mon père aimait bien Brian, parce qu'il le trouvait bon musicien, a déclaré Nettie. Il a affirmé : "Ton batteur est absolument nul, Brian. Pourquoi tu ne prends pas Charlie Watts ?" On peut dire qu'il lui a renvoyé l'ascenseur. Mon père savait que Charlie avait de bonnes racines jazz et il a peut-être pensé qu'il apporterait quelque chose aux Stones. C'est vrai qu'il avait dit : "J'ai su qu'ils allaient cartonner dès la première fois que je les ai vus." »

Nettie a toujours eu conscience que son père et Charlie avaient des personnalités très contrastées. « Que dire de quelqu'un qui est sympathique ? me demande-t-elle, amusée. Mon père, à l'inverse, était plutôt réputé pour être quelqu'un d'antipathique, et pourtant ils ont été des amis incroyablement proches. C'était pareil avec Eric Clapton, qui a raconté : "Ginger ne m'a jamais envoyé balader, c'est pourquoi je m'entendais bien avec lui. Il n'a jamais été comme ça avec moi." Ces deux-là ont vu un aspect complètement différent de mon père. Cela dit, je ne pense pas qu'être sympa soit requis pour être un bon artiste. »

Les Stones naissants, composés de Jagger, Richards, Jones, Ian « Stu » Stewart et Dick Taylor, savaient qui ils voulaient. « On s'est dit : "On adorerait avoir Charlie Watts, si on pouvait se le payer", a écrit Keith dans *Life*. Parce qu'on trouvait tous que, comme batteur, c'était un don du ciel. Stu a tâté le terrain, et Charlie a répondu qu'il adorerait jouer avec nous mais qu'il avait besoin d'argent pour transporter son matériel dans le métro. Il a lâché : "Si vous arrivez à décrocher deux concerts sérieux par semaine, je suis partant." »

Ronnie Wood a raconté la conversation entre Charlie et son grand frère Art, avec qui Charlie jouait aussi au Marquee. « Il a dit à Art : "On m'a proposé d'entrer dans ce groupe qui joue pendant les entractes et qui s'appelle les Rolling Stones. Qu'est-ce que je dois faire, à ton avis ?" Charlie pensait que ça ne durerait qu'une semaine ou deux, mais Art lui a répondu : "Vas-y, fonce. Si tu veux entrer dans ce groupe, on te filera un coup de main pour ta batterie." »

Même en sachant que son compte en banque risquait d'en prendre un coup, Charlie n'a pas pu dire non aux Stones à la fin. « Je gagnais un salaire confortable, qui allait évidemment dégringoler », a-t-il expliqué, cité par Bill Wyman dans *Rolling with the Stones*. « Mais j'ai bien réfléchi. J'aimais leur énergie, et je commençais à bien me mettre au R&B. Alors j'ai dit d'accord. »

À crécher en semaine dans la crasse de l'appartement d'Edith Grove, Charlie se trouve curieusement séduit. Il a démissionné de chez Charles Hobson and Grey, une société renforcée depuis le rachat en 1962 de l'agence Hobson and Partners par la puissante firme new-yorkaise Grey Advertising. Mais il est de moins en moins tenté par une carrière de dessinateur. « Je me levais le matin, Brian et Keith ronflaient comme des bienheureux, et je me disais : "Je ne vais pas aller passer un entretien aujourd'hui. De toute manière, on joue ce soir." Soudain, je faisais partie de ce groupe que tout le monde applaudissait. »

Une vie entière plus tard, à l'approche du cinquantième anniversaire des Stones (excusez du peu), Mick Jagger a clairement montré qu'il avait fait quelques recherches personnelles sur la chronologie des débuts du groupe, en prenant le mois de juillet 1962 comme point de départ. « J'ai demandé à Charlie : "C'était quand, ton premier concert ?", et il m'a répondu : "Au mois de janvier suivant." » Exactement. Tony Chapman a reçu la mauvaise nouvelle après leur concert au Ricky-Tick, à Windsor, le 11 janvier. Tout juste vingt-quatre heures après, à l'Ealing Club et avec un groupe de six membres désormais, Charlie était à la batterie pour la première fois.

Dans le journal qu'il tenait alors, Keith exprime des réserves sur cette première prestation. « Je trouve qu'on sonne pas comme il faut, peut-être à cause de ma grippe. Mick, Brian et moi, tous encore abrutis par frissons et fièvre !!! » (Si banale fût-elle, l'expression donnait son titre à une chanson : *Chills and Fever*, un morceau R&B de 1960, qui venait d'être repris par Jet Harris, et qui lancerait la carrière de Tom Jones.) Keith conclut : « Charlie swingue mais il a pas encore le son juste. Rectifier ça demain ! » Quand je lui rappelle ce commentaire, neuf mois après le décès de Charlie, il pouffe : « J'étais gonflé ! »

Quelques jours plus tard, toujours dans le journal de Keith : « Charlie swingue joliment mais ne peut pas faire du rock. Type fabuleux, par ailleurs… » Il a ajouté dans son autobiographie de 2010, *Life* : « Il n'avait pas encore intégré le rock 'n' roll à cette époque. Je voulais qu'il tape plus fort, je le trouvais trop jazzy. »

Le déclic résidait dans les disques de Jimmy Reed, le bluesman du Mississippi dont l'influence sur les Stones a commencé tôt et ne s'est jamais effacée : ils n'ont pas fait que reprendre ses morceaux à leurs débuts, mais ont aussi joué *The Sun Is Shining* lors du tristement célèbre concert d'Altamont en 1969[1] ; sa chanson *Little Rain* figure dans l'album du retour aux sources *Blue & Lonesome* de 2016, qui a cartonné ; et ils ont chanté *Shame, Shame, Shame* lors d'une soirée hommage à Charlie donnée en décembre 2021. Où ça ? Au célèbre Ronnie Scott's, bien sûr.

---

1. Festival organisé par les Rolling Stones sur la côte Ouest des États-Unis pendant lequel quatre personnes ont trouvé la mort.

« Keith, Brian Jones et moi, on écoutait des morceaux de Jimmy Reed à longueur de journée quand j'ai rejoint les Stones, m'a confié Charlie. J'ai appris toutes les subtilités de son jeu en traînant avec eux. » Il a ajouté dans le livre de 2003 *According to the Rolling Stones* : « J'ai appris qu'Earl Phillips jouait comme un batteur de jazz sur ces disques, il jouait swing, sur un 4/4 straight, c'est-à-dire régulier.

« Freddy Below, lui, jouait *shuffle*, comme c'était le style à Chicago. Sur beaucoup de morceaux de Chuck Berry, qu'on adaptait sur un rythme *straight eight* – à la manière de Chuck –, Freddy Below jouait quatre, quatre, swing, et le résultat, quand ça tape juste, est incroyable, mais s'il y a un loupé, quelqu'un ne va pas être synchro. Alors on a appris à jouer à la manière de Freddy Below. »

Keith est impressionné par le style avec lequel son nouveau partenaire se met instinctivement dans le groove. « À force de traîner avec nous, il s'est mis à écouter beaucoup de blues de Chicago – avec une concentration remarquable. Mais j'étais époustouflé par son intuition ; en l'espace de quinze jours, il avait non seulement trouvé ce qu'il fallait faire entre ce qu'il avait écouté de nouveau et ce qu'il jouait avant – jazz et free –, mais en plus il y prenait plaisir. On aurait dit qu'il apprenait quelque chose en entrant dans les Stones, qui étaient une école quand même assez bizarre. »

Après un essai en 1962 dans un studio de High-bury appartenant au guitariste studio Curly Clayton, les Stones font des démos pour la deuxième fois en mars 1963, désormais sous la houlette de Glyn Johns. À l'aube d'une carrière musicale au cours de laquelle il va constamment réaffirmer son statut de candidat au titre de meilleur producteur et arrangeur de Grande-Bretagne, Johns travaille aux IBC Recording Studios, à Portland Place, et obtient la permission de faire venir les Stones pour enregistrer aux heures creuses. Comme il se le remémore dans son recueil de souvenirs, *Sound Man*, ils étaient déjà excellents, en grande partie grâce à leur section rythmique.

« J'ai trouvé le résultat fantastique, écrit-il. J'avais enfin réussi à enregistrer la musique qui m'avait tant inspiré dans l'album de Jimmy Reed de mon pote américain Pat. On s'y serait cru. Je me rappelle avoir été particulièrement impressionné par le jeu de Brian Jones à l'harmonica, par le son et le feeling extraordinaires obtenus par Charlie et Bill, et bien sûr, ça va sans dire, par le piano de Stu. »

Au cours des six premiers mois de Charlie, les Stones se produisent en live quatre-vingt-onze fois dans tout Londres : dans le centre, avec le Flamingo à Soho, le Scene Club et le Marquee ; dans le nord au Harringay Jazz Club ; dans le sud au Red Lion à Sutton et au Guildford's Wooden Bridge Hotel ; et dans l'ouest, au Ricky-Tick à Windsor et sur l'île d'Eel Pie, à Twickenham. L'un de ces rendez-vous réguliers va conserver une place particulière dans sa mémoire. « L'époque qui m'a vraiment marqué, je crois, c'est quand on jouait au Crawdaddy, à l'époque où ça a cessé d'être un pub. Je pourrais me tromper car c'était il y a un bail, mais on est passés du pub au truc athlétique [le club est devenu le Richmond Athletic Ground, en juin 1963]. Je me rappelle Mick qui dansait là-bas, on y jouait tous les dimanches.

« On se produisait dans le club de Ken Colyer, en face de la station de métro Leicester Square, et de là on se rendait au club athlétique. C'étaient nos deux concerts réguliers. Ça nous a permis de tenir un bon moment, d'ailleurs. Mais il y avait toujours de plus en plus de monde. On a eu de la chance, pour ça. » C'est au Crawdaddy, se souvient-il, que les Stones sont devenus « cultes », emportant le public avec des sets qui se terminaient, selon ses dires, « en foire d'empoigne ».

En mai 1963, le groupe signe avec Decca Records, et en quelques semaines leur reprise rudimentaire mais exubérante de *Come On* de Chuk Berry devient leur premier single Decca, bien qu'elle n'ait pas grand-chose à voir avec leur son en live. « On ne l'a jamais faite aussi bien que Chuck Berry, personne n'y est jamais arrivé, commente Charlie. Sa version est très branchée, en fait. Le rythme est super. C'est un rythme de La Nouvelle-Orléans qu'il joue, c'est fantastique. Nous, on la jouait telle quelle, comme un groupe beat de Liverpool. Quand on était jeunes, on jouait à une vitesse de dingues. On ne se posait pas de questions », conclut-il en riant.

Avant même la sortie du 45 tours, Norman Jopling, du *Record Mirror*, rédige le premier article important sur le groupe, publié dans la presse musicale nationale, rapportant qu'ils font un tabac au Station Hotel de Richmond. C'est là que « les jeunes dans le vent s'agitent sur la nouvelle "jungle music" […], et le groupe sur lequel ils se trémoussent s'appelle les Rollin' Stones. Vous n'en avez peut-être jamais entendu parler : si vous vivez loin de Londres, ils vous sont probablement inconnus. » Le batteur, écrit l'hebdo consacré à la pop, est Charles Watts. Dans quelques semaines, il va faire le grand saut : passer professionnel.

Bill Wyman, assis dans son salon de Chelsea en 2022, évoquait son ami avec une vénération palpable. « Quand Charlie s'est joint à nous, c'était un musicien de jazz, et il parlait toujours de jazzmans, relate-t-il. Les seuls que je connaissais à l'époque étaient Fats Waller, que j'adorais et que j'adore toujours, Dizzy Gillespie et Gerry Mulligan. J'avais entendu deux ou trois choses, et je trouvais ça pas mal, mais ce n'était pas ma spécialité. Enfin, au moins, on pouvait parler d'eux. Il était fin connaisseur d'autres musiciens de jazz dont j'ignorais l'existence. Il y avait donc un certain fossé entre nous. Mais, musicalement, on s'est quand même entendus tout de suite. »

Charlie n'était pas un passionné de rock 'n' roll, mais ce n'était pas grave. « Ce n'était pas son truc, mais il savait jouer en shuffle, et c'était très important dans notre musique, précise Bill, parce que tous les autres groupes jouaient des croches et des doubles croches, ta-ta-ta-ta, bits-and-pieces, she-loves-you-yeah, tout était comme ça. Alors que nous, on jouait ta-toum, ta-toum, *Down the Road Apiece* et tous ces trucs-là. Charlie excellait là-dedans parce qu'il était batteur de jazz, ce qui nous donnait dix longueurs d'avance sur quiconque aurait voulu nous imiter. Personne n'a jamais vraiment réussi à obtenir le son qu'on avait.

« Quand on a commencé, c'était les trois B, n'est-ce pas ? Chris Barber, Acker Bilk, Kenny Ball. Ils incarnaient le jazz traditionnel, celui qu'on trouvait partout, dans tous les clubs. On a été le premier groupe à entrer dans ces clubs *sans* jouer du jazz traditionnel, et c'est pour ça que les gens du jazz tradi ne nous aimaient pas. Quand on a commencé à être un peu plus applaudis qu'eux, on a été interdits d'entrée dans tous les clubs de Londres, si bien qu'on a dû pousser jusqu'à Richmond, Twickenham ou Windsor, parce qu'il n'y avait pas d'autres endroits où jouer à Londres. La Fédération du jazz nous a tout simplement blacklistés. Mais on assurait vraiment, à cette époque. Sur scène, on surpassait n'importe quel autre groupe, alors on n'a rien changé. »

« Il joue vraiment dans le style des batteurs noirs qui accompagnaient Sam & Dave, les groupes de la Motown ou d'autres batteurs soul, écrit Keith à propos de Charlie dans *Life*. Il a exactement ce toucher. Très convenable, la plupart du temps, avec les baguettes glissées entre les doigts – comme tant de batteurs jouent aujourd'hui. Mais, quand on se lâchait, on s'envolait. C'est comme en surf, quand tu es en haut de la vague : tout va bien tant que tu restes là-haut. Et, parce que Charlie avait ce style particulier, je pouvais jouer comme lui. Dans un groupe, une chose fait avancer l'autre, il faut que ça fusionne. C'est fondamentalement du liquide. »

Charlie a pris du recul, plus tard, sur le contraste entre le mélange des genres qui faisait le succès des premiers disques des Stones et leur goût personnel pour le blues profond et authentique. « On a gravé beaucoup de choses terriblement commerciales sur disque. *Money*, *Come On*, tu comprends, ce n'était jamais au programme de ce qu'on jouait dans les clubs, si tu vois ce que je veux dire. Là-bas, c'était nettement plus orienté Bo Diddley et Muddy Waters. »

La fortune n'est pas encore au rendez-vous ; en revanche le groupe se voit contraint de se procurer une carte routière. En juillet 1963, il part pour l'Outlook Club, à Middlesbrough, point de départ d'une tournée épuisante : soixante-dix-huit concerts en soixante-seize jours, non plus aux quatre coins de Londres mais dans tout le Royaume-Uni, de Morecambe à Margate, de Prestatyn à Peterborough et de Wisbech à Woking. Bien souvent, au retour, tout le monde débarque chez Charlie – c'est-à-dire chez ses parents, où il passe toujours les week-ends.

« Quand il arrivait, se souvient Linda, j'entendais frapper à la porte : "Les copains dorment ici !" » Keith, Bill et les autres. Ils étaient tous très sympas. On s'installait ensemble pour manger des sandwichs au bacon et boire des tasses de thé. Papa et moi devions aller au travail le lendemain ; Charlie, lui, dormait jusqu'à l'heure du déjeuner. »

En novembre, avec *I Wanna Be Your Man*, offerte par Lennon et McCartney pour leur deuxième single, leur ascension est tellement fulgurante que le *Record Mirror* publie une « carte postale des Rolling Stones » hebdomadaire, écrite par chacun des membres à son tour. Alors que leur première grande tournée au Royaume-Uni continue, avec Little Richard et Bo Diddley, Charlie décrit dans la sienne la fête d'anniversaire de Bill Wyman, lors de laquelle ils ont tous « pris une fameuse cuite sur les disques de Jimmy Reed ».

À une époque où tant de chroniques de ce genre étaient rédigées directement par le journal, celle de Charlie dégage

66

un naturel qui la rend plutôt crédible. « Je n'arrive pas à savoir si j'avais trop bu ou pas, note-t-il, mais je suis resté bouche bée quand le chauffeur du bus s'est mis en tête de manger un verre pendant la fête. Quand même, il se passe de drôles de choses. » Sur un ton plus solennel, il informe les lecteurs que la plaque de leur véhicule a complètement disparu.

En mai 1964, alors qu'ils sont en route vers la gloire, un lecteur du *Record Mirror*, Graham Prout, écrit d'Aberdeen pour partager les résultats d'un concours de popularité qu'il a organisé localement avec ses amis à propos des Stones. Mick est arrivé premier, tout juste devant Charlie. Keith est bon dernier.

En un rien de temps, la discrète complicité entre Bill et Charlie fait d'eux une section rythmique en béton, et ils forment un lien indéfectible sur scène et en dehors. Bill a été franc avec moi dans son jugement de leur amitié. « Je suis maniaque, dit-il. Avec moi, il faut que tout soit bien rangé. Mes disques doivent être classés alphabétiquement. Tout ce que je fais doit être dans l'ordre numérique ou alphabétique. Tu le sais, toi qui connais mes archives. Eh bien, Charlie était encore pire. » (« Je suis minutieux, mais pas autant que Bill Wyman, a confié Charlie de son côté à *Esquire* en 1998. »)

Linda se rappelle avoir rendu visite à son frère des décennies plus tard, à Londres, alors que sa petite-fille Charlotte y était aussi. « Elle avait une clémentine dans les mains. Elle l'a pelée et a laissé la peau sur la table. En deux secondes, Charlie l'a ramassée. On disait qu'il avait la danse de Saint-Guy. Ma grand-mère répétait toujours : "Il a des vers, ce garçon." Il était comme ça, c'est tout. » Et son mari, Roy, renchérit : « On était chez lui, un dimanche, quand quelqu'un est venu livrer un CD. L'étagère était pleine, et il a bien dû passer vingt-cinq minutes à chercher une place pour ce nouvel album. Il déplaçait celui-ci, il déplaçait celui-là, et pendant ce temps on était debout à le regarder. » Linda ajoute encore : « Il était déjà un peu comme ça à la maison. Il n'a jamais été bordélique. Un manteau, ça se suspend, ça ne se pose pas sur une chaise. »

Mick Jagger a expliqué avec amusement que, à la fin des concerts, Charlie ne se levait pour aller saluer le public – avec Keith, Ronnie et lui – qu'après avoir terminé de ranger ses baguettes, bien alignées. Quand il a été la victime (je pèse mes mots) de l'émission *Desert Island Discs*, il a avoué que, comme le lui avait fait remarquer un ami, une île déserte, pour lui, ce serait le rêve absolu.

Charlotte, sa petite-fille, en rit encore : « Ce qui commençait comme une promenade de dix minutes dans la campagne traînait pendant une demi-heure parce qu'il rangeait le bord de la route. Il chassait les brindilles, poussait les cailloux sur le côté, les cachait dans les hautes herbes. Moi, j'étais là : "Allez, quoi, on y va !!!"

« J'ai toujours été convaincue qu'il avait des TOC, continue-t-elle. C'était très marrant à voir. On le taquinait. Je me revois arrivant chez lui et descendant dans son dressing pour déplacer une paire de chaussettes, l'échanger avec une autre. Elles étaient rangées par couleur. On chronométrait le temps qu'il mettait avant de crier, en bas : "Qui a touché à mes affaires ?!" "Oh ! ce n'est pas moi !" Un jour, j'ai cassé la machine à expresso, et je lui ai griffonné un mot d'excuse en signant du nom de mon beau-père. "Pardon d'avoir cassé la machine à café – Barry." Ça nous amusait beaucoup. »

Charlie a été d'une franchise rafraîchissante avec moi la première fois que nous avons discuté de Bill et lui, en 1991. « Bill a un merveilleux sens de l'humour. Mais il est contrarié par certaines choses auxquelles je ne pense même pas, et que j'aurais oubliées à sa place. Une fois sur deux, je n'ai aucune idée de ce qu'il raconte. Si Bill affirme que le 4 août 1963 on n'a pas été payés pour jouer allez savoir où, c'est que le type nous doit effectivement encore l'argent, et ça l'énerve. Il lui en veut toujours trente ans plus tard. » Il a ajouté avec une affection flagrante : « C'est un enragé, ce petit. »

« Je ne sais pas pourquoi, reconnaît Bill, mais on est alors devenus cette super section rythmique que tout le monde admirait. On était toujours à l'heure, toujours prêts, toujours disponibles, toujours à jeun, et les autres pouvaient toujours compter sur nous. Nous étions le socle solide sur lequel ils pouvaient se déchaîner, en gros. Vous pouvez regarder n'importe quel film de l'époque, vous verrez Charlie et moi dans le fond en train de nous payer leur tête pendant qu'ils font toutes les pitreries possibles : sauter sur les lits, traverser des murs, etc. »

Mais, selon les souvenirs de Bill, les premiers déplacements des Stones, surtout lorsqu'ils quittaient la capitale, ont été un vrai calvaire. « Chaque fois qu'on se produisait à Londres ou qu'on revenait d'un concert, mettons à Sheffield ou à Nottingham, on rentrait très tard. Les autres allaient à l'Ad Lib club ou ailleurs, tandis que, Charlie et moi, on rentrait chez nous. J'avais un petit garçon, Stephen, âgé de huit mois quand j'ai rejoint le groupe, je vivais dans le sud de la capitale, il fallait encore que j'aille jusque là-bas. Charlie vivait dans le préfa avec ses parents à Wembley, et quand il a épousé Shirley, bien sûr, il a pris un appartement. Il rentrait la retrouver, on ne faisait pas la fête en permanence.

« On gardait donc la tête plutôt claire, et je pense que c'était le mieux pour nous. Je sais que c'est pour cette raison que ni lui ni moi ne sommes tombés dans la défonce. À l'époque, c'était parfois mission impossible de rester éveillé, parce qu'on parcourait tout le pays dans le foutu fourgon Volkswagen de Stu. Parfois, on ne mangeait pas, on ne dormait pas, on roulait de Lowestoft à Llandudno en une nuit, impossible de dormir, et sans rien à manger parce qu'il n'y avait rien d'ouvert la nuit en ce temps-là.

« Et on arrivait là-bas aux aurores, sans rien avoir à faire. Il fallait jouer le soir même puis partir pour Manchester directement après le concert, encore un trajet de nuit, pour passer à *Top of the Pops* ou à une autre émission, alors on dormait par terre dans une pièce, sur place. On demandait au type de nous laisser entrer, il répondait : "C'est fermé, ça n'ouvre qu'à 9 heures", alors on disait : "Oui mais il faut qu'on dorme, pitié, laissez-nous entrer et roupiller un peu dans une des pièces". On s'allongeait par terre, comme ça, et on grappillait trois heures de sommeil avant que quelqu'un nous réveille.

« C'était n'importe quoi, et quand c'était fini il fallait refaire la route jusqu'à Londres, puis les déposer un par un, en terminant par moi, tout là-bas à Beckenham, sur le coup de 6 heures du mat'. Comme ça, jour après jour, à n'en plus finir. Un vrai cauchemar, et j'étais tellement crevé que ma figure s'est complètement creusée, si vous regardez toutes ces photos du début. Mais on était hyper potes, Charlie et moi. »

Le scénario de l'année 1964 pour les Stones, d'une intensité folle, est bien connu : deux cent six concerts en tout, quatre tournées en Grande-Bretagne, plus les deux premières aux États-Unis, le premier 33 tours, une litanie d'interviews télé et radio (y compris un passage dans le premier *Top of the Pops* avec *I Wanna Be Your Man*) et trois singles au Royaume-Uni, dont leurs premiers n° 1 avec *It's All Over Now* et *Little Red Rooster*. « C'est le seul disque de blues qui ait jamais été n° 1, ce que je ne savais pas, mais c'est Bill Wyman qui me l'a dit, rappelle Charlie, non sans fierté, en 2013. C'est incroyable, quand on y pense. Je ne sais pas combien j'ai de disques de blues, que j'écoute et que j'adore, et ils ne pèsent rien dans les classements. »

En janvier, ils se rendent pour la première fois en avion à un concert, au Barrowland, à Glasgow. Mais le lendemain soir ils jouent à 445 kilomètres de là, à Mansfield ; et jour le suivant, à 160 kilomètres, à Bedford ; le suivant encore, à seulement 135 kilomètres, à Swindon. À chaque apparition, les Stones renforcent leur renommée : leur spectacle est le plus électrisant du Royaume-Uni, et sera bientôt réputé au-delà des frontières.

« Si jamais vous avez assisté à un concert des Beatles, vous savez qu'ils ne projetaient aucune énergie, a dit Charlie. C'était quatre types plantés là… Il n'y avait rien à voir, on y allait juste pour le nom. Nous, même quand on jouait à Richmond, où on avait une scène grande comme ce tapis, Mick a toujours su projeter son énergie, et c'est indispensable. »

Bill ajoute : « Je persiste à dire que les Beatles écrivaient de meilleures chansons que nous et qu'ils chantaient mieux, mais en live on était carrément meilleurs. D'ailleurs, ils avaient toujours un peu peur de partager la même affiche que nous, par exemple au Pop Prom au Royal Albert Hall [septembre 1963] ou au NME [concert des Poll-Winners, avril 1964]. Ils en parlaient après, ils nous le disaient. Nous, on avait peur d'eux parce qu'on savait à quel point ils étaient adulés. Il y avait une admiration réciproque entre nous, en fait, et c'est pour ça qu'on était tellement copains. En plus, comme nos musiques étaient complètement différentes, on ne se faisait pas concurrence. »

Le mois de mars 1964 voit naître cette petite perle collector qui passe souvent sous le radar des commentateurs actuels : le concert des Rolling Stones que Charlie a indéniablement manqué. C'est arrivé juste après une vaste tournée au Royaume-Uni qui s'est révélée d'entrée de jeu sous-dimensionnée pour eux, au milieu d'une affiche dominée par John Leyton, dont les plus grands hits, *Johnny Remember Me* et *Wild Wind*, avaient déjà plus de deux ans, et par Mike « *Come Outside* » Sarne, dont la date de péremption dans les hit-parades approchait aussi à grands pas.

Le 7 mars, après trente-trois dates épuisantes, à raison de deux concerts par soir, Wyman se rappelle avoir pris quelques jours de congé en famille dans le New Forest, tandis que Mick et sa copine, Chrissie Shrimpton, se rendaient à Paris. Charlie et sa fiancée, Shirley Shepherd, partent de leur côté en vacances à Gibraltar. Un repos bien mérité, certes, mais Charlie est encore là-bas quand arrive implacablement le concert suivant, à l'Invicta Ballroom dans le Kent, huit petits jours plus tard. C'est du moins la version du groupe. Charlie nuance : « J'ai raté un concert, un seul, parce que je me suis trompé de date, a-t-il déclaré dans *The Rolling Stones : A Life on the Road*. Les autres ont tous raconté que, non, ce n'était pas vrai, que je m'étais pris un jour de vacances en plus, mais ils ont tort. Micky Waller [qui a joué avec Cyril Davies et Marty Wilde, et plus tard enregistré avec Rod Stewart, entre autres] m'a remplacé à batterie, et il a vraiment bien joué, à mon grand dam. Je me rappelle parfaitement, à mon arrivée, quelqu'un me disant : "T'étais où ?" J'ai répondu : "J'arrive de Gibraltar." Nous étions à Catford ou je ne sais où, et tout le monde s'extasiait sur Micky. »

Plus tard dans l'année, Charlie est encore absent pendant presque tout un set impromptu donné par le groupe, de passage à Liverpool pour deux concerts à l'Empire et d'autres dans les environs. L'éditeur de *Mersey Beat*, Bill Harry, a raconté une soirée au Blue Angel, haut lieu du monde de la nuit, où l'envie leur avait pris de jouer spontanément. L'absence de Charlie a été palliée par Brian Low, batteur du groupe écossais Blue System.

Harry écrit : « Un ami proche [des Stones], Denny Flynn, m'a soufflé que Charlie était chez un antiquaire d'armes à feu anciennes, situé à West Derby, car il les collectionnait. » Une excuse en tout cas fort plausible. « En entendant leur musique, tous ceux qui étaient à l'étage sont descendus regarder, et Charlie Watts est arrivé plus tard. Il s'est assis un instant devant la scène pour écouter, mais le son était irrésistible, et il est allé prendre sa place à la batterie. »

L'éditeur a aussi demandé à Low quel effet cela faisait d'endosser le rôle de Charlie. « C'est génial de jouer avec eux, bien sûr, mais c'est difficile à expliquer. Ce qu'ils font est relativement simple, ce n'est pas très pointu techniquement, mais le feeling est tellement fantastique qu'on est complètement plongé dedans. Ce ne sont pas des musiciens virtuoses, mais ce sont des types qui ressentent la musique de l'intérieur, et ça fait que, toi aussi, tu la ressens de l'intérieur. Y a pas à dire, ils savent tous ce qu'ils font. C'est génial. Leur musique a vraiment un feeling incroyable. »

Interviewé à l'époque par *Beat Instrumental* (et peut-être téléguidé par Andrew Loog Oldham), Keith Richards évoque la cohésion des Stones sur scène avec une innocence touchante. Dans le numéro de novembre 1964, qui montre Charlie en couverture, il confie : « C'est simplement un grand cercle, en réalité. Mais le seul qui ne doit faire aucune erreur, c'est ce vieux Charlie, là-bas derrière. Si jamais il se trompait et nous donnait le mauvais tempo, on serait mal barrés ! »

Il continue : « Vous comprenez, on ne joue jamais un morceau deux fois exactement de la même manière. Mick est un grand improvisateur. Il chante toutes les chansons exactement comme il le sent, et ça veut dire que, s'il en chante une sept fois en une semaine, ce seront sept versions différentes. C'est pour ça que je me tourne souvent vers Charlie au milieu d'un morceau. Il est coincé à l'arrière de la scène et, étant donné le boucan qui monte du public, il doit la plupart du temps lire sur les lèvres de Mick pour savoir où il en est.

« Quand je vois qu'il n'a aucun moyen de savoir ce que fait Mick, je me retourne et je lui donne le tempo pour qu'il tombe juste à la mesure suivante. Comme je l'ai dit, c'est un grand cercle. Charlie se cale sur Mick ; Brian, Bill et moi, on se cale sur Charlie ; et Mick se cale sur nous tous. »

Parmi les nombreuses histoires fabuleuses que Keith m'a racontées (en brodant sans doute un peu), l'une de mes préférées ne concerne pas directement Charlie, même si on peut facilement imaginer la part qu'il y a prise et se dire qu'on aurait payé cher pour avoir été là. Dans la folie de ces premières tournées, en 1964 puis de nouveau en 1965, le programme des Stones les mène au cinéma ABC de Chester. L'hystérie des fans lors de leurs concerts est déjà aussi assourdissante que dangereuse. Keith se rappelle que les hurlements noyaient leur musique, à tel point qu'ils s'amusaient à jouer *I'm Popeye the Sailor Man*.

Il faut recourir à des tactiques de plus en plus élaborées pour faire sortir les Stones des salles en un seul morceau, pourchassés comme ils le sont par des adolescentes en furie.

« C'était complètement fou, se rappelle Keith. Au milieu des années 1960, on se demandait : "Comment on va faire pour entrer dans la salle ?" puis : "Comment on va faire pour en sortir ?"

« Sur scène, on savait qu'on avait peut-être dix minutes au maximum avant que ça tourne à l'émeute et que la Croix-Rouge débarque avec des brancards pour ces pauvres gamines en sueur qui se retrouvaient à moitié à poil. Dans ces moments, on se demande ce qu'on fout là. On a un tableau de Jérôme Bosch sous les yeux, et en fait c'est le public !

« Cette fois-là, à Chester, il y avait le chef de la police, dans son bel uniforme, avec les galons, les médailles, la matraque et tout. Le concert se termine plus tôt que prévu. La salle est entièrement cernée. C'est l'émeute. Des gamines dans tous leurs états, les pauvres petites. "Bon, dit-il. Le seul moyen de sortir, c'est de monter et de passer par les toits, je connais le chemin !" On s'en remet à lui, vu qu'il est accompagné de quelques policiers.

« Donc on monte sur les toits de Chester, et il pleut. La première chose qui se passe, c'est que le chef de la police manque glisser du toit. Deux bobbies arrivent à le retenir. Nous on est là, au milieu des toits, en train de dire : "On ne connaît pas le coin, c'est par où ?!"

« Le chef s'est ressaisi, et ils ont finalement réussi tant bien que mal à nous faire passer par une lucarne et ressortir par un vide-linge ou je ne sais plus quoi. Ça nous arrivait tous les jours, et on finissait par trouver ça normal. Notre vie ressemblait au *Goon Show*, l'émission burlesque de la BBC. Spike Milligan et les Monty Python auraient adoré être là. »

Les anecdotes pittoresques à propos de ces premiers jours de gloire sont légion. Lors du concert des Stones à l'Odeon de Cheltenham, en septembre 1964, le merchandising se réduit à un type dehors, en veste de sport, qui fourgue des photos en noir et blanc du groupe pour deux shillings et six pence. Trevor Lewis est livreur de fruits et légumes pour le marchand de primeurs du coin ; il parvient à arrêter Charlie, Brian et Bill alors qu'ils entrent à l'Odeon. Il obtient leurs autographes, mais seulement sur un sac en papier du magasin. Lewis remonte sur son vélo et regagne le magasin avec son trophée, qu'il pose le temps d'aller aux toilettes. Quand il en sort, il apprend que la caissière a garni le sac d'une livre de tomates pour un client qui est parti avec.

Bill se rappelle une autre scène d'esquive des fans pendant laquelle les tendances obsessionnelles de Charlie sont remontées à la surface. « Quand on fuyait la scène, il fallait sortir pendant le *God Save the Queen*. Tout le public devait se lever, ce qui nous laissait environ deux minutes pour grimper dans la voiture, le panier à salade ou tout autre véhicule de police qui nous attendait dehors. On fonçait dans les couloirs, et ce soir-là je courais derrière Charlie. Les autres étaient loin devant. On descendait trois marches, et voilà qu'il s'est arrêté net et a fait demi-tour pour remonter, car il voulait redescendre les marches correctement. Je lui suis rentré dedans et j'ai fait un vol plané. Il a fallu me porter dehors. Il y a eu tellement de moments comme ça ! »

De temps en temps, au moins, il est possible de se cacher au grand jour. Au printemps 1966, alors que la Stonemania se répand dans le monde comme un feu de brousse, le groupe se trouve à Hollywood pour des sessions d'enregistrement aux studios RCA. Des fans déchaînés cherchent frénétiquement les cinq membres du groupe… et, comme l'a raconté *KRLA Beat*, passent complètement à côté de Charlie assis derrière la grande vitrine d'un restaurant, en train de boire un Coca avec un copain, le compositeur et arrangeur Jack Nitzsche.

Dans presque tous ses aspects, la personnalité unique de Charlie se révèle aux antipodes de la figure d'idole rock qu'il représente pour des millions de personnes. Jamais sans doute aucun musicien si mondialement célèbre n'a autant subi les retombées du succès planétaire dont rêvent la plupart des artistes. Lors de notre première rencontre en 1991, je lui ai naïvement demandé s'il était impatient à la veille d'une tournée. Sa réponse sans détour fut certainement celle qu'il donnait depuis des décennies, et qu'il continuerait de donner pour celles à venir : « Non, jamais. Je déteste ça. J'ai toujours détesté ça. Depuis trente ans, je n'ai jamais aimé me lever le matin. Mon idée du travail, c'est de me lever et de traverser la rue pour aller au Ronnie Scott's, de jouer jusqu'à 3 heures du matin, de rentrer et de me coucher. Ça, pour moi, c'est le boulot. Partir pour donner des concerts de deux heures dans des stades comme Wembley, je n'ai jamais aimé ça. Mais *le faire*, c'est merveilleux. Voir que tant de monde est venu, ça, c'est un sentiment magnifique.

« L'horreur, pour moi, c'est de regarder ma valise, deux jours avant le départ, et de décider quoi y mettre. En fait, non, pas "deux jours" : il me faut une semaine pour réfléchir à ce qui va aller dans ce foutu machin. Mais impossible pour moi de jouer de la batterie à la maison. Ce n'est pas comme un pianiste qui va s'asseoir devant son instrument pour déchiffrer des partitions. Quoi que je fasse, c'est devant une quantité X de gens, que ce soit deux ou dix mille, et je suis payé dix shillings ou je ne sais combien. Il y a beaucoup d'instruments avec lesquels on peut jouer sans personne, mais m'asseoir tout seul pour taper sur une batterie, je ne peux rien imaginer de plus barbant dans ma vie. »

Pour Charlie, le problème résidait là : se retrouver enfermé dans une bulle d'adoration créée par les fans – dont il n'a jamais voulu – et contraint de passer des mois interminables loin de chez lui. « Ça ne cesse pas de m'étonner que a) les gens veuillent aller à nos concerts et que b) on prenne la peine de les faire, m'a-t-il confié. Mais, pour moi, c'est un gagne-pain. »

Le point de vue de Keith sur ce compromis est, comme toujours avec lui, réfléchi et éloquent. « On est musiciens, et en même temps on est face à un public qui nous considère comme des popstars, alors on doit essayer de concilier les deux. Il faut se dire : "On l'a voulu, on a montré nos culs et nos tronches au monde entier, et maintenant il en veut encore", alors on doit faire avec.

« Mais putain, on n'est pas là que pour la célébrité ! Ça, ça va, j'en ai eu mon compte. Pour moi, et sans doute pour Charlie, c'est un prix qu'on paye pour avoir le droit de faire ce qu'on veut. Le fait qu'on soit encore tous coincés ensemble et qu'on y prenne encore plaisir, je le prends comme un cadeau. »

Brian Wilson, le fondateur des Beach Boys, n'a donc pas été le seul grand artiste de la culture pop à souffrir de la notoriété. Charlie était souvent perçu comme un voyageur perplexe mais affable, profitant au mieux d'une vie des plus inattendues, repoussant l'attention non sollicitée aussi poliment que ses bonnes manières l'exigeaient en toutes circonstances.

En backstage à Amsterdam en 2006, au milieu de la tournée *A Bigger Bang* qui comptait cent quarante-sept dates et devait durer deux ans en tout – avec quelques permissions pour bonne conduite –, Charlie a décrit sa routine quotidienne pour tenter de préserver sa santé mentale : « En général j'essaye de sortir, mais parfois on ne peut même pas franchir la porte, alors c'est très difficile. Les jours de concert sont les pires. Le reste du temps, ça peut aller. Avant, c'étaient les autographes, maintenant c'est : "On peut faire une photo avec mon téléphone ?" Ça n'en finit pas, et moi je dois sortir, je dois marcher dans la rue, tu comprends. Et ils sont tous là à te courir après. C'est plus simple de rester enfermé. Mais, en général, je me lève tôt et je sors le matin. »

À ce moment-là, il fuyait déjà les fans depuis plus de quarante ans. Toutes ces années de compromis inhérents à la musique… Comme il l'a expliqué : « Il y a maintenant longtemps, à l'époque que j'appelle "la période Beatles", les gens vous criaient après… je détestais ça. Rien de pire pour moi. Je me cachais dans les boulangeries, les filles passaient en courant dans la rue. Ça me rendait dingue. En revanche, il n'y a rien de tel que monter sur scène quand la salle est remplie de filles qui hurlent en bondissant sur place. »

BACKBEAT
Shirley mon amour

Shirley Ann Shepherd, née à Londres le 11 septembre 1938, est étudiante au Hornsey College of Art lorsqu'elle rencontre Charlie Watts, au début de l'année 1962, alors qu'il rentre du Danemark. Alexis Korner a proposé à ce dernier une répétition avec Blues Incorporated, qu'il a acceptée, et Shirley, son aînée de presque trois ans, est présente avec le bassiste du groupe, Andy Hoogenboom, et sa femme, Jeanette. Hoogenboom et le pianiste Keith Scott sont étudiants avec elle au Hornsey. Elle va devenir un pilier de l'existence de Charlie et, tout simplement, l'amour de sa vie.

Nettie, la fille de Ginger Baker, a rapporté les propos de sa mère, à qui le jeune Charlie confiait ses peurs. « Il disait : "Oh ! personne ne sortira jamais avec moi, *pour moi*. Est-ce que je trouverai la femme de ma vie ?" Ma mère lui répondait : "Tout ira bien pour toi, Charlie." » Elle avait raison.

Shirley n'était jamais très loin des concerts et des répétitions des Rolling Stones, et cela dès les premiers jours, comme le raconte leur grand compère de studio, Glyn Johns. « Mon premier souvenir de Charlie, c'est quand les Stones sont passés dans une émission de radio pour la BBC, où je suis allé, je ne sais plus pourquoi, dit-il en riant. Shirley et lui s'étaient un peu engueulés, et je me revois parfaitement assis avec lui, à essayer de le calmer, et à faire de même avec Shirley, pour tenter d'arranger la situation. Je ne sais pas pourquoi j'ai gardé ce souvenir en particulier, mais c'est comme ça. Je les aimais énormément tous les deux, je dois dire. »

C'était l'époque où on conseillait aux popstars – comme c'était aussi le cas pour John Lennon avec sa petite amie étudiante en art, Cynthia Powell – d'être ou de paraître disponibles pour leur public féminin. Charlie redoute peut-être la colère du manager des Stones, Andrew Loog Oldham, mais Shirley et lui sont tous les deux sûrs de leurs intentions.

Le 14 octobre 1964, trois jours après la fin d'une nouvelle tournée britannique qui s'est achevée à l'hippodrome de Brighton (et tandis que *It's All Over Now* sort des classements après trois mois de présence dans les meilleures ventes), ils se marient à la mairie de Bradford. La cérémonie a pour témoins Andy et Jeanette Hoogenboom et, après un déjeuner au champagne dans un country club près de Ripon, les tourtereaux regagnent Londres en train.

« Il ne voulait pas que le groupe l'apprenne parce qu'il avait peur d'Andrew, entre autres, explique Bill Wyman. Alors ils ont gardé le secret environ trois semaines, [puis] la presse l'a annoncé. Il a continué de nier pendant deux ou trois jours, puis il a reconnu que c'était vrai, et tout s'est bien passé. »

Jimmy Phelge, un proche des Stones à leurs débuts, cité dans le livre d'Oldham *2Stoned*, raconte que cette annonce a fait des vagues. « Quand Mick, Keith et Andrew ont appris ça, ils en sont restés sur le cul. Le groupe montait en puissance, et la nouvelle du mariage pouvait les mettre tous en péril.

« Il y avait encore un préjugé considérable contre les popstars mariées : beaucoup de gens pensaient que ça annonçait le début de la fin. Keith a vu le mariage de Charlie, au moins au début, comme une trahison. Passé le choc initial, le groupe a conclu que le mal était fait et que la seule marche à suivre était de vivre avec. Andrew espérait qu'avoir deux Stones mariés [Bill ayant dit oui le premier] n'affecterait pas le succès du groupe. » La magnifique ironie de la situation est que, à peine un mois plus tôt, Oldham s'était éclipsé pour quelques jours en Écosse, et en était revenu la bague au doigt.

Bill se souvient que c'est un journaliste du *Daily Express* qui a demandé sans ambages à Charlie si Shirley et lui étaient mariés. « Je démens énergiquement, a-t-il répondu. Cela nuirait fortement à ma carrière si cette rumeur se répandait. » Mais la nouvelle Mme Watts, quand son tour est venu de parler, n'a pas pu se résoudre à mentir. « Nous voulions nous marier depuis environ un an, simplement nous n'osions pas, a-t-elle avoué. Les mois passaient, et nous avons décidé que nous ne pouvions plus vivre séparément.

« Je suis folle de joie d'être la femme de Charlie. C'est merveilleux. Je ne sais pas encore vraiment ce que c'est que d'être mariée à un Stone. Nous n'avons passé en tout que cinq jours tous les deux, et nous ne pouvions pas être vus ensemble. Mes parents l'aiment énormément. J'ai l'intention de terminer mes études, et dans un an et demi environ j'enseignerai peut-être. Tout cela est encore un peu flou. »

Heureusement, à supposer que l'image de marque d'un groupe ait jamais été ternie par le scandaleux concept du mariage, cette idée est déjà en train de passer de mode. Shirley termine ses études, mais continue la sculpture. Le couple s'installe dans un appartement à Ivor Court, à la limite sud-ouest de Regent's Park, qui prend bientôt l'aspect d'un atelier d'artiste, reflet de leurs goûts.

Quand le photographe Bent Rej s'y rend pour un reportage en mai 1965, il tombe sur une scène de bonheur, même si les époux ne peuvent se ménager que peu de temps ensemble entre les dernières tournées des Stones aux États-Unis et au Royaume-Uni. « Shirley et Charlie, écrit-il, reconnaissent qu'ils sont fous amoureux. À tel point qu'elle le suit la plupart du temps dans le monde entier. C'est pourquoi on trouve quatre malles déjà remplies dans l'une des chambres. "Elles sont toujours prêtes, explique Charlie. Quand nous sommes chez nous, nous n'avons pas de temps à perdre à faire et défaire des valises. Nous préférons nous détendre et profiter. Londres nous manque toujours, et ce que j'ai le plus hâte de retrouver quand nous sommes en tournée, c'est la cuisine de Shirley." » Et le photographe ajoute : « Il a une préférence pour les plats orientaux et, bien que lui-même ne soit pas un cordon-bleu, on le trouve toujours le nez dans les casseroles quand Shirley prépare le dîner. La seule chose dont il se charge, chez lui ou sur la route, c'est le thé. »

Shirley accompagne les Stones dans plusieurs tournées, comme celle en Scandinavie de mars et avril 1965, premières excursions européennes du groupe. Une occasion pour le couple de partir souvent en exploration entre deux concerts. Seul dans une boutique à Copenhague, Charlie achète à sa femme des figurines de chevaux, reflet précoce de la passion qui amènera plus tard Shirley à devenir éleveuse avec un haras de 250 hectares dans le Devon, le Halsdon Arabians.

Ça aussi, c'est grâce à Charlie : « Il m'a montré la photo d'un pur-sang arabe, et je suis tombée amoureuse, a-t-elle confié à *Horse & Hound* en 2002. Charlie m'a acheté mon premier arabe, un demi-sang, et tout est parti de là. » À une époque, elle a possédé jusqu'à trois cents chevaux. « L'intention de départ était d'en avoir vingt, a-t-elle dit à l'*Arabian Horse Times*. Je ne suis pas bonne en maths ! » Un jour où Charlie mentionnait ce nombre à Chuck Leavell, claviériste pour les Stones, celui-ci a commenté : « Eh ben ! Ça en fait, du foin. »

Naturellement, il arrive souvent que Shirley ne soit pas sur la route avec Charlie. Cela ne l'empêche pas de faire les boutiques, comme à Paris, en 1964, où il entre dans une galerie et feuillette des estampes de Picasso et de Buffet pour en rapporter chez lui.

Mais son camarade Bill Wyman, tout aussi sage que lui, se souvient de sa tristesse quand il était sans sa femme : « Pendant les premières tournées des années 1960, quand on ne gagnait pas encore grand-chose, il claquait tout son fric en coups de téléphone. Ses factures étaient délirantes. Téléphoner d'Australie pendant trois heures toutes les nuits, c'était extravagant à l'époque. On rentrait chez nous avec quelque chose comme 7 000 dollars en poche, et lui en avait déjà dépensé 10 000 en téléphone. »

« C'est une femme incroyable, a dit d'elle Charlie un jour. Mon seul regret dans cette vie, c'est de n'avoir pas été assez souvent à la maison. Mais elle répète toujours que quand je rentre de tournée je suis insupportable, et me demande aussi sec de repartir. » Le magazine *Rave* écrit à propos de Charlie en 1966 : « Ses trois obsessions dans la vie sont sa batterie, sa collection d'antiquités (principalement des armes anciennes) et son épouse, Shirley. Jamais femme n'a eu un mari plus dévoué. »

Sa déclaration des débuts, sur sa joie d'être la femme de Charlie, a pu faire croire à une soumission qu'elle va bientôt démentir. Elle a du caractère, ce qui va d'ailleurs lui valoir une arrestation à l'aéroport de Nice, au début des années 1970, prétendument pour avoir frappé des agents de la douane. Elle récolte une peine avec sursis.

Dans une interview donnée en 1967 au *Melody Maker*, Charlie se montre clairement ravi d'évoquer son tempérament : « Vous savez, je crois bien que mon épouse, Shirley, est la première femme qui ait répliqué à Mick avec intelligence. C'était assez marrant. Mick a des idées très arrêtées en matière de politique et de philosophie, et il n'a jamais trop écouté l'opinion des filles. Sa tête quand Shirley lui a donné son avis ! C'était assez drôle à voir. Une de ses certitudes venait d'être pulvérisée. »

Tony King a eu une existence haute en couleur, une vie telle que l'industrie musicale ne pourrait plus en créer.

Quand la fille de Charlie et Shirley, Seraphina, naît en 1968, il est déjà un rouage important dans la machinerie de la musique britannique, et un ami si proche qu'il est choisi comme parrain. Après des débuts chez Decca Records en 1958, il a été bombardé chef de la promotion avant l'âge de vingt ans, ce qui l'a amené à travailler avec des personnes comme Roy Orbison ou Phil Spector. King entre dans le cercle des Stones grâce à son amitié avec Oldham, qui l'a nommé chef de la promotion lorsqu'il a lancé son label indépendant, Immediate Records.

Il deviendra ensuite directeur général du label des Beatles, Apple Records, et cadre chez Rocket pour Elton John, qu'il rejoint plus tard. Via d'autres postes importants, et connaissant déjà tous les Stones depuis plus de vingt ans, il accompagne Mick Jagger pendant son aventure solo dans les années 1980. C'est ce qui le ramène vers les Stones, pour qui il sera un allié vital pendant le quart de siècle qui suivra, dans tous les aspects de leur vie : il devient le visage public du groupe, celui qui peut ouvrir à l'intervieweur le chemin des salles de répétition ou des chambres d'hôtel.

Peu après avoir soufflé ses quatre-vingts bougies en 2022 et terminé la rédaction de ses mémoires – *The Tastemaker*, à lire absolument –, King a évoqué sa longue histoire personnelle avec M. et Mme Watts. « Ils ont joué un rôle énorme dans ma vie en tant que famille, depuis le jour où j'ai fait leur connaissance à Ivor Court. Ils habitaient dans le même couloir qu'Andrew. Puis ils ont déménagé à Lewes, dans l'Old Brewery House, et j'allais les voir le week-end. Nous commencions à devenir amis, et Shirley et moi nous entendions très bien. Je pense que, au départ, c'était surtout Shirley et moi. Charlie pensait que j'étais l'homme le plus gay qu'il avait jamais vu, comme il me l'a avoué plus tard. »

L'amitié se poursuit lorsque Charlie et Shirley déménagent à Halland, près de Lewes, dans une propriété – Peckhams – qui a appartenu à John Peckham, archevêque de Canterbury, à la fin du XIIIe siècle. « Ils organisaient beaucoup de soirées déguisées, je me souviens notamment d'une avec Chrissie Shrimpton, quand elle sortait avec Mick. Puis un beau jour, Mick est arrivé avec Marianne [Faithfull]. Il a sorti sa guitare électrique sur la pelouse pour jouer, Charlie était à la batterie, Marianne bavardait avec Shirley. C'était charmant.

« Un week-end, j'étais là-bas pour une soirée sur le thème élisabéthain. Mick et Mick Taylor[1] étaient là, et ils avaient tous les deux le même costume. On s'est bien marrés. Charlie avait tellement bu qu'il s'est retrouvé la tête au-dessus des toilettes. »

King se remémore en particulier un exemple de l'humour pince-sans-rire de Charlie. « Le lendemain de la soirée, il devait monter à Londres pour enregistrer avec les Stones à Barnes, chez Olympic. La voiture est venue le chercher alors que j'étais devant la maison. En passant près de moi, il a baissé sa vitre et a juste lâché : "Hi ho, hi ho…" comme les nains dans *Blanche-Neige*. C'est tout. Il était conscient de l'effet. »

En 1971, avec leur fille Seraphina âgée de trois ans, Charlie et Shirley partent s'installer à La Bourie, une ferme située à Massiès, près de Thoiras, un petit village entre Anduze et Saint-Jean-du-Gard, dans les Cévennes. Il n'est pas impossible que ce déménagement soit lié aux démêlés du groupe avec l'administration fiscale mais, quoi qu'il en soit, la propriété va devenir une retraite très aimée, qu'ils vont garder et où ils retourneront toute leur vie.

Le maire de Saint-Jean-du-Gard, Michel Ruas, a eu ces mots : « Charlie et sa femme étaient très simples. On leur parlait facilement. Leur fille, Seraphina, allait même à l'école à Saint-Jean-du-Gard. Les gens du coin savaient tous qu'ils avaient une maison ici, au cœur des Cévennes. »

---

1. Comme on le verra plus tard, Mick Taylor a remplacé Brian Jones à la guitare de 1969 à 1974.

King a ses propres souvenirs du lieu : « C'était une chèvrerie reconvertie : on y faisait du fromage, avant. C'était magnifique, un paradis idyllique. J'y allais en vacances et je passais des moments merveilleux. Ensuite, bien sûr, ils sont rentrés en Angleterre et se sont installés à Dolton, dans le Devon. J'ai donc visité toutes leurs maisons au fil des ans. Seraphina est née, pour leur plus grande joie. Et puis bien sûr, plus tard, sa petite fille Charlotte. Tout le monde l'adorait. »

Après l'album *Steel Wheels*, à l'époque des stades gigantesques devant des dizaines de milliers de personnes, les tournées des Stones ont enflé au point de devenir des épopées de deux ans, une perspective qui traumatisait Charlie. « Ça l'arrachait à son chez-lui, et il n'aimait pas ça, raconte Bill. Il disait : "J'arrête les tournées", et ils répondaient : "C'est ça." Il mettait un petit moment à céder : "Bon, d'accord", et il repartait. Mais il n'aimait pas ça. »

En 2002, juste avant le *Licks Tour* du quarantième anniversaire, qui comptait plus de cent dates sur plus d'un an, Charlie m'a détaillé le processus, et le rôle qu'y jouait Shirley. « En général, Mick ou Keith commencent à en parler, j'en discute avec ma femme, puis on se réunit et on se met d'accord, environ un an à l'avance, m'a-t-il expliqué pour parler de son implication dans l'aspect visuel des tournées. Le travail commence neuf mois avant la première date, par les scènes puis le merchandising, et ça monte, ça monte. Maintenant, il y a des registres entiers de choses à valider. »

Lisa Fischer a beaucoup apporté à la famille Stones lorsqu'elle est arrivée en 1989, à peu près au moment de la sortie de *Steel Wheels*, comme choriste sur les albums et les tournées : le contraste entre elle et Mick, tant vocalement que visuellement, donnait un effet étourdissant. Elle devait aussi montrer une grande force mentale, étant la seule femme parmi les musiciens du groupe. Quand j'évoque avec elle les dépenses de Charlie en coups de téléphone à ses débuts, elle le reconnaît bien là.

« Ça ne m'étonne pas du tout, affirme-t-elle, car il n'était pas du genre à sortir. On ne le voyait jamais en bas, au bar. Ce n'était pas son truc. Il disparaissait dans sa chambre, et c'était fini jusqu'au lendemain. On sentait bien que, chaque fois que Shirley venait à un concert, il était l'homme le plus heureux du monde. Ils étaient comme deux écoliers. Il la prenait par la main, et elle était là, très belle et discrète, avec ses yeux bleus. Absolument magnifique.

« Je regardais la bague de Charlie. Elle était en argent et représentait un homme et une femme enlacés, mais il fallait vraiment bien la regarder pour le voir. Je crois que c'était son alliance, et je trouvais ça tellement romantique ! Très subtil, mais très sensuel en même temps. Tout était très fluide entre eux. »

King confirme que, quand sa famille l'accompagnait en tournée, c'est toute l'attitude de Charlie qui se transformait. « Shirley arrivait, puis Seraphina et, bien des années plus tard, Charlotte. L'ambiance changeait alors. Charlie était très détendu. Il dessinait tout le temps, il avait ses carnets dans lesquels il croquait tout, des poignées de porte aux téléphones. Quand Shirley arrivait, il la dessinait allongée sur le lit en train de lire le *Sunday Times*, ou quelque chose de ce genre.

« Au moment où je vivais à LA dans les années 1970, ils sont passés au Forum, je me rappelle avoir vu toute une rangée de mariachis avancer entre les sièges. Shirley a demandé : "Qu'est-ce que c'est que ça ?" J'ai répondu : "Ils sont là pour accompagner Bianca [Jagger] à sa place."

« Bref, Charlie était toujours heureux de la voir débarquer et, si jamais Seraphina était du voyage [elle les rejoignait généralement dans des endroits comme New York ou Los Angeles], c'était un moment de joie.

« Parfois, Seraphina faisait le voyage seule, ce qui contrariait beaucoup Shirley parce que Charlie faisait des folies pour elle. Elle s'agaçait : "Il ne devrait pas dépenser autant pour elle. Il la gâte trop." Mais il était comme ça. »

En 1982, prêts à quitter le Gloucestershire où ils vivent depuis six ans, et cherchant une grande propriété en Angleterre, Charlie et Shirley explorent les chemins de campagne du Devon lorsqu'ils voient un panneau indiquant Halsdon. « C'était le bout du monde, à l'époque, a-t-elle relaté. Les bois, la rivière, la vallée… un enchantement. » Dans le village de Dolton, ils trouvent Halsdon House, aussi appelée Halsdon Manor, une propriété du XVIᵉ siècle qui a appartenu pendant des centaines d'années à des natifs du Devonshire.

« Nous avons eu le coup de foudre, a expliqué Shirley. À ce moment-là, bien sûr, il n'y avait ni écuries ni paddocks, mais nous savions que cela se ferait tout naturellement. Le Devon est devenu notre paradis, et nous ne l'avons plus quitté. » On peut lire dans la gazette de Bideford, le village voisin, cette information : « M. Charles Watts, paraît-il, vient d'acheter Halsdon House à Dolton. La maison, qui compte six chambres, est un bâtiment classé en IIe catégorie, situé sur un charmant terrain boisé de 5,5 hectares. L'agence immobilière Michelmore Hughes déclare qu'aucune annonce officielle n'a été faite en ce qui concerne l'identité de l'acheteur. »

Shirley devient propriétaire, éleveuse et experte de ses très aimés chevaux arabes, les Halsdon – qui portent le nom de leur haras. Si elle n'acquiert au départ que quelques chevaux de selle, elle finira par créer avec son équipe un « fleuron de l'élevage mondialement reconnu, avec plus de 250 têtes », comme le décrit le site Internet Tom Arabians.

Shirley ne donnait jamais d'interviews en tant que femme de rockeur ; en revanche, elle a décrit en détail, pour ce même site, son quotidien aux écuries de Halsdon.

Elle disait de sa philosophie : « Ça n'a rien de sorcier, il faut simplement être attentif aux besoins individuels des chevaux, sur un plan tant psychologique que physiologique. Cette compréhension demande une sensibilité qu'on ne trouve que dans le contact quotidien avec eux et dans une appréciation intime de la nature unique de chacun. »

Elle a aussi évoqué ce qu'elle aimait le plus chez ses nobles chevaux arabes, et ses mots révèlent la paix que son mari et elle avaient trouvée, loin de la frénésie du monde de la musique. « J'aime me trouver parmi eux. J'adore sentir la chaleur de leurs corps, entendre la cadence rythmée de leurs souffles, jouir de la satisfaction tranquille d'être acceptée.

« Les chevaux vous montrent toujours ce qu'ils ressentent pour vous. J'apprécie beaucoup cette interaction, chacun ayant sa personnalité propre et son approche du contact avec les humains. Trouver cette acceptation chez eux est ce qu'il y a de plus satisfaisant. Ils nous donnent le sentiment d'être à notre place.

« Les chevaux arabes m'ont énormément appris dans la vie, et en premier lieu l'humilité, conclut-elle. On traverse tout le spectre des émotions à leur contact, des plus grandes joies et de l'euphorie bouleversante à des chagrins profonds et à des deuils tragiques. Je me sens plus vivante en ayant vécu avec eux. On y trouve beaucoup de plaisir tous les jours. C'est le grand cercle de l'existence. Un lien qui ne ressemble à aucun autre. »

Cette passion a fait les gros titres en 1995, quand il a été rapporté partout que Charlie avait déboursé 740 000 dollars pour un étalon arabe. Marion Atkinson, du haras Simeon, à Sydney, a déclaré que c'était un record pour la race en Australie, et que le couple avait acheté ce cheval, Simeon Sadik, après l'avoir vu en vidéo.

Pendant ce temps, Charlie disait toujours qu'il n'écoutait jamais les albums des Rolling Stones chez lui, contrairement à sa femme. « C'est une grande fan des Stones, indiquait-il. Moi non ; pour moi, c'est un métier. Mick,

Keith et Ronnie sont mes amis, et le groupe est très bon, mais c'est tout. Alors que Shirley, elle, écoute vraiment nos disques. »

Au moment où la compilation *Forty Licks* de 2002 offrait un nouveau tour d'honneur aux vieux tubes et réunissait les productions ABKCO et les suivantes, plus lucratives, Charlie a confié : « Écouter comment on jouait il y a quarante ans, à moins qu'on soit Louis Armstrong... De toute manière, je n'écoute jamais nos disques. Je ne savais même pas qu'on pouvait acheter l'intégrale en coffret, c'est quelqu'un qui me l'a dit. Je ne suis pas au courant, parce que ça ne m'intéresse pas plus que ça.

« Quand j'entre chez un disquaire, je nous vois toujours dans les bacs. Mais je n'écoute jamais, sauf quand on m'envoie nos disques [en avance] et que je dois donner un avis. Mon épouse les écoute, et je les entends de temps en temps à la radio. C'est intéressant. »

À propos de leurs goûts musicaux, Tony King développe : « Shirley et lui adoraient la soul et la Motown. Quand je vivais aux États-Unis, je faisais des cassettes que je leur envoyais à La Bourie, en France. Ils étaient ravis. Shirley me disait qu'ils étaient dingues de *Do It Again* de Steely Dan et *Love Train* des O'Jays. Je leur envoyais de super chansons. »

Dans un entretien à *Esquire*, en 1998, Charlie confie à Robin Eggar : « Ma femme m'a permis de rester très sain d'esprit. J'aurais probablement fini toxico et ravagé à Soho si j'étais resté célibataire en vivant tout ça. C'est très difficile d'entretenir un amour pendant trente-cinq ans. Le seul bon côté des tournées, c'est que l'absence vous rappelle à quel point l'autre vous manque. »

Cinq ans plus tard, Charlie revient sur ses presque quarante ans de mariage avec Shirley. « J'ai toujours eu la chance d'avoir une base solide à la maison. Nous

nous sommes rencontrés le jour où j'ai commencé à jouer dans le groupe d'Alexis Korner, avant même que je sois membre des Stones. Mon épouse connaît Mick et Keith depuis aussi longtemps que moi. C'est une femme sensée. Elle m'a toujours tenu à distance des Stones. »

Le couple connaissait aussi un autre grand ami de Tony King : Elton John, qui a un jour rendu publiquement hommage à Shirley. En 1974, en effet, il offrait à King cette anecdote : « Bette Midler voulait que j'intitule mon nouvel album *Fat Reg from Pinner* [Le gros Reg(inald) de Pinner, en référence au surnom d'Elton John]. Moi, je voulais l'appeler *Ol' Pink Eyes Is Back* [Le retour de la conjonctivite], mais je me suis retrouvé avec une rébellion sur les bras : le groupe n'aimait pas. C'est Shirley Watts qui a trouvé le meilleur titre. Elle voulait l'appeler *Ol' Four Eyes is Back* [Le retour du binoclard]. »

Les Watts étaient hautement respectés par leurs voisins dans le Devon ; à la mort de Charlie, un conseiller municipal a révélé qu'en 2011 le couple avait fait un don généreux pour la rénovation de la salle communale. Shirley était invitée à la cérémonie de réouverture et, à la surprise générale, avait amené son mari. Une voiture attendait Charlie dehors au cas où il s'ennuierait – il y avait du cricket à la télévision ce jour-là. En fin de compte, ils sont partis les derniers.

Seraphina, leur fille, a vécu en France jusqu'à l'âge de huit ans. Elle est ensuite partie pendant des années, aux États-Unis et ailleurs. Au début de l'année 2002, elle est tombée sur une téléréalité hilarante. « Mes parents étaient un peu les Sharon et Ozzy du Devon, explique-t-elle. Quand j'ai vu cette émission [*The Osbournes*], je me suis dit : "Oh ! mon Dieu !" Mon père déambulait dans la maison en braillant : "Shirleeey…"

« J'ai demandé à mon parrain, Tony King : "Tu as vu cette émission ?", et il m'a répondu : "Oui, je sais !" J'ai lancé à mes parents, plus tard : "C'est vous deux !" Et moi, j'étais Kelly la grincheuse. Tous les chiens, et tout… "C'est vous !" Ils étaient horrifiés, mais j'ai insisté : "C'est exactement ça !" Ils formaient une équipe extraordinaire. »

King ajoute : « Shirley avait un goût très sûr, et elle savait énormément de choses sur plein de sujets. Une femme formidable. Elle avait un œil sur tout. Mais, si vous alliez chez eux, vous trouviez Charlie en train de faire la vaisselle, de préparer le thé, d'engueuler les chiens, de nettoyer leurs saletés s'ils en faisaient dans la maison, d'exécuter les tâches ingrates. Il était complètement domestiqué.

« Shirley veillait au grain. Il n'était jamais autorisé à prendre la grosse tête : si elle était dans les environs, elle le reprenait aussitôt. Elle n'hésitait pas à le rembarrer. Je me rappelle cette lettre formidable que j'ai reçue d'elle au début, pendant qu'ils étaient en tournée aux États-Unis, vers l'époque d'Altamont. Elle m'écrivait : "Charlie est rentré ce week-end, tout vaniteux d'être membre des Rolling Stones. Alors je lui ai fait nettoyer le four." »

Don McAulay, le *drum tech* de Charlie pendant sa dernière décennie, partage avec affection un souvenir bien plus récent du couple. « La dernière fois que Shirley a vu Charlie à la batterie, à ma connaissance, c'était au concert de Hyde Park en 2013. Elle était assise juste à côté de ma zone de travail, tellement heureuse d'être là, à le regarder une fois de plus. Et lui ne la quittait pas des yeux. J'ai senti que c'était vraiment un moment précieux pour eux deux, car c'est aussi comme ça qu'ils s'étaient rencontrés, quand elle allait le voir jouer. »

« Je ne peux pas vous dire à quel point son couple, sa fille et sa petite-fille ont été le socle de sa vie, conclut King. Il aimait les Rolling Stones et tout ce qui allait avec. Mais sa famille passait avant tout. »

3
Le mal du pays

La conquête par les Rolling Stones de l'Angleterre et du monde doit beaucoup à la stratégie ambitieuse d'Andrew Loog Oldham. Né lui aussi pendant la guerre, un mois après Keith Richards, il va gérer le groupe, commercialement et artistiquement, comme un maestro, à cette époque sans précédent où les managers de rock inventent le métier au jour le jour.

C'est lui qui prend la décision implacable de dire à Ian Stewart qu'il n'a pas le physique pour un rôle de premier plan dans le groupe, après quoi Stu va endosser la fonction peu glamour d'homme à tout faire, pudiquement appelée « *road manager* ». Alors que les Stones deviennent l'archétype même des *bad boys*, c'est Andrew qui a l'idée de cette question génialement provocante : « Laisseriez-vous votre fille sortir avec un Rolling Stone ? » Il la souffle à Ray Coleman, du *Melody Maker*, qui remplace « fille » par « sœur » dans un reportage de terrain en mars 1964. Quoi qu'il en soit, l'ironie de la chose est que la réponse, dans le cas du très modeste Charlie Watts, serait certainement un grand « oui ».

« C'était le meilleur, Andrew, je l'aimais bien », m'a dit Charlie, qui devient son voisin à l'été 1964 lorsque, déjà pop star à vingt-trois ans, il quitte la maison de ses parents. Il s'installe alors dans un quatre-pièces à Ivor Court, Gloucester Place. Bill Wyman, avec sa mémoire d'éléphant, se souvient que son loyer était d'un peu plus de 54 livres par mois. Charlie, passant directement de chez ses parents au foyer conjugal, n'aura jamais vécu seul. « Ma mère nous a couvés, dit Linda. Même une fois parti, il lui rapportait son linge pour qu'elle le lave et le repasse. »

Après leur mariage en octobre 1964, Shirley et lui s'empressent de décorer l'appartement d'une manière qui reflète leur goût pour les arts visuels ; le bref séjour professionnel de Charlie au Danemark lui a aussi laissé un grand amour du mobilier danois en pin. Un canapé Chesterfield embellit les lieux, ainsi que d'autres meubles acquis avec l'œil acéré qu'il gardera toujours ouvert lors de ses tournées.

« Quand Andrew a pris un bureau à Regent's Park, je vivais dans le même couloir : mon appartement était à un bout, et son bureau à l'autre, a expliqué Charlie. Andrew était très bien sapé. Il portait plein de petits costumes avec des vestes courtes. On s'entendait tous bien avec lui, et on aimait ce qu'il disait. Il était doué pour canaliser ce qu'on ressentait. Et il savait flairer les bons coups, sans quoi on aurait continué à se traîner de club en club, à jouer à Bournemouth pendant une éternité, sans jamais avancer. »

La gestion de l'image des Stones est futée : capitalisant sur leurs cheveux longs et leur comportement supposément voyou, elle pousse simplement les jeunes fans à les adopter comme antidote rebelle aux Beatles propres sur eux. Tandis que la presse nationale et la majorité conservatrice enragent contre ces hommes des cavernes déguenillés, une institutrice de Wrexham dénonce les parents qui laissent leurs enfants porter des pantalons de velours – signe de relâchement moral – en hommage à leurs héros. Pendant ce temps, en juin 1964, Charlie décroche sa première couverture de magazine en solo, dans *Mersey Beat* (même si le genre musical du même nom provient tout droit des Beatles).

À Noël 1964, Oldham passe une annonce dans le *New Musical Express* pour présenter ses meilleurs vœux aux coiffeurs en faillite et à leurs familles. La revue des tailleurs, *Tailor & Cutter*, supplie le groupe de porter des cravates pour sauver les fabricants de la ruine. Ils n'ont pas bien regardé : Charlie est toujours vêtu avec soin et il aurait eu toutes les raisons de s'offenser – si cela lui avait importé –, lorsque la même publication, des années plus tard, citera Mick, et non lui, dans son classement des hommes les mieux habillés. D'ailleurs, le jour où les Stones se voient refuser le service au restaurant de leur hôtel en raison de leur look, Charlie est en veston et cravate. « Je suppose que j'aurais été servi, commente-t-il, mais je n'allais pas manger tout seul. »

Il arrive que Charlie participe aux chahuts collectifs du groupe, notamment ce jour de juillet 1964 où ils sont invités à l'émission de pop hebdomadaire *Juke Box Jury*, dans laquelle ils doivent noter les nouvelles sorties en votant « top » ou « flop ». Cela n'atteint peut-être pas les sommets de l'émission de Bill Grundy avec les Sex Pistols douze ans plus tard, mais l'animateur David Jacobs, vieux routard de la BBC, a du mal à tenir la barre. Oldham écrit dans *2Stoned* : « Les Stones, sans que je les y encourage, en ont profité pour se comporter en parfaits rustres et, en l'espace de vingt-cinq minutes, ont amplement confirmé tout le mal que la nation tout entière pensait déjà d'eux. Ils grognaient, riaient entre eux, traitant sans pitié les mauvais morceaux qu'on leur faisait écouter, répondant avec hostilité à M. Jacobs, qui y perdait son flegme coutumier. Ce n'était pas un coup monté. Brian et Bill avaient fait quelques efforts pour être polis, mais Mick, Keith et Charlie s'en tamponnaient royalement. Au bout d'un moment, les deux B n'ont pas eu d'autre choix que de se joindre aux autres et de suivre le mouvement. Le *Daily Mail a* affirmé qu'ils avaient "scandalisé des millions de parents". » Oldham y voit une excellente occasion d'alimenter la presse. Une semaine plus tard, *It's All Over Now* est n° 1 au hit-parade.

Ces extravagances, bien sûr, ne sont pas du tout dans le caractère de Charlie. Dans l'ensemble, Bill et lui gardent un air d'indifférence affectée, légèrement amusée, chaque fois que c'est possible. Un portrait des Stones dans le magazine *Rave*, le même mois que leur apparition tapageuse dans *Juke Box Jury*, décrit leurs moqueries envers Charlie, qui un soir avait oublié son propre numéro de téléphone. Cela ne va pas bien loin, mais sa personnalité dans le groupe est déjà bien définie.

« Charlie Watts, c'est le studieux de la bande, observe l'article. Il lit des ouvrages sur la guerre de Sécession. Il a beaucoup de musique classique dans sa collection de 33 tours. Il est le Stone bien habillé, qui dépense souvent plus de 50 livres d'un seul coup en vêtements. Le taiseux. Des cinq Stones, c'est Charlie qui parle le moins. »

« Il y a un truc chez les batteurs, écrit Coleman, avec un agacement perceptible, dans un article de 1964 pour le *Melody Maker*. Ils se méfient des questions et n'ont pas très envie de s'impliquer. Charlie, passionné de jazz, a demandé quand Stan Getz allait passer à Londres, puis s'est peu à peu éclipsé de la pièce. » Charlie joue du jazz aux autres, sans grand espoir de les convertir, même si l'admiration de Mick, à l'époque, s'étend jusqu'à Charles Mingus et Jimmy Smith.

« Sans aucun doute, c'est un paradoxe des plus étranges, fait observer Glyn Johns, le très respecté arrangeur des Stones pendant toutes les années 1960 et au-delà. Il finit par être reconnu comme l'un des plus grands batteurs du rock, alors qu'en fait sa passion était le jazz. S'il en avait eu l'occasion – et pour être honnête, il l'a eue, de temps en temps –, il aurait choisi le jazz plutôt que le rock 'n' roll. C'est très curieux. »

Peu de gens sont mieux qualifiés que Johns, ingénieur du son et confident du groupe pendant ses treize premières années d'existence, pour juger des qualités de musicien de Charlie. « Il y a beaucoup de musiciens qui sont uniques, et Charlie en faisait assurément partie, déclare-t-il. Bill et lui, pour moi, ont autant contribué que les autres au succès des Stones. Cependant, c'est plus discret que d'écrire des chansons ou de se pavaner de manière sexy. L'association Bill Wyman-Charlie Watts est remarquable. Pris l'un sans l'autre, ils sont toujours d'excellents musiciens, mais les deux ensemble, ça prend une autre dimension.

« C'est vrai que j'ai passé énormément de temps seul avec Charlie, étant donné qu'il arrivait toujours aux sessions bien avant tout le monde, raconte-t-il encore. J'étais toujours là, en train d'installer le matos ou de bricoler. On a alors passé bien des débuts de soirée entre nous, à bavarder de la météo ou d'autre chose. On parlait de la famille, pas forcément de musique.

« C'était quelqu'un de modeste à tous égards, vraiment. Je n'ai jamais eu une conversation avec lui sur son talent à la batterie. Ce n'était pas nécessaire, pour être honnête. Je ne pense pas que Charlie ait douté en quoi que ce soit de sa compétence, mais il n'avait pas non plus d'ego. Il exécutait ce qu'on lui demandait, et personne ne lui faisait jamais de suggestions. Je n'ai aucun souvenir de Mick, Keith ou n'importe qui d'autre lui suggérant de modifier son jeu. Et certainement pas de moi, en tout cas. Je ne me le serais jamais permis. »

Les deux premières tournées des Stones aux États-Unis, au début de l'été et à l'automne 1964, sont suivies de deux autres en 1965, où ils se déplacent aussi en Australie et en Nouvelle-Zélande, puis à deux reprises au Royaume-Uni, en Irlande et en Scandinavie, sans compter les incursions en France et en Allemagne de l'Ouest, entre autres. Une telle conquête planétaire s'accompagne d'un devoir inévitable : les assommantes conférences de presse, dans lesquelles les cinq garçons de mauvaise réputation sont réunis contre leur gré et placés face aux questions bateau de la presse locale. Les souvenirs de Bill Wyman rendent bien leur totale absurdité : « On était en rang d'oignon au Danemark, en Allemagne, en Australie, etc., et bien sûr toutes les questions étaient posées à Mick. Après quatre questions, il disait : "Demandez à un autre", alors ils passaient à Brian, puis à Keith. Charlie et moi, on était tout au bout, en train de boire un thé et de parler de cricket, ou de nos prochaines vacances.

« Un jour, une présidente de fan-club, un club de jeunes filles à Adélaïde ou je ne sais plus où, est venue voir Charlie alors que l'interview se terminait et qu'on commençait à se lever. Elle a demandé : "Monsieur Watts, pouvez-vous me donner quelque chose à rapporter chez moi en souvenir ?" Il a répondu : "Comment ça ?" et elle a dit : "N'importe quoi, quelque chose pour me souvenir de ce moment." Alors il s'est levé, lui a passé sa chaise et est parti. »

Ses souvenirs passent directement aux Grammys de 1986, où Eric Clapton, un vieux copain des Stones, leur remettait un prix pour l'ensemble de leur œuvre. « C'est retransmis en direct aux États-Unis par satellite, bon sang ! Et Eric arrive pour nous donner nos récompenses et nous féliciter. Il parle, puis c'est au tour de Mick. Ensuite, il s'approche de Charlie, lui remet son trophée, et là Charlie sort : "Où sont les roues ? Il n'a pas de roues !" Nous, on explose de rire, parce que c'était tout simplement bizarre. Ça arrivait tout le temps, il pouvait être hilarant sans vraiment le vouloir. »

Ces traits obsessionnels communs à Bill et à Charlie peuvent se manifester dans les circonstances les plus banales, surtout pendant leurs tournées britanniques. « Il avait des manies étranges, confie Bill avec affection. On s'arrêtait manger un morceau en montant dans le Nord, à Glasgow par exemple. On cassait la croûte dans un restau en bord de route et, en sortant pour regagner la voiture, on se disait : "On ferait bien de passer aux toilettes, parce qu'on a encore deux heures de route."

« Donc on allait aux toilettes, qui étaient souvent dehors. J'entrais, je ressortais, puis Charlie entrait et ressortait. » Dans son salon, Bill se lève et se dirige vers la porte pour me montrer. « Ça, c'est la porte des toilettes. Donc il sortait, fermait la porte, vérifiait la poignée et commençait à revenir vers nous. On l'attendait. Puis il s'arrêtait, faisait demi-tour, vérifiait de nouveau la poignée, et refaisait dix pas vers nous. Nous, on était là : "Allez, Charlie !" Et il répétait son manège trois ou quatre fois. »

Un moment fort à retenir dans les débuts de l'histoire d'amour entre les Stones et la culture américaine, qui durera toute leur vie, est celui où ils se retrouvent dans une programmation fabuleuse (Chuck Berry, Marvin Gaye, les Beach Boys, pour n'en citer que quelques-uns) lors du *T.A.M.I Show*, fin 1964. Ce show unique est resté dans l'histoire pour la prestation de James Brown, qui a fait connaître à un public de musique pop son génie absolu à la fois comme danseur et comme chanteur. Mick en a gardé un souvenir inoubliable : il m'a confié une quarantaine d'années plus tard qu'il écoutait encore parfois *Live at the Apollo, Vol. 1* pour se chauffer avant de monter sur scène. Charlie aussi en parlait encore des décennies après.

« Il a été incroyable ce soir-là. Les gens l'appelaient "le plus gros bosseur du show-business", et c'était vrai. Et le groupe qu'il avait… Personne n'a jamais été aussi bon. Quand j'étais jeune et que je voyais jouer des musiciens noirs… Ça n'avait rien à voir avec la couleur de peau pour moi. C'est seulement que j'ai immédiatement reconnu le fait que, pour moi, les plus belles heures de plaisir d'écoute ont été avec Ben Webster, Bobby Womack et les grands batteurs que j'ai vus. Phil Seamen et Ginger Baker, vous fermez les yeux et vous les imaginez noirs, vu comme ils jouent. C'est un compliment, venant de moi. »

Après plus de deux ans et demi de tournées britanniques impitoyables, à l'emploi du temps presque sadique, le groupe arrive au Danemark pour ses premières dates européennes en mars 1965. Le concert d'ouverture à Odense est précédé par une rencontre avec la presse au Royal Hotel de Copenhague. Le photographe danois

Bent Rej a écrit dans son recueil d'images marquantes de l'époque, *In the Beginning* : « J'ai repéré les blagueurs de la bande : Charlie et Brian, et j'ai rapidement sympathisé avec eux. » Il ajoute que, lorsque quelqu'un a demandé à Charlie qui écrivait leurs réponses pour eux, il a répondu : « Ringo. »

La récompense de Charlie, après avoir enduré de telles corvées, c'est de pouvoir se rendre dans les clubs de jazz du monde entier pour écouter certains de ses héros, particulièrement aux États-Unis. « La première fois que j'y suis allé, je voulais voir New York et le Birdland, c'est tout, a-t-il déclaré. Je me fichais du reste de l'Amérique. New York était le cadre dans lequel je rêvais d'évoluer : je voulais être un batteur noir jouant dans la 52e Rue. Évidemment, je ne suis pas noir, et la scène avait disparu le temps que j'arrive là-bas, mais New York était encore très à la pointe pour tout ce qui concernait le jazz.

« L'une des premières formations que j'ai vues en arrivant à New York était celle de Charles Mingus, avec Dannie Richmond à la batterie ; et [le saxophoniste] Sonny Rollins venait de sortir de son hibernation et y avait son trio. C'était l'époque où Sonny commençait à jouer dans sa loge, puis jouait face aux murs tout autour de la scène. C'était fantastique. »

Les Rolling Stones s'offriront une collaboration mémorable avec Rollins bien plus tard, lorsqu'il jouera son superbe solo au saxo ténor sur le formidable *Waiting on a Friend*, dans l'album de 1981, *Tattoo You*. « J'appréhendais beaucoup de travailler avec Sonny Rollins, a reconnu Mick. Ce mec est un géant du saxophone. Charlie me disait : "Il ne voudra jamais jouer sur un disque des Rolling Stones !" J'ai répondu : "Si, il voudra." Et il l'a fait, et il a été fabuleux. »

Et la version de Charlie sur cette collaboration : « Mick a demandé : "Est-ce qu'il nous faut un saxophoniste sur *Waiting on a Friend* ? Il y a qui, comme bon saxophoniste ?"

J'ai répondu : "Sonny Rollins" en pensant qu'il n'arriverait jamais à l'avoir, et voilà qu'il finit dans le studio. Mick a ensuite posé la question pour la trompette, et j'ai dit : "Miles Davis", mais ça, je ne sais pas trop ce que c'est devenu. [Sonny] a été merveilleux. Nous avons connu un certain nombre de magnifiques saxophonistes qui ont joué avec notre groupe, Trevor Lawrence, Ernie Watts… Le meilleur est un Texan appelé Bobby Keys, ça ne fait aucun doute. »

Non seulement Charlie apporte l'influence de son premier amour musical aux sessions et aux concerts des Stones chaque fois qu'il le peut, mais en plus il a avoué que, quand une intro le permettait, il s'imaginait dans la peau d'une de ses idoles, comme Kenny Clarke ou Ray Lucas. Il se démène pour voir ses favoris en concert : pendant cette première tournée européenne, il fait un saut à Copenhague pour aller voir l'Oscar Peterson Trio, Ella Fitzgerald et Erroll Garner, allant en coulisse rencontrer ce dernier, pianiste swing, et son contrebassiste Ray Brown ; après un concert à Vienne, plus tard dans l'année, il file chez lui pour aller écouter Count Basie et son orchestre.

Parfois, il emmène un de ses compères avec lui. « Nos conversations tournaient beaucoup autour du jazz, raconte Mick. J'aime bien le jazz, et Brian aussi. Keith n'a jamais été un grand fan parce que ça lui évoque tous ces groupes de dixieland, comme celui de Chris Barber. Charlie et moi, on fréquentait beaucoup les clubs de jazz. À l'époque des débuts, il sortait beaucoup plus, donc si untel jouait quelque part en Europe – car beaucoup de musiciens américains vivaient sur le Vieux Continent –, on allait au Danemark, mettons, pour le rencontrer, boire un café ou un verre avec lui. Ensuite, on allait voir Miles Davis. Charlie était béat d'admiration. Miles était vraiment difficile – ou pas, parfois il était le gentil, en fait. »

Oldham élabore encore une manœuvre audacieuse : il engage une équipe de cinéma pour filmer le deuxième séjour du groupe en Irlande, en 1965, afin d'encourager le financement d'un futur film. La stratégie ne payera pas, en fin de compte. « Le documentaire, a écrit leur manager, devait être une sorte de galop d'essai, d'échauffement pour tout film à venir, et c'était un effort de ma part pour que les Stones continuent de s'intéresser à l'idée du cinéma. Il s'intitule *Charlie Is My Darling*, parce que c'était vrai. »

Sous la direction de Peter Whitehead, le résultat, restauré en 2012, est une tranche captivante de réalisme social qui montre cinq jeunes hommes vaquant à leurs affaires, dans une espèce de « *Harder* » *Day's Night* : on les voit faire le bœuf dans une chambre d'hôtel de Dublin, prendre le train pour Belfast et rentrer en avion à Londres, tout en parlant de la réussite et de leur mode de vie, dont ils se seraient attendus qu'il ait déjà pris fin.

Dans un micro-trottoir de jeunes fans irlandais à la sortie d'un concert, on voit une jeune fille déclarer : « J'aime bien le mec à la batterie. » Charlie, qui fait face à la caméra (presque à coup sûr sous la contrainte) lâche : « Je viens de me mettre à la batterie. Je ne sais pas lire, je ne suis pas un musicien de ce calibre. Peut-être que je ne fais qu'analyser des classiques. C'est peut-être un complexe d'infériorité. Peut-être que je suis bon, après tout. » Il parvient à sourire.

Plus d'un demi-siècle après sa réalisation, le film suscite la mélancolie dans le sens où, dans un épais brouillard de fumée de cigarettes, il capture un ultime instant de relative innocence et d'unité dans le groupe, notamment le trajet en train pendant lequel ils chantent *Maybe It's Because I'm a Londoner* et parlent du comique Max Bygraves. Charlie, qui arbore avec style des lunettes teintées, se contente de lire un magazine. Backstage, Mick et Keith travaillent sur la nouvelle chanson *Sittin' on a Fence* (qui sera enregistrée lors des sessions pour *Aftermath*, mais finalement donnée au duo pop Twice as Much) et grattent à la guitare *From Me to You* et *I've Just Seen a*

Face des Beatles. Charlie est assis près d'eux, sombre et impénétrable.

Le documentaire est d'autant plus passionnant qu'il montre une émeute lors du concert de Dublin, dangereusement filmée en direct, sans l'emballage enjolivé qu'on a plus tard associé aux vieux films sur le rock. Là aussi, Charlie semble imperturbable. « Bill Wyman a été forcé de se cacher derrière Ian Stewart et le piano à queue sur scène, a écrit Oldham. Keith a réussi à s'enfuir, et Charlie a simplement continué de jouer. »

Un article de l'époque confirme : « Mick Jagger a été traîné au sol, Brian Jones se battait contre trois adolescents qui jouaient des poings, et Bill Wyman était acculé contre un piano, sur le côté de la scène. Keith Richard [sans s à la fin, à l'époque] est parvenu à s'échapper. Et le placide Charlie Watts a continué de jouer, imperturbable, pendant que la tourmente se déchaînait autour de lui. »

Plus loin dans le film, Charlie réfléchit : « J'aurais les moyens de faire exactement ce que je veux… mais, d'un autre côté, je n'ai pas beaucoup de temps pour faire ce que je veux. » Oldham conclut : « Charlie est le seul et unique membre du groupe qui ait réussi à rester naturel face à la caméra et, dans ce style de cinéma direct, raisonnablement juste et vrai. »

En 2012, Oldham a confié au *Los Angeles Times* : « Après le visionnage des interviews, et le montage avec Peter Whitehead, j'ai eu le rêve qu'[un réalisateur] allait m'appeler pour me demander : "Charles Bronson doit se désister pour un tournage en France, est-ce que Charlie pourrait venir le remplacer ?" Je le trouvais merveilleux. Il avait beaucoup de présence. » Le commentaire fait écho à un article de 1964 dans l'*Evening Standard* rapportant que Charlie est « considéré par son manager comme ayant la structure osseuse d'un Steve McQueen, et par conséquent un grand avenir dans le cinéma ».

Il est donc regrettable que les Stones n'aient jamais pu faire ce film promis par Oldham à cette époque, *Only*

Lovers Left Alive. À l'automne 1966, la presse musicale britannique a beau indiquer que le tournage doit
commencer quelques semaines plus tard, les financeurs
ne sont pas au rendez-vous. Charlie aurait pu faire un
jeune premier inattendu.

Pendant les brefs moments volés entre deux tournées,
la vie publique devient tout aussi difficile, quoiqu'un peu
moins dangereuse, pour le batteur et pour le groupe. Au
printemps 1965, Keith raconte à une publication musicale
que Charlie, Bill et lui parviennent quand même à ne pas
être trop dérangés par les fans quand ils sortent à l'Ad
Lib, club qui vient d'ouvrir l'année précédente au-dessus
du cinéma Prince Charles, à côté de Leicester Square.

« Les gens se trompent quand ils croient qu'on a
une vie rocambolesque, dit-il, et qu'on sort toujours
dissimulés par un cache-nez, des lunettes noires et un
chapeau descendu sur les yeux. Si on veut sortir, on sort,
mais souvent on préfère rester chez nous pour dormir
ou écouter des disques ; en ce qui me concerne, je vais
promener mon chien. Je n'adore pas marcher, mais lui
a l'air d'aimer ça. » Pour mémoire, son chien s'appelait
Ratbag[1]. Quant à Charlie et Shirley, ils choisissent le plus
souvent de rester tranquilles. Bent Rej les photographie
dans leur appartement d'Ivor Court et décrit en 1965
les jours précieux qu'ils y passent. « Charlie s'installe
avec ses disques, et Shirley s'adonne à son art, écrit le
photographe danois. Elle se rend dans son atelier pour
travailler à ses sculptures. Pour l'instant, elle n'essaye
pas d'en vivre ; toutes ses pièces d'art moderne sont
offertes à ses proches – ou sont entreposées dans la
maison. C'est que, non contents de s'aimer, ils ont aussi
l'amour de l'art. »

En voyant le programme de tournée des Stones rien
que pour l'année 1965, on comprend encore mieux à
quel point ces journées idylliques sont des instants volés.

---

1. Minable.

Avec deux spectacles par ville au début de l'année, ils donnent bien plus de deux cents concerts au cours de ces douze mois, sans compter les sessions en studio chez eux et à l'étranger pour les albums *Out of Our Heads* et *Aftermath*, et les singles incontournables comme *The Last Time*, *(I Can't Get No) Satisfaction* et *Get Off of My Cloud*.

En juin de la même année, Rej se souvient d'être allé avec Charlie et Shirley visiter une propriété du xvie siècle qu'ils envisageaient d'acheter, l'Old Brewery House, dans Southover Street, à Lewes. Le manoir a survécu à la démolition de la brasserie Verrall & Sons en 1905. C'est exactement ce à quoi ils aspirent, habiter dans une petite commune de l'East Sussex, loin du West End sauvage (qui s'apparente bien à l'Ouest sauvage) de Londres.

Ils font une offre sur-le-champ, et s'y installent dès le mois d'octobre. Le père de Charlie est dubitatif. « Nous ne comprenons pas pourquoi il préfère une vieille baraque comme ça à quelque chose de moderne », déclare-t-il. Mais le couple est très heureux de son nouveau logis, où Shirley peut se lancer dans une nouvelle passion qui durera toute sa vie : l'élevage de chevaux. Elle passe également une grande partie de son temps à chiner chez les antiquaires, tant à Lewes qu'à Brighton. Il n'y a qu'un bémol : les filles de l'usine de parfum voisine, qui montent sur le toit pendant leur pause déjeuner en espérant apercevoir leur idole réticente.

Dans une interview filmée en 1966, on voit Charlie, assis sur un banc devant la maison, endurer une série de questions laborieuses et terriblement guindées, dans le plus pur style de la BBC. Son impatience d'en finir est palpable, mais il répond poliment et avec sa modestie habituelle. « Nous vendons notre musique à de jeunes Américains qui n'ont sans doute jamais entendu les disques des gens qu'on a copiés pour moitié, lâche-t-il. C'est le point de départ. On revend nos influences, notre manière de le faire. Peut-être que c'est plus acceptable, la façon dont on le fait. Mais je ne peux pas vraiment répondre là-dessus parce que je ne suis qu'une partie de l'ensemble, ce n'est pas moi qui écris les chansons ni rien. »

Pendant que le chien attend patiemment avec sa balle et que Shirley fait une apparition à cheval, en veste chic et la tête ceinte d'un foulard, Charlie médite sur la manière dont le succès a pu le changer. « Je ne réfléchis plus, malheureusement, avant de dépenser cinq livres, explique-t-il. Cent livres, oui. C'est vraiment la seule différence. Si quelque chose coûte cinq livres et que ça me plaît, je l'achète. Mais en fait ça ne vaut probablement pas cinq livres, même si ça les vaut pour moi. » Lorsqu'on lui demande si son attitude envers les gens a changé, il répond avec sagesse : « Non, je pense que ça a changé l'attitude des gens envers moi. »

Le regard très particulier qu'il pose sur le monde apparaît clairement lorsqu'il ajoute : « Avant, j'allais m'asseoir dans un café, quand j'étais salarié… On avait un ticket-repas et trois sous à dépenser. Maintenant, si j'avais un ticket-repas et trois sous à dépenser, les gens trouveraient ridicule que j'entre quelque part en disant : "Je vais prendre trois sandwichs au fromage avec moutarde et cornichons." Ils penseraient : "Qu'est-ce qu'il fabrique ? Il doit faire ça uniquement pour rencontrer du monde." Je ne sais pas, c'est une impression que j'ai. Peut-être que c'est idiot. Mais, vraiment, ça a changé l'attitude des gens envers moi. Le succès, de mon point de vue, c'est l'argent. Pas la célébrité, parce que, ça, je considère vraiment que ce n'est rien. »

Au moment où l'avènement du 33 tours pousse de nombreux groupes à mettre en doute la validité même du 45 tours comme moyen d'expression, les Stones parviennent à l'autonomie créative avec l'album *Aftermath*, qui sort en 1966 : c'est leur premier 33 tours entièrement composé de titres originaux de Jagger et Richards, qui laissent libre cours à leur imagination avec des chansons comme *Lady Jane* ou *Mother's Little Helper*. Charlie y est omniprésent avec un beat puissant et créatif. En outre, il apporte bientôt une autre contribution essentielle en puisant dans plusieurs œuvres issues de sa vocation adolescente pour le dessin.

Des années plus tard, Mick se rappellera, avec un amusement las, avoir assisté à la naissance de la question de journaliste la plus usée et la plus dépourvue d'imagination : « Et si cette tournée était la dernière ? » C'est pendant que le groupe tourne sans relâche, en 1966, qu'on la leur pose pour la première fois. « Oui, vraiment, dit-il. Je m'en souviens parfaitement. Je n'ai jamais oublié la date. »

En juin et juillet, les Rolling Stones se lancent dans une grande tournée en Amérique du Nord, un enchaînement de trente-deux dates comprenant des concerts au Washington Coliseum et au Hollywood Bowl. Le programme comprend une bande dessinée de Charlie qui rappelle le style narratif légèrement ésotérique de l'*Ode to a Highflying Bird*. Elle mérite d'être considérée comme un fascinant résumé de son point de vue sur l'ascension du groupe.

Intitulée *A Biography by Charlie Watts*, la bande dessinée – dont l'original est désormais conservé dans les collections du Rock and Roll Hall of Fame and Museum à Cleveland – a pour sous-titre *It's the Same Old Story (If Not the Song)*[1], et on y voit le personnage de Jagger chantant sur une scène qui devient plus grande à chaque case.

Dans la première, il est au Crawdaddy et un homme avec un chapeau commente : « Il est très bon... Si seulement il se faisait couper les cheveux. » Tandis que la scène et le public deviennent peu à peu plus importants, Charlie dessine Mick chantant les Stones au fil des années, interprétant *Walking the Dog*, *Time Is on My Side*, *Satisfaction* et *Lady Jane* (« Mais il a toujours des

---

1. Toujours la même histoire (voire la même chanson).

trous dans son gilet », ajoute le personnage au chapeau). La dernière illustration, très drôle, le montre au sommet d'un gratte-ciel, en train de chanter *Have You Seen Your Mother, Baby, Standing in the Shadow ?* En bas, le même petit homme, au milieu d'une foule désormais immense, continue de dire : « Il est très bon… Si seulement il se faisait couper les cheveux. »

En 1966, la carte des Stones pour Noël est également une création de Watts, avec des dessins présentant des vœux festifs : « Que vous le passiez sur vos pieds, sur vos genoux, sur le dos ou simplement en flottant. » Puis, en janvier 1967, il montre une inspiration similaire pour l'album *Between the Buttons*. Les chœurs discrets mais perceptibles qu'on entend dans le refrain de *Please Go Home*, avec le beat de Bo Diddley et le thérémine joué par Brian Jones, sont chantés par Shirley Watts.

La jaquette de l'album, une photo de groupe typique de l'époque, prise sur Primrose Hill par Gered Mankowitz, est agrémentée d'une BD en six cases de Charlie, inspirée par une méprise sur le titre du disque. Andrew Loog Oldham, qui produit les Stones pour ce qui s'avérera être la dernière fois, a demandé à Charlie de faire les illustrations. Lorsque le batteur a demandé à Oldham quel serait le titre, celui-ci a répondu par l'expression argotique « *between the buttons* » qui signifie « c'est pas encore tranché ». Charlie l'a prise au pied de la lettre. « Il m'a dit que le titre était "Entre les boutons", a-t-il expliqué dans le *Melody Maker*. J'ai cru qu'il me disait que c'était le titre, et c'est resté. C'est ma faute, parce que je l'avais compris de travers. » Mais ce court-circuit a produit une étincelle qui inspire ses illustrations.

Il se montre entièrement impliqué dans l'image publique du groupe et dans la manière dont celui-ci divise l'opinion. Au-dessus de ses dessins au trait, on peut lire ce conseil : « Pour comprendre ce petit poème, faut taper du pied en rythme. Alors les boutons se rapprochent nettement. Et, les Stones, on les voit plus clairement. »

Dans la première case, Charlie écrit : « *Between the Buttons* a commencé comme une blague mais a vite tourné à la farce », tandis que la foule s'écrie : « On veut les Stones ! » Dans la deuxième, des personnages s'offusquent de la popularité du groupe avec des commentaires comme : « De toutes mes années de carrière dans le show-business… » ou : « Attendez que j'en parle à ma femme… », et dans la troisième : « Dites, c'est un garçon ou une fille ? » Puis : « Bah ! ils ne sont pas si mal, en fait… », « Bah ! ça me plaît… », « Bon, je ne sais pas… » et enfin : « Qu'est-ce qu'ils vont encore inventer… »

Dès décembre 1966, comme Mike Grant l'écrit dans *Rave*, Charlie a retrouvé son calme prosaïque habituel : « Charlie Watts est l'exception classique, la personne qui n'attire pas l'attention sur le travail qu'elle effectue. L'hystérie, les frasques et la frénésie d'une existence pop lui passent au-dessus de la tête.

« Il parle rarement parce que c'est pour lui un moyen d'éviter une attention imméritée : il déteste le tapage et préfère ne pas recevoir de traitement de faveur. Si on me demandait qui, à mon avis, sera le premier à quitter le groupe, je dirais Charlie, simplement parce qu'il a très peu à perdre. Il dit toujours que "c'est juste un boulot, et un boulot qui paye bien !" »

Au terme d'une tournée européenne de vingt-sept concerts au printemps, l'année 1967, qui diffuse le mouvement hippie, leur apporte un répit après presque quatre années de déplacements perpétuels, comme le détective héros du nouveau feuilleton à la mode, *L'Homme à la valise*, interprété par Richard Bradford. Charlie n'est pas adepte du Summer of Love, loin de là, et a confié plus tard qu'il détestait le Flower Power, même s'il disait à la presse à ce moment-là que ça lui plaisait. Mais il se réjouit de pouvoir enfin rencontrer le nouveau guitariste dont tout le monde parle. En y repensant, il s'amuse des limitations techniques de l'époque.

« Je me rappelle avoir vu Jimi Hendrix au Saville Theater. C'était la semaine où *Sgt. Pepper* est sortie, et il l'a jouée », raconte-t-il avec une précision admirable : le concert date bien du 4 juin, trois jours après la sortie de l'album des Beatles, et Hendrix a en effet ouvert son set par le morceau éponyme, une reprise que Paul McCartney a décrite plus tard comme l'un des plus grands honneurs de sa carrière. Le groupe Procol Harum joue aussi à ce concert ainsi que, dans une autre prestation dont Charlie disait beaucoup de bien, l'Electric String Band de Denny Laine, ancien des Moody Blues et futur guitariste des Wings.

« C'était extraordinaire, le son qu'[Hendrix] avait, continue Charlie, et c'était la première fois que je voyais ça. Ils avaient sonorisé la batterie de Mitch [Mitchell, batteur du Jimi Hendrix Experience] – autrement dit, ils avaient installé un micro au-dessus de la batterie, et ça donnait un son fantastique dans ce petit théâtre, avec son mur d'amplis incroyable. Jimi a joué la moitié d'un morceau, *Sgt. Pepper*, et pschitt ! tout s'est effondré, et il a passé le reste… On l'a vu de dos en train de faire des réglages, et puis c'est tout, pas de spectacle, le rideau est tombé.

« C'était l'époque où les systèmes ne supportaient pas son matos électronique. Ça a sauté. Vous voyez, c'est énorme : Jimi aurait pu jouer dix fois plus fort. Mais, là, on n'avait rien. Si on jouait dans des théâtres, il y avait le projecteur et il y avait la rampe d'éclairage, mais si ce n'était pas dans un théâtre, oubliez, vous n'aviez rien du tout. »

À propos de théâtre, les Stones se retrouvent sous le feu des critiques quand ils y vont en janvier 1967 pour participer à une émission de variétés très appréciée mais désuète au plus haut point, *The London Palladium Show*. Ils y interprètent quatre chansons, dont *Let's Spend the*

Night Together, qui fait déjà mauvais genre. Leur refus de revenir pour le grand final, où la tradition voudrait qu'ils saluent le public de la main depuis la célèbre scène tournante, tels des perdants du concours de l'Eurovision, offusque la nation entière.

Ce qui se passe dans l'émission de la semaine suivante relie Charlie à un complice de jazz du début des années 1960, Dudley Moore, qui est devenu entre-temps un comique ultra-célèbre. Peter Cook et lui passent dans l'émission, et, au moment d'agiter la main pour l'au revoir requis, le font avec des mannequins en papier mâché grandeur nature du groupe, d'aspect légèrement morbide.

« Je ne voulais pas faire [cette émission], je ne sais pas pourquoi on a accepté », se justifie alors Charlie dans le *Melody Maker*. Il dira d'ailleurs toute sa vie qu'il ne veut pas participer à tel ou tel événement avec le groupe, de Hyde Park à Glastonbury. « Nous pensions avoir clairement indiqué au préalable que nous ne monterions pas sur le plateau tournant. » Puis, encore une de ses répliques assassines : « On parle de quoi, au juste ? De tourner pendant dix secondes sur un bout de carton. Et c'est ça qui occupe la presse depuis des jours ! »

Au milieu des démêlés judiciaires de Mick et Keith, alors qu'ils sont condamnés pour usage de stupéfiants et que le *Times* prend leur défense dans un éditorial intitulé : « Qui fait passer un papillon au supplice de la roue ? », les Stones consacrent une grande partie de l'année 1967 à s'efforcer péniblement de conclure *Their Satanic Majesties Request*, un album acid rock avant l'heure qui sera démoli par la critique. L'avantage pour Charlie, c'est qu'il passe plus de temps à la maison et que, avant la fin de l'année, il devient propriétaire d'une nouvelle habitation avec Shirley.

Ils ne s'éloignent pas beaucoup de l'endroit où ils vivent depuis deux ans : ils partent pour le village de Halland, à une douzaine de kilomètres au nord-est de Lewes, et emménagent à Peckhams, un manoir vieux de plusieurs siècles qui, d'après Keith Altham du magazine *NME*, a été un relais de chasse du premier archevêque de Canterbury. « Il y a des terres mais, bon, je ne vais pas devenir fermier », lâche laconiquement Charlie au *Melody Maker*.

Les Watts rachètent la propriété à l'ancien procureur général d'Angleterre et du pays de Galles, Lord Shawcross. Là, ils peuvent consacrer une pièce entière à la collection-nite aiguë de Charlie, sur laquelle je reviendrai plus en détail. Comme le découvre Altham en visitant les lieux, ils ont trois chats, trois collies (Jake, Trim et Jess), un âne et un cheval de course de dix-huit ans appelé Energy.

Charlie parle de Lewes en ces termes : « C'est un très vieux bourg, le chef-lieu de comté du Sussex, et c'est en train d'être envahi. Je n'aime pas les banlieues pavillonnaires. Je n'y vivrais pas même si c'était gratuit. La banlieue, c'est un état d'esprit, mais au fond personne n'est vraiment banlieusard. Chacun a sa personnalité. Je connais des gens qui prennent un train de banlieue pour aller travailler tous les matins, mais ils sont aussi timbrés que tout un chacun. »

Pour une fois loquace, il continue : « Le plus étonnant, c'est quand les gens présentent la banlieue comme le mode de vie idéal, alors que ça ne l'est pas, non ? Je me réjouis de ne pas vivre dans un pavillon de banlieue. Ce qui est triste, c'est que la plupart des gens qui y vivent ont été arrachés à une vie accueillante à Londres et se retrouvent dans une maison en plein chantier. Quand leurs parents étaient jeunes, la porte était toujours ouverte, et les gosses des quatre rues à la ronde traînaient toujours dans les parages. Ça n'arrive jamais en banlieue. »

En 1966, Keith Richard, toujours sans le s, a pris possession de Redlands, la propriété qu'il gardera long-temps, située à West Wittering, dans le West Sussex. Au moment où Charlie et Shirley déménagent, Mick Jagger est sur le point d'acquérir la propriété de Stargroves, aussi appelée Stargrove Hall, dans le Hampshire. Bill se souvient de Mick assumant le rôle de propriétaire terrien avec un certain enthousiasme, adhérant même à la Country Gentleman's Association.

Bill, de son côté, achète Gedding Hall, son manoir du XVe siècle entouré de douves, près de Bury St Edmunds dans le Suffolk, et fin 1968 Brian Jones achète à Hartfield, dans la région bucolique du High Weald, East Sussex, Cotchford Farm, une demeure des années 1920 qui a été celle d'A. A. Milne, le créateur de Winny the Pooh[1] – inévitablement rebaptisée « Pooh Country ». Les Rolling Stones ne sont plus des citadins.

Libéré des rigueurs de la vie en tournée, Charlie peut enfin profiter de ce qu'il a toujours désiré : de longues plages de tranquillité, loin de l'industrie de la musique. « Il y a deux ans, c'était un cauchemar, reconnaît-il alors. Les déplacements, et la vitesse de tout. On n'avait pas le temps de vivre. Les tournées en Angleterre étaient les pires en matière de trajets, et nous avions des reporters et des photographes qui habitaient pratiquement avec nous pendant tout ce temps. »

Sa méfiance envers la majorité des médias est déjà bien en place. « Ceux qui me font vraiment peur, ce sont certains mandarins de la presse nationale. C'est effrayant de penser que, en quelques déclarations bien placées ou quelques attaques futées, ils sont capables de détruire quelqu'un comme John Lennon. »

Observant avec recul comment ces redoutables plumitifs utilisent les successeurs des Stones pour vendre du papier, il poursuit : « C'est bien plus facile pour nous maintenant, mais ça fait drôle de s'installer confortablement et de lire des articles sur des gens comme Peter Frampton, que la presse est en train de monter en épingle comme elle l'a fait avec Mick. C'est étrange de se dire qu'à seulement dix-huit ans il va sûrement subir tout ce qu'on a dû endurer. »

1. *Winnie l'ourson.*

Frampton, à ce moment-là membre du groupe pop-rock The Herd – et surnommé à jamais « Le Visage de 68 » –, a en effet été passé au rouleau compresseur des médias. Comme le prédisait Charlie avec clairvoyance, son surnom douteux allait avoir des conséquences de taille : dans son autobiographie de 2020, *Do You Feel Like I Do ?*, Frampton raconte comment les jalousies qu'il a engendrées, tisonnées par l'attention de la presse à son égard, ont eu raison du groupe. « Je savais que le navire était en train de sombrer », écrit-il.

Désormais résident de l'East Sussex, Charlie, toujours aimable avec ceux qui respectent ses limites, sympathise avec Norman Ashdown, qui organise des concerts dans la région. Le fils d'Ashdown, Michael, a raconté au *Lewes Musical Express* : « Je ne sais pas comment ça a commencé, mais ils étaient très copains, à tu et à toi. Je sais que papa lui demandait souvent conseil, et que Charlie le renseignait sur les producteurs, les managers et les agents : qui éviter, qui suivre, et qu'il lui suggérait des gens fiables. Mon père disait beaucoup de bien de Charlie Watts. »

En décembre 1967, Charlie est à la salle communale de Lewes un soir où Ashdown y a organisé un concert de l'Alan Price Set. On l'aperçoit se diriger vers les loges avec une bouteille de whisky. « J'ai le temps de faire des choses que je ne pouvais jamais faire avant, explique le batteur à *NME*. Avant, avec les Rolling Stones, je n'avais le temps que d'entrer dans des loges et d'en sortir. Maintenant, je peux parler avec des gens comme Alan et simplement écouter le groupe. Il a été très bon. J'ai vraiment passé une bonne soirée. »

Les recherches menées plus tard à Lewes ont mis au jour encore un exemple de la nature obligeante de Charlie. Il se faisait souvent conduire dans les environs par un amoureux des chevaux, le père de Doug Sanders, guitariste-chanteur des Lambrettas, un groupe de mod revival de la fin des années 1970. « Quand j'étais gosse, a dit Doug, on m'emmenait dans une de leurs maisons, soit celle à côté de The Swan [l'auberge], soit la plus grande au bout de The Broyle, à Halland. Je savais qu'il était une assez grosse star, et je trouvais ça bizarre qu'il se comporte avec autant de normalité et qu'il nous prépare le thé. J'ai encore une chemise que Charlie a reçue de Mick Jagger et qu'il a donnée à mon père, allez savoir pourquoi. »

À la fin du Summer of Love, Charlie s'amuse dans le *Melody Maker* des manifestations locales. « Quand le Flower Power a commencé, c'était assurément fantastique. Mais, maintenant, c'est devenu un drôle de mot, comme « rock 'n' roll ». Il y a même une boutique à Lewes qui a écrit sur sa vitrine, en lettres blanches : "Le hareng, c'est le Flower Power". J'imagine que bientôt ils mettront : "Les sardines, c'est du LSD". »

Un jour où il se rend à Halland, le journaliste respecté Keith Altham (qui deviendra attaché de presse des Stones) bavarde avec le chauffeur de taxi auquel Charlie fait fréquemment appel. « Charlie est un chic type, lui dit celui-ci. Il n'est jamais grognon, et c'est toujours agréable de boire un verre avec lui. Il nous appelle souvent, vu qu'il n'a pas le permis. Il n'est pas levé quand on vient le chercher, mais s'il l'était ça ne serait pas Charlie, pas vrai ? »

De retour au travail en mars 1968, les Stones sont aux studios Olympic avec leur nouveau producteur, Jimmy Miller, un New-Yorkais qui a déjà une grande expérience en studio avec le Spencer Davis Group et Traffic entre autres. « C'est l'un des meilleurs producteurs avec qui j'aie travaillé, m'a affirmé Keith en 2020. Jusque-là, on n'avait encore jamais vraiment bossé avec un producteur qui soit aussi un musicien. Je pense que le fait que Jimmy l'ait été nous a vraiment rapprochés et a fait ressortir le meilleur de nous. J'avais beaucoup de tendresse pour lui. »

Bill Wyman a écrit dans son autobiographie *Stone Alone* que, bien que la chanson soit comme d'habitude créditée Jagger/Richards, c'est lui qui a trouvé le célèbre riff de *Jumpin' Jack Flash*, en pianotant sur un clavier électronique. Brian et Charlie se sont alors mis à jammer avec lui. Quand Mick et Keith sont arrivés au studio, ils les ont encouragés à continuer, tout comme la chanson, qui perdure encore depuis plus d'un demi-siècle. Pendant le tournage des clips de promotion pour ce futur classique et sa face B, *Child of the Moon*, aux studios Olympic, Charlie est sorti d'une salle remplie de matériel cinématographique et a lancé encore une de ses célèbres répliques : « Purée ! On se croirait à la Paramount, ici ! »

Le groupe travaille bientôt sur un nouvel incontournable de leur catalogue, dont le titre provisoire est *Primo Grande*. Keith a apporté un lecteur de cassettes Philips dernier cri sur lequel Charlie enregistre un motif joué sur un London Jazz Kit Set, une batterie miniature des années 1930 essentiellement conçue pour la musique de rue. Fidèle à sa mentalité de collectionneur, il l'a achetée chez un antiquaire et la gardera pendant des décennies. La batterie tient dans une petite valise où les éléments se rangent dans des boîtes. La caisse claire est un tambourin miniature. Même s'il ne l'avait jamais utilisée, il se la serait quand même payée.

Keith joue le morceau au reste du groupe, et Mick ajoute des paroles gouailleuses inspirées par l'agitation sociale qui éclate dans le monde entier. L'effet brut de la batterie-jouet de Charlie sur cassette est transféré sur le master, des overdubs sont ajoutés, et c'est ainsi que naît l'une des chansons rock les plus pénétrantes et provocatrices des Stones : *Street Fighting Man*.

« C'était fait sur de la camelote, écrit Keith dans *Life*. Dans des chambres d'hôtel avec nos petits jouets à la gomme. » Peter Frampton, Le Visage de 1968, a développé dans son autobiographie : « Cette chanson possède une intro tellement cool. Charlie Watts tape sur le premier temps de la mesure au lieu du second, où la caisse claire est normalement jouée à contretemps. Unique. »

C'est pendant ces sessions, en mars, que Shirley Watts met au monde leur fille unique, Seraphina, dans une maternité de Hove. Doté d'une perspective nouvelle, et sans perdre son calme au milieu du tohu-bohu des procès des Stones et de leurs finances chaotiques, le jeune papa est près de sa maison d'enfance, en mai, lorsque le groupe fait sa première apparition sur scène depuis plus d'un an, lors du concert des *NME* Poll-Winners, à l'Empire Pool de Wembley.

En juin, bravant l'ouragan de leurs déboires personnels et commerciaux, les Stones redeviennent n° 1 au Royaume-Uni avec *Jumpin' Jack Flash*, produite par leur nouvel homme de confiance, Jimmy Miller, et terminent l'année par un coup double de plus : l'émission de télé excentrique *The Rolling Stones Rock and Roll Circus* et un album plusieurs fois retardé – aujourd'hui considéré comme le premier opus de leur série d'enregistrements la plus brillante, *Beggars Banquet*. Un album qui enchante Charlie, même s'il a révélé que, pendant sa conception, il écoutait en boucle *Sorcerer* de Miles Davis.

En même temps qu'ils élaborent *Beggars Banquet*, la santé mentale et physique de Brian Jones se dégrade de manière palpable, ce qui mène – presque au ralenti, vu avec le recul – à son éviction du groupe en juin 1969 et à son décès un mois plus tard, à l'âge, oui, de vingt-sept ans. Dans la nuit du mercredi 2 juillet, comme Bill est parti un peu en avance d'une session du groupe aux studios Olympic, c'est Charlie qui l'appelle à 3 heures du matin pour lui annoncer la nouvelle.

« Ce n'était pas une grande surprise, pour être honnête », m'a confié Charlie. Le groupe sentait depuis longtemps que leur ami au fragile équilibre était sur le point de dérailler. « On ne s'attendait pas qu'il meure, mais ça faisait un bout de temps qu'il n'allait pas bien du tout. Donc ça n'a pas été un choc aussi grand que s'il s'était agi de Bill, par exemple. Là, on se serait dit : "Mince !". La mort du Stu, elle, elle nous a vraiment fait un choc. » C'est bien typique du caractère extraordinairement imperturbable de Charlie qu'il ait pu penser accueillir la nouvelle d'un décès dans le groupe par un simple « Mince ! ».

« Brian, on imaginait qu'il puisse partir, ou rester en étant dans un très sale état, a-t-il ajouté. Seulement il était jeune, on ne part pas à cet âge-là. Il était de plus en plus malade, en fait. Donc il y a eu ce "bing, bang, et ça recommence", et puis ça faisait un moment qu'on n'avait pas été sur la route. J'imagine que c'est ce qui s'est passé. »

Le lendemain même du départ de Brian, Mick Taylor, qui a vingt ans, donne le coup d'envoi de cinq années d'enregistrements et de concerts que Charlie, avec le recul, considérera comme le zénith des Stones. « Taylor était un bon choix, a-t-il affirmé, parce qu'il a énormément tiré le groupe vers le haut. Il n'en était sans doute pas conscient sur le moment, mais c'était le cas.

« Mick et Keith lui offraient de magnifiques chansons à jouer : c'était une grande période pour l'écriture. Et on a eu de la chance, je l'ai toujours pensé, parce que ça a été notre période la plus musicale, et je crois que c'est dû à Mick [Taylor], à sa façon de jouer. Il avait un jeu très lyrique. Keith et Ronnie adorent tous les deux dire qu'ils "tissent" les morceaux ensemble, à l'image de fils qui s'entrelacent. Mick est un guitariste magnifique, un vrai virtuose jusqu'au bout des ongles, comme Jeff Beck. Jeff, vous le suivez, et c'est lui qui mène, alors que Ronnie peut passer derrière Keith puis revenir devant, et ainsi de suite. »

Au milieu de tout cela tombe le phénoménal *Honky Tonk Women*. Le morceau, qui n'est même pas sur un album, constitue un superbe résumé paillard de tout ce que sont les Stones à ce moment-là, et tout le monde s'accorde à dire que Charlie a rarement aussi bien joué. « Il contient toute cette musique blues et noire de

Dartford, a écrit Keith, et Charlie est incroyable dessus. Ça déchirait, aucun doute, et c'est un de ces morceaux dont on sait qu'il sera n° 1 avant même de l'avoir terminé. Une tuerie. »

Dire que Mick Taylor est soumis à un baptême du feu est un euphémisme, étant donné les attentes du public au moment de son premier concert. Comme on le sait, il s'agit du concert gratuit donné par les Stones à Hyde Park – tout juste deux jours après la mort de Jones. Il a été annoncé quelques semaines plus tôt alors que Brian, officiellement, faisait encore partie du groupe.

Quand Mick lui indique le lieu choisi pour le concert, Charlie lui sort une de ses répliques dont il a le secret. Il en fait part au *Record Mirror* quelques semaines plus tard : « Mick est venu me voir et m'a demandé : "Qu'est-ce que tu en penses ?" J'ai répondu : "C'est ridicule, mais pourquoi pas." »

Ronnie Wood a fait connaissance avec Charlie quelques années plus tôt, alors qu'il était encore membre des Birds et que les Stones étaient son groupe préféré. « Je traversais Oxford Street, une petite Mini est arrivée. Charlie était dedans, arrêté au feu rouge, se souvient-il. Il se faisait conduire, bien sûr, car il n'avait pas le permis. Je l'ai vu, je me suis pointé à la vitre, et il a dit : "Bonjour, ça va ?" J'ai répondu : "Ouais, content de te voir, mon pote." Une sorte de sympathie est passée entre nous. »

Au moment du concert de Hyde Park, Woody marche le long du parc en regardant les fans s'amasser. « Une voiture s'est arrêtée, et Mick et Charlie en ont sauté en me saluant, se rappelle-t-il. Charlie m'a lancé : "Comment ça va ?" et j'ai eu l'impression qu'on se connaissait déjà bien. Ils m'ont dit : "Bon, on se voit bientôt", et j'ai répondu : "Ouais, plus tôt que vous ne le pensez." C'était ma fameuse réplique. » J'ai raconté l'anecdote à Charlie, qui a lâché encore une de ses réponses laconiques : « Aucun souvenir », a-t-il commenté.

Alors qu'il me parlait du concert de 1969 juste avant que les Stones retournent jouer à Hyde Park en 2013, Charlie, fidèle à lui-même, a évoqué avec moi des détails tout à fait prosaïques. « Je me rappelle que j'étais allé chercher mon pantalon avant de me rendre au Dorchester (l'histoire le contredit : c'était le Londonderry House Hotel, de l'autre côté de Park Lane, dont le groupe a été banni en 1973 après que Keith a réussi l'exploit de mettre le feu à sa chambre) et que j'étais à l'hôtel avec Allen Klein qui marchait au pas comme un petit Napoléon. Nous avions les percussionnistes de Ginger Johnson avec nous, c'était le bazar mais très marrant. » George Folunsho « Ginger » Johnson était le leader nigérian de Ginger Johnson and His African Messengers, un groupe arrivé sur la scène londonienne au sommet du Swinging London.

Dans ce qui fait office de carré VIP se rassemblent Paul McCartney et Linda, qui est sa femme depuis quatre mois, Donovan, Mama Cass, des invités étonnants comme Chris Barber et Kenny Lynch, ainsi que les membres de Blind Faith : Eric Clapton, Steve Winwood et Ginger Baker, ce dernier certainement là pour soutenir moralement Charlie.

Le pantalon dont me parlait Charlie apparaît aussi dans une anecdote que raconte Tony King à propos de ce jour d'optimisme primitif en plein air de 1969. « Shirley est venue me chercher avec quelques-uns de leurs amis du Sussex, dit-il. Elle était en bas de mon appartement à Fulham. Je me dirige vers la voiture, et j'allais monter quand Charlie me demande : "Tu as un fer à repasser chez toi ?" J'ai répondu que oui. "Je pourrais repasser mon pantalon ?" Il est entré. Il avait un pantalon gris argent qu'il comptait mettre à Hyde Park et il l'a repassé dans mon appart." »

Et on voit en effet, préservé du temps par le documentaire filmé ce jour-là, le grand échalas en pantalon argenté sur cette scène rudimentaire, les cheveux longs, avec son pull vert et son expression bien connue de détachement consciencieux. Il tape comme un sourd sur *Satisfaction* et s'autorise l'ombre infime d'un sourire lorsque le groupe conclut par *Sympathy for the Devil*, au moment où Mick lance : « On a passé un super moment » et : « Il est temps qu'on y aille. »

Aujourd'hui, l'image symbolique qui reste de l'événement est Mick Jagger tout de blanc vêtu, déclamant du Shelley en hommage à Brian et libérant des centaines de papillons blancs – des piérides du chou –, qui sont censés s'envoler. Mais comme s'en souvient Tony King : « Ils sont juste sortis en rampant des paniers ». Charlie lâche quant à lui ce commentaire : « Les papillons, c'était un peu triste, quand même. Ça rendait bien vu du public, mais en fait, vu de près, il y a eu énormément de pertes. C'était un peu comme la bataille de la Somme avant même qu'ils aient décollé. »

En ce qui concerne la musique, il ajoute : « Bien sûr, c'était le premier concert de Mick Taylor, ça a dû être un peu intimidant, d'une certaine manière. Il joue très bien quoi qu'il fasse, mais votre premier concert devant une foule immense… Parce qu'en général, un premier concert, ça se passe dans un théâtre ou un club, ou même un stade de 50 000 places. Là, il y avait quelque chose comme 500 000 personnes, je ne sais pas, le décompte change tout le temps. »

Les concerts de rock gratuits à Hyde Park ont commencé un an plus tôt avec les Pink Floyd, Roy Harper et Jethro Tull. Un mois avant celui des Stones, Eric Clapton, Steve Winwood et Ginger Baker ont choisi ce cadre pour leur première prestation sous la bannière de Blind Faith. « Est-ce que Denny Laine en était ? » m'a demandé Charlie distraitement, ajoutant un compliment pour son vieil ami Baker : « Je ne serais jamais allé à un concert en plein air, de toute manière. J'allais voir Ginger, mais je n'aurais pas voulu le voir là-bas.

« Quand Blind Faith y a joué, ils se sont installés au milieu de la pelouse, ils ont posé la batterie et les amplis, et tout le monde s'est pointé tout autour ; c'était gratuit, et ça a pris de plus en plus d'ampleur. Quand on a joué, on avait une toute petite scène format Mickey Mouse, un truc minuscule sur des montants en métal, avec la batterie et tout le matériel, et une petite toile au fond pour qu'on voie Mick dans sa robe blanche. Les concerts de rock en étaient vraiment à leurs balbutiements. »

Côté disques, l'album *Let It Bleed* apporte un point d'orgue magistral à cette année mouvementée : on y retrouve, poussés à fond, tous les ingrédients qui leur ont servi jusque-là : les accents pastoraux sur *Love in Vain* et *Country Honk*, le rock fanfaron sur *Live with Me* et *Monkey Man*, la critique sociale plus sombre sur *Gimme Shelter*, le blues éternellement recommencé sur *Midnight Rambler*, la théâtralité chorale sur *You Can't Always Get What You Want*. Leur maîtrise de tous ces styles est étourdissante.

Hors de vue du public, Mick et Charlie forment une équipe d'un autre genre. « Nous avons en grande partie assuré la direction artistique des affiches et des pochettes d'albums, dit Mick. Celle de *Let It Bleed*, par exemple [le gâteau surmonté des figurines des Stones, si vous vous rappelez, conçu par Robert Brownjohn]. Ce n'était pas une idée de Charlie, mais on discutait pour savoir à qui on confierait la conception graphique. Lui et moi, on parlait toujours de ça, et de nos idées. "On ne va pas mettre encore une photo de nous, partons sur autre chose." C'était important dans le lancement d'un disque. »

Si le soleil se montre, du moins au sens figuré, pour Hyde Park comme il l'a fait pour Woodstock pendant cet été 1969, les cieux pleurent à chaudes larmes avant la fin de l'année. Pour les Stones, la mort du jeune Meredith Hunter lors de leur concert au circuit automobile d'Altamont dans les dernières semaines de l'année – « une catastrophe annoncée », comme l'a dit Charlie – marque l'heure la plus sombre d'une époque plutôt maussade. Pour Charlie, la nouvelle décennie sera porteuse de fierté professionnelle en raison de l'indépendance à laquelle va bientôt accéder le groupe, et de bonheur personnel avec Shirley et Seraphina dans un lieu nouveau, de l'autre côté de la Manche.

4
Un père de famille heureux de son exil

Les années 1970 commencent dans l'incertitude pour les Rolling Stones, le premier été de la décennie étant assombri par deux divorces jumeaux : les Stones se séparent à la fois d'Allen Klein et de Decca Records. Charlie est le seul Stone visible sur la pochette mémorable de leur unique 33 tours de l'année, *Get Yer Ya's Out !* Le photographe David Bailey le met en scène en train de bondir de joie – improbable – en brandissant des guitares sur l'aérodrome de Hendon, à cinq kilomètres de sa maison d'enfance de Wembley, à côté d'un âne harnaché de grosses caisses et d'une guitare autour du cou. Charlie porte le chapeau rayé de Mick et une « tenue de scène », selon ses termes, composée d'un pantalon blanc et d'un T-shirt imprimé de seins de femme. « On ne peut plus faire ça sur scène », dirait Frank Zappa.

Le disque, deuxième 33 tours live des Stones après le *Got Live If You Want It !* de 1966, montre un groupe en transition, entre les influences R&B des origines avec la rythmique régulière de Watts et Wyman dans *Carol* et *Little Queenie* de Chuck Berry et le nouveau rock robuste de *Live with Me* et de *Street Fighting Man*. Pour reprendre l'expression de Mick, Charlie *est* bon ce soir-là.

Les finances du groupe étant au plus mal, et son taux d'imposition calculé sur une base de « 1 pour toi, 19 pour l'État », selon la formule de George Harrison, la décision radicale est prise de déménager corps et biens. Le concert de mars 1971 au Marquee est présenté comme leur adieu au Royaume-Uni ; certains observateurs craignent qu'ils ne reviennent jamais.

Charlie, qui va sur ses trente ans à ce moment-là, m'a confié plus tard : « Nous avions un nouveau manager, Dieu merci, trouvé par Mick : Rupert Loewenstein. C'est lui qui a pensé à cette parade grossière, pas très bien perçue à l'époque. C'était un peu extrême, mais avec le recul c'était la seule chose à faire, la meilleure solution, et c'était très stimulant. Tout à coup, vous devez vendre la maison où vous vivez et quitter le pays. "Au revoir, papa ; au revoir, maman." Et vous vous dites : "Je ne vais pas faire ça." On a tenu encore six mois, et puis on n'a plus eu le choix. Comment appelle-t-on ça, déjà ? Une interruption des revenus ? Ça a marché, heureusement. Ma femme et ma fille ont été très heureuses là-bas, moi aussi, et financièrement c'était ce qu'il fallait faire. »

Au début, toute l'histoire reste en travers de la gorge de Keith. « C'était vraiment rageant de devoir quitter son propre pays, car c'est bien à ça que cela revenait, a-t-il déclaré. D'accord, on aurait pu rester et toucher des clopinettes. Merci bien, les gars. »

Mick ajoute : « Ça a été une période difficile pour le groupe. Changer de gestionnaire, se remettre sur pied financièrement, tout ça pour devoir partir d'Angleterre parce que les impôts étaient très, très élevés. On devait de très grosses sommes au fisc. »

Dans plusieurs de nos conversations, Charlie a pointé directement du doigt Allen Klein pour des erreurs de gestion. « On avait bêtement signé avec Allen, a-t-il dit en 2009. Il faisait miroiter de gros dollars à tout le monde, surtout à Mick et Keith. Il avait une approche des affaires très dure, à l'américaine, et d'une certaine manière ça ne nous convenait pas. Un type vraiment difficile. Mais ça nous a appris beaucoup. »

Andrew Loog Oldham décrivait ce nabab belliqueux comme un « tueur », mais chez lui c'était un compliment. Mick, en revanche, était d'un autre avis : « Klein et ses comparses revendiquaient la propriété de beaucoup de choses [qui nous appartenaient]. On voulait donc rompre notre contrat. En plus, on était fauchés… Il a donc fallu qu'on fasse quelque chose pour rester en vie. »

Keith, qui à cette époque fustige l'establishment quasiment jusque dans son sommeil, se souvient : « Ils voulaient nous envoyer en taule. Comme ils ne pouvaient pas, leur deuxième choix a été de nous mettre la pression financièrement. Pour partir, il fallait qu'on loue toutes nos propriétés et qu'on promette de ne plus jamais en passer la porte. On aurait immédiatement été en infraction si on avait fait ça. J'ai toujours imaginé des hordes de percepteurs perchés dans les arbres : "Il ouvre ! Ça y est, il est entré ?" Ils seraient allés jusque-là. »

Les Stones quittent le pays en lui laissant un magnifique cadeau de départ, *Sticky Fingers*, n° 1 instantané avec le fougueux 45 tours *Brown Sugar*. Ce sont les premiers pas de leur label, Rolling Stones Records. Il est distribué au Royaume-Uni par WEA et par Atlantic Records aux États-Unis, grâce à l'un des rares responsables de label auquel se fie le groupe, Ahmet Ertegün. On raconte à l'époque que vingt et un labels se sont portés candidats, et que l'accord, optimiste, porte sur six albums en quatre ans, avec des projets solos possibles en extra. « On cherche à réduire au minimum les frais généraux, explique Mick à l'époque. On compte sortir un disque de blues de temps en temps, et Charlie veut faire un peu de jazz. »

C'est aussi sur *Sticky Fingers* qu'apparaît pour la première fois l'immortel logo de la bouche tirant la langue, créé par le graphiste anglais John Pasche. Ce superbe et indémodable repère visuel impressionne Charlie à un niveau viscéral, et il s'en réjouit encore des décennies plus tard. « J'ai trouvé ça génial. Venant de la pub, c'est ce que j'aurais suggéré de toute manière. C'est le genre de chose qu'on espère, et on a eu de la chance que John le fasse. C'est l'un des symboles les plus iconiques. Ça et le logo de la Chase Manhattan Bank. Un très bon ami à moi, qui est aussi un grand graphiste à New York, l'a classé parmi les trois meilleurs [logos], Coca-Cola venant en premier. Il est très adaptable, ce qui fait qu'il a pu être décliné selon les tendances au fil des années. »

Charlie n'a pas travaillé de près sur le visuel « braguette » osé et innovant conçu par Andy Warhol pour la pochette de l'album mais, comme le dit Mick, il s'est impliqué dans le « paquet », le packaging général : « Il fallait des photos pour l'intérieur, et puis "Où est-ce qu'on va le mettre, ce logo ?" Il y avait beaucoup d'éléments à prendre en compte. Donc c'était bien d'avoir quelqu'un avec qui en discuter. Je n'ai pas suivi des études d'art comme Charlie, mais j'étais très sûr de mon œil pour reconnaître un bon visuel. Charlie a été très utile, parce qu'il s'y connaissait mieux que moi en polices de caractères et ce genre de choses. Il me racontait l'histoire de la typographie, me passait des bouquins sur le sujet. »

Le choix fait par le groupe pour son nouveau lieu d'enregistrement – la villa Nellcote, louée par Keith sur la Côte d'Azur –, où sera élaboré *Exile on Main St.*, est tout à fait typique des Stones : une décision peu pratique pour le groupe, et techniquement un vrai casse-tête. Charlie, installé dans les Cévennes, est à plus de trois heures de route en longeant la côte. Bill a « seulement » une heure de trajet. « Heureusement que ma femme parlait français, explique Charlie, parce qu'on était à des kilomètres de tout. Notre fille allait à l'école là-bas, et nos affaires sont arrivées dans un van, avec les chevaux. »

Il précise à propos des sessions : « Un jour se transformait en semaine, ou une semaine entière se concentrait sur une journée. C'est pour ça qu'il fallait être sur place pour jouer. Ça rendait Bill fou de rage. Il arrivait à 10 heures du matin, et personne, y compris moi, ne se levait avant 15 heures, parce qu'on s'était couchés à 9 heures du mat', une heure avant son arrivée. Ça le mettait en furie. Du coup, il rentrait chez lui à 18 heures, et c'est là que Keith se levait. (Il rit.) C'était ce genre d'emploi du temps. On travaillait beaucoup comme ça, à l'époque. C'était le fonctionnement du groupe.

« L'endroit était typiquement méditerranéen avec une villa édouardienne, très belle, sur un promontoire, et un bateau, raconte Charlie. Quand Keith l'a louée, le jardin était envahi par la végétation, alors c'était magique. C'était d'un exotisme inouï, avec les palmiers. On a dû en scier deux ou trois pour faire passer le camion [le studio mobile] pour enregistrer. On a tiré des câbles jusqu'à différentes pièces où on a essayé le son. Elles étaient de tailles diverses, ce qui était bien pour la batterie et le piano. On avait un piano à queue à l'étage.

« Je me rappelle quand on a joué *I Just Want to See His Face*. Un morceau où les percus, tapées avec un maillet, ont beaucoup d'écho. C'est très acoustique, et on a pas mal utilisé ce procédé. La plupart ont été faites en live. On enregistre encore de cette manière. Mick Taylor, par exemple, est quelqu'un qu'il faut enregistrer comme ça. Il pouvait jouer à volonté, sans s'arrêter, mais ses meilleures prises étaient souvent les deux premières. Il fait partie de ces guitaristes-là. »

Keith ajoute à propos du lieu : « Le sous-sol était un endroit super étrange. C'était grand, mais divisé en petits box, on aurait un peu dit le bunker de Hitler. Par exemple, vous entendiez la batterie, mais il fallait un moment pour trouver le box de Charlie. »

Les sessions traînent en longueur, d'une part à cause des problèmes d'enregistrement, d'autre part parce que les rumeurs vivaces ne sont pas infondées : la plus pure débauche est au rendez-vous. « On avait tous des parasites à nos basques, a lâché Mick. Certains étaient très marrants, super sympas un moment, mais dans l'ensemble mieux valait qu'ils ne s'éternisent pas trop, parce qu'ils ne faisaient que tout retarder.

« Mais c'était le mode de vie de l'époque. Un mode de vie comme un autre. Des tas de gens ont beaucoup plus de parasites qu'on n'en a jamais eu. Il y avait beaucoup de came, d'alcool, d'embrouilles. Mais bon, enfin, ce n'était pas l'usine, non plus. Ce n'était pas une mine du nord de l'Angleterre. C'était un environnement rock 'n' roll, quoi. »

Ce qui en sort, par miracle, est un double album qu'ils ne surpasseront jamais, de l'avis de beaucoup, y compris Charlie. Il avait beau répéter qu'il n'écoutait jamais les disques des Rolling Stones, il a malgré tout admis : « Il y a des chansons dans celui-là qui sont fantastiques, [comme] *Ventilator Blues*. Le rythme, c'est grâce à Bobby Keys. Il était à côté de moi en train de taper dans ses mains quand j'ai joué ce morceau. »

Charlie pensait que certains éléments de son jeu dans *Exile* reflétaient la musique qu'il écoutait à l'époque, notamment celle d'artistes comme Carlos Santana, John McLaughlin ou le saxophoniste de jazz d'avant-garde Albert Ayler. « Est-ce que j'aime ma façon de jouer dans cet album ? J'aime l'ensemble, donc j'imagine que je m'inclus dedans. Mais ce n'est jamais moi que j'aime. C'est plutôt : "Oh ! j'aurais dû faire ça, ça ne sonne pas comme il faudrait." J'aime certains des sons de batterie qui évoquent ceux d'Andy Johns.

« J'ai beaucoup de chance avec ce groupe, car la priorité de Mick et de Keith a toujours été : "Où est le son de la batterie ?" Si ça sonne bien, ils peuvent travailler à partir de ça. Je retourne à l'ère Decca : toujours la batterie. À l'époque, les Anglais n'arrivaient jamais à sonner comme Eddie Cochran, Chuck Berry ou Chess Studios, et ça tenait principalement à la batterie. »

Poursuivant sa réflexion sur *Exile*, il a renchéri : « Je pense que ça a représenté un sommet pour nous. Dans les groupes, on connaît des périodes comme ça où quoi qu'on fasse, ce sera bien, et on ne sait même pas pourquoi. Ensuite, vous faites quelque chose que vous trouvez magnifique, et personne ne le remarque. Quand on y repense, on assurait à tous les niveaux. On avait un merveilleux producteur, Jimmy Miller, et on avait avec nous Nicky Hopkins, qui savait jouer aussi bien du blues que le plus joli morceau de piano. Pour moi, Mick Taylor est le joueur le plus lyrique qu'on ait eu, et on avait Mick et Keith à l'écriture. »

J'ai réalisé il y a une dizaine d'années un documentaire pour la BBC Radio 2 intitulé *Jagger's Jukebox*, dans lequel nous passions et commentions certains des disques que Charlie écoutait pendant la conception d'*Exile*. Détail fascinant, il y avait là-dedans *Rock and Roll* de leurs copains Led Zeppelin, *Respect Yourself* des Staple Singers, *Is That All There Is ?* de Peggy Lee, et *She Even Woke Me Up to Say Goodbye* de Jerry Lee Lewis. Il y avait aussi quelques joyaux en provenance de Jamaïque : *Soul Shakedown Party* de Bob Marley and the Wailers et *Pressure Drop* de Toots and the Maytals. En effet, c'est à cette époque que Mick et Charlie se sont découvert un goût en commun pour le reggae, genre que l'on associe rarement au batteur.

« [Le fondateur d'Island Records] Chris Blackwell m'envoyait des cartons de 45 tours pleins à ras bord pendant qu'on enregistrait *Exile*, se souvient Mick. Charlie et moi étions les seuls intéressés, et on passait ces disques, principalement de chez Trojan et quelques autres labels. Des choses parfois très obscures, avec des beats super bizarres et des remix dub en face B. Charlie et moi, on était à fond là-dedans, alors que tous les autres dans le groupe écoutaient encore du vieux rock des années 1950.

« Le beat était complètement différent, et ça intriguait beaucoup Charlie. Plus tard, quand *The Harder They Come* est sorti, tout le monde a dit : "Ah ouais ! du reggae !", mais c'était très mainstream par rapport à ce qu'on écoutait, nous. Bamboo Man et plein de trucs très zarbis. Maintenant, on trouve ça sur des playlists de dub mais, en 1971-1972, c'était quand même assez obscur. Charlie adorait, parce que c'était encore un nouveau beat, alors il a appris à le jouer. »

Les Stones arrêtent de tourner pendant quinze mois, jusqu'à la tournée nord-américaine de l'été 1972, souvent considérée comme le zénith absolu du libertinage rock 'n' roll. Le reste de l'année est occupé par des arrestations en tout genre, chacune à l'image de ses protagonistes : Mick et Keith pour une altercation avec un photographe, Keith et Anita Pallenberg pour usage de stupéfiants, et Bill pour excès de vitesse.

Chaque fois qu'ils le peuvent, Charlie et Shirley sont de retour dans les Cévennes pour vivre une existence pastorale et offrir à Seraphina ce qu'elle considère encore, avec le recul, comme une éducation idéale. « J'ai eu une enfance formidable, totalement normale, me dit-elle. J'ai grandi dans un petit village en France. Littéralement au milieu de nulle part. C'était très rural, un tout petit bourg caché loin de tout, et on était les seuls Anglais. C'était avant la mode du Midi de la France et de la Provence. Mon père travaillait sur *Exile on Main St.*, et le frère de ma mère faisait les allers-retours pour l'emmener jusqu'à cette maison [la villa Nellcote]. On était à trois heures de route, dans la montagne. »

Je demande à Seraphina à quel moment elle a pris conscience que son père avait une profession hors du commun. « Probablement très tard, me répond-elle, et ce ne sont pas de bons souvenirs, parce qu'on se moque de vous à l'école. Je savais sans doute que j'étais différente parce que nous avions la plus grosse voiture. Mais pas par rapport à ce qu'il faisait dans la vie. »

Tout change le jour où la famille regagne l'Angleterre, en 1976. « C'est là que d'autres enfants m'ont fait comprendre qu'il y avait une différence. C'est là que j'ai entendu pour la première fois le mot "riche" avec une connotation négative et que je suis rentrée à la maison en pleurs. Je ne me souviens pas de grosses différences. Même si j'ai quand même eu la chance de rencontrer Olivia Newton-John pour mon anniversaire. Ma mère me préservait très strictement de ce monde. Mes parents n'étaient pas mondains, et je n'avais pas le droit d'aller aux concerts. Ils n'ont jamais pris de nounou pour s'occuper de moi. La vie de star n'intéressait pas mon père. »

La rencontre avec une des vedettes de *Grease* était un signe précoce de l'amour de Seraphina pour la pop. L'un des premiers disques qu'elle s'est achetés, un vinyle rose – attention ! – était *Cool for Cats* de Squeeze, sorti alors qu'elle venait d'avoir onze ans. Elle est restée éblouie, des années plus tard, lorsqu'en décrochant le téléphone pour son père elle est tombée sur le claviériste de ce disque et de tous leurs premiers tubes, Jools Holland.

Le jour où elle a enfin obtenu la permission d'aller aux concerts des Stones, des mesures de précaution ont été prises. « Ma mère était très raisonnable, et mon père aussi. Ils ont dû en parler entre eux, mais je ne leur ai jamais posé la question. J'étais très protégée. Mon premier concert, ça n'avait rien à voir avec ce que c'est devenu après. Il n'y avait pas d'enfants. Ce n'était pas une ambiance pour les petits. C'était un plaisir rare qu'on s'offrait, pas un endroit où on emmenait ses gosses. À l'époque où ma fille, Charlotte, a commencé à y aller, c'était une vraie garderie. J'emmenais une nounou avec nous. Je la surveillais de très près. »

Une génération plus tard, Charlotte a bien accompagné la tournée, très consciente de ce qui l'avait précédée et très heureuse d'avoir raté ça. Elle m'a dit avec finesse : « Les gens s'intéressent toujours à cette époque de débauche et de folie, et ils me demandent : "Tu ne regrettes pas de ne pas avoir été là ?" Eh bien, non. Pourquoi voudrais-je voir ceux que j'aime dans cet état ? »

Charlie a toujours été très demandé pour des prestations hors des Stones et a fait des apparitions remarquables comme invité au fil des années. En 1970, par exemple, Bill Wyman, Mick Jagger et lui participent à l'excellent premier album de Leon Russell, enregistré par l'ingénieur de prédilection des Stones, Glyn Johns. Le 33 tours, avec des morceaux comme *Delta Lady* ou *A Song for You*, inaugurent la transition de Russel, qui d'auteur respecté et musicien de studio deviendra attraction du box-office. Il y a là du beau monde : Mick chante les chœurs dans *Get a Line on You*, et des artistes comme Clapton, Harrison, Winwood, Cocker et bien d'autres font des apparitions.

Charlie détaille : « C'est Glyn Johns qui m'a réclamé. Il m'obtenait de très bonnes sessions chez Olympic. J'avais habité sur place à une époque, et il m'a dit : "Viens jouer avec ce mec." Je me rappellerai toujours, j'ai dit : "Il y a qui d'autre ? Bill le fait aussi ?" J'ai besoin de connaître le bassiste, que ce soit David Green, Darryl [Jones], ou Bill. Donc j'ai dit d'accord. Je n'avais jamais entendu parler de Leon. Et je me souviens qu'il s'est assis et qu'il a joué *Roll Away the Stone*, et j'ai pensé : "Mais qu'est-ce qu'il fout ?!" Il m'a fallu quelques morceaux pour comprendre à quel point il était brillant. »

Bill aussi garde un souvenir très vif de la session avec Russell : « Les gens nous demandaient à Charlie et moi de jouer avec eux, parce qu'ils aimaient notre section rythmique, j'imagine. Leon m'a déclaré : "On va faire une chanson, *Roll Away the Stone* ; je vais te jouer ma démo mal dégrossie." Il commence à jouer, ta da da, changement de tonalité, da da da, à nouveau changement de tona, ça part ailleurs, ça monte, montée de deux tons, retour, changement de tona…

« Je tourne la tête et vois que Stevie Winwood est en train de me regarder. Je lui dis : "T'entends ça ?" et Charlie me lâche : "Bill, va falloir que tu m'aides sur ce coup-là." J'ai répondu : "Toi, ça va, tu fais juste la batterie ! Je voudrais te voir essayer de suivre tous les changements de tona." On l'a fait, et c'était génial, et Charlie a fait pareil quand on a joué avec Howlin' Wolf, il m'a demandé mon aide. Évidemment je ne pouvais absolument rien pour lui, mais il avait juste besoin, je ne sais pas, de savoir qu'il y avait quelqu'un avec lui.

Comme s'il devait s'appuyer sur moi un petit moment. Même si en réalité ce n'était pas le cas, il avait toujours l'impression qu'il allait en avoir besoin. »

Charlie parlait d'autres musiciens avec l'admiration d'un fan, et pas seulement de jazzmans purs et durs mais aussi de vedettes de la soul, de Bobby Womack et Stevie Wonder à Prince et à d'autres encore dans la grande famille du rock. Leon a obtenu sa faveur, et c'est là qu'on se rend compte des vastes cercles dans lesquels il évoluait en studio. « En fait, j'avais déjà vu Leon jouer, car c'était l'un des deux pianistes quand Jack Nitzsche [un autre proche des Stones pour le travail en studio à partir de 1964] m'a amené à une session pour voir Hal Blaine. Et il y avait aussi Phil Spector, que je connaissais, mais je m'égare. Glen Campbell était un des quatre guitaristes.

« Ça devait être assez peu de temps après que Glyn m'a proposé de faire ces sessions avec Leon. Je me revois juste assis là-bas, en train de me dire : "Mais putain, il va où avec cette intro ?" Puis il a recommencé, et là : "OK, je pige." Il avait une super voix, de très bonnes chansons, et il jouait tout au piano. » Charlie, on ne s'en étonnera pas, m'a alors demandé si j'avais déjà entendu l'album sur lequel il avait joué, parce que lui non.

Peu après, en mai 1970, Glyn Johns est encore au bout du fil. Cette fois, il sollicite Charlie et Bill dans le cadre d'un casting extravagant qui comprend aussi Ringo Starr, Eric Clapton, Steve Winwood, Hubert Sumlin, Klaus Voormann et Ian « Stu » Stewart, pour jouer avec un authentique pionnier américain du rhythm and blues, Howlin' Wolf. Le résultat s'intitule *The London Howlin' Wolf Sessions*. « Charlie et Bill étaient plutôt à l'aise, se rappelle Johns, et complètement dénués d'ego. Sans prétention, et contents d'être là, tous les deux. »

L'étonnant manque d'assurance de Charlie, c'est une chose que Bill connaît bien : « Il n'avait pas du tout conscience de son talent. On a fait venir un batteur américain, qui était en ville et qui était copain avec nous, et le type s'est pointé et a demandé s'il pouvait faire un peu de percussions ou quelque chose. On a joué un morceau, et ça a terrifié Charlie d'être à la batterie avec ce mec assis dans son dos. Ça le mettait dans tous ses états d'avoir un autre batteur derrière lui, parce qu'il croyait qu'il n'assurait pas.

« J'étais pareil au début, parce que techniquement on n'était pas des virtuoses. On ne lisait pas la musique ni rien, on faisait juste notre truc, on y allait à l'impro, à l'oreille, et ça marchait, bien sûr, parce qu'on savait ce qu'on faisait. Mais quand on était avec d'autres, comme Leon ou quelqu'un qui avait vraiment du niveau, on avait un peu la trouille de ne pas être assez bons. »

Une autre collaboration fourre-tout a lieu début 1972, lorsqu'une session de fin de soirée improvisée pendant l'enregistrement de *Let It Bleed* est publiée, non sans désinvolture, sous le titre *Jamming with Edward !* Bill, Charlie et Mick sont accompagnés par leurs compères Ry Cooder et Nicky Hopkins, mais pas par Keith. Mick décrit le disque ainsi : « Un truc vite fait, bricolé un soir à Londres en attendant que notre guitariste sorte de son lit. »

La bande dessinée qui orne la pochette est de Hopkins, mais directement inspirée par le style légèrement sur-réaliste de Charlie. Mick renie pratiquement l'enregis-trement vasouilleux dans cette note griffonnée au dos : « J'espère que vous passerez plus de temps à écouter ce disque qu'on en a mis à le faire. » Mais l'album vaut à Charlie, chose rare, d'être crédité pour les paroles de quelques chansons, si on peut les appeler ainsi, alors qu'avec les Stones il n'apparaît que comme membre de Nanker Phelge. C'est le nom collectif de l'agrégat Jagger-Richards-Jones-Wyman-Watts utilisé (du moins à l'origine) sur la suggestion de Brian Jones pour une douzaine de chansons des débuts, dont *Play with Fire* et *The Spider and the Fly*. Jimmy Phelge était le coloc des Stones dans l'appartement d'Edith Grove ; un *nanker* est une grimace que faisaient Brian et les autres en se mettant les doigts dans le nez. À l'époque, le temps était de leur côté.

Toujours exilés, Charlie et compagnie se remettent à bouger à la fin de l'année 1972, pour s'installer à Kingston, en Jamaïque. L'album qui en résulte, *Goats Head Soup*, a été décrit par Mick à l'occasion de sa réédition en 2020 comme « un ensemble très éclectique de chansons », de la ballade sophistiquée qu'est *Angie* à des morceaux purement rock comme *Silver Train* et *Star Star* (ou plutôt, ne soyons pas prudes, *Starfucker*), jusqu'à la morosité élégante de *Coming Down Again* et de *Winter*. L'axe rythmique Watts-Wyman tourne sans accroc, huilé par le jeu inspiré de Stu, de Billy Preston, de Nicky Hopkins et bien d'autres.

Charlie amuse encore tout le monde sans le vouloir lorsque les Stones, en 1974, tournent un clip pour *It's Only Rock 'n' roll*, réalisé par Michael Lindsay-Hogg, l'auteur du documentaire *Let It Be* d'origine. Le clip veut que les Stones, affublés de costumes marins, jouent sous une tente qui se remplit peu à peu de mousse. C'est aussi drôle à regarder que cela a été pénible à faire, d'après Mick, et Charlie – plus bas que les autres sur son tabouret, ce à quoi que personne n'a pensé – manque être englouti.

Le comble, c'est que ce n'est même pas lui qu'on entend jouer. La version finale s'appuie sur des enregistrements réalisés plus tôt chez Ronnie Wood, avec David Bowie et Kenney Jones, un ancien des Faces comme Ronnie, à la batterie. Jones a raconté en 2015 : « J'ai appelé Charlie pour lui dire : "Désolé, je ne voulais pas jouer de la batterie sur ton album." Il m'a répondu : "Pas grave, de toute manière on dirait moi." C'est vraiment un type en or, Charlie. Un parfait gentleman. »

Un document audio qui a survécu à la décennie 1970, un curieux collector, révèle encore un lien avec Dudley Moore (qui à l'époque recommence à se produire avec Peter Cook dans la comédie de Broadway *Good Evening*). On les entend tous les deux présenter un show de promotion du nouvel album *It's Only Rock 'n' Roll* avec Mick et Charlie, et le résultat est très drôle. Pete et Dud évoquent leur grande époque des années 1960, Mick se joint à eux, et Charlie est… dans la pièce, pouffant de temps en temps, mais à part cela complètement muet. « Tais-toi, Charlie, on n'entend que toi », le rabroue Cook. Il dit qu'il entend la piste 1 accélérer parce qu'elle sait que la piste 2 arrive. « C'est la faute du batteur », plaisante Mick. « Quoi ? » fait Charlie.

Cet été-là, alors que *It's Only Rock 'n' Roll* vient de sortir, Charlie, avec l'indépendance qui le caractérise, choisit de se couper les cheveux à ras, façon skinhead. Avant la fin de l'année, il apparaît clairement que l'album sera le chant du cygne de Mick Taylor. Le fait qu'il quitte le groupe à seulement vingt-cinq ans, son désir d'ailleurs étant conforté par le manque de reconnaissance, ne fait que démontrer la précocité de son talent. « La période Mick Taylor a été un âge d'or, vraiment, pour les Rolling Stones, a affirmé Charlie. Il est merveilleux en live, et il avait de quoi faire avec de bonnes chansons. »

L'album de 1976, *Black and Blue*, incarné avant tout par l'élégant et émouvant *Fool to Cry*, repose entièrement sur les auditions pour un nouveau guitariste. Des essais sont faits avec Wayne Perkins et Harvey Mandel, qui jouent dans l'album, ainsi que des jams à Rotterdam avec Jeff Beck et Rory Gallagher. Il va sans dire que le vainqueur sera Ronnie Wood, avec un premier engagement temporaire pour l'album et les tournées de 1975 en Amérique du Nord et du Sud. Il travaille main dans la main avec Keith et devient son complice dans la promotion du style qu'ils appellent tous deux « l'art ancien du tissage ». D'une manière moins idéale, il correspond également au casting d'un point de vue récréatif : pendant qu'il est à Munich pour enregistrer l'album, les stups font une descente chez lui à Richmond.

Le *Tour of the Americas* totalise plus d'un million de spectateurs. Howlin' Wolf et sa femme en font partie à Chicago et comptent parmi les plus importants pour le groupe. Les recettes dépassant les dix millions de dollars préfigurent la machine gigantesque que vont devenir les tournées du groupe à la fin des années 1980, même si la presse américaine fait observer qu'ils commencent à avoir l'air épuisés – un commentaire assez hilarant avec le recul. D'autres chroniqueurs sont plus admiratifs. « M. Watts appartient à l'élite des batteurs de rock », s'enthousiasme John Rockwell dans le *New York Times*, en reportage depuis San Antonio (Texas). « Il déploie une toile percussive régulière, lâche de soudaines envolées ornementales, et conforte avec talent la précision rythmique de M. Richard. »

Cette tournée est celle qui amplifie dans toutes leurs dimensions les spectacles des Stones et le rock en live en général, avec sa scène en forme de fleur de lotus, imaginée par Charlie, dont les pétales triangulaires s'épanouissent lentement pendant le morceau d'ouverture, *Honky Tonk Women*. Personne, parmi ceux qui y étaient, n'oubliera jamais la présence d'un objet gonflable géant : j'ai nommé le « Papy fatigué », surnom du phallus géant qui se dresse sur la scène, mais qui souffre souvent de dysfonctionnements en public. Et qui vient justement faire une de ses toutes premières visites backstage ? Une Seraphina Watts âgée de sept ans seulement.

« Je suis allée à un concert, et je me souviens qu'il y avait des ballons gonflables. Si je regarde les dates, c'était bien le show avec le fameux pénis. Je me rappelle avoir couru après des ballons sur la scène. Il y avait beaucoup de confettis. Le ballon était très vulgaire, mais je n'ai rien capté. »

Après la tournée, Charlie rentre chez lui à La Bourie, la ferme où il vit encore avec sa famille à Massiès et où il se réfugie entre tournées et enregistrements. Les Watts ont conservé Peckhams, la propriété à Halland, près de

Lewes. Charlie doit s'y rendre un moment : lors d'un cambriolage, il se fait dérober des armes anciennes et des reliques de la guerre de Sécession qui se trouvaient dans sa collection (certaines pièces ont été retrouvées plus tard). De toute manière, ils seront bientôt de retour en Angleterre, dans un nouveau comté.

En 1976, ils font l'acquisition de Foscombe House, dans le village d'Ashleworth (Gloucestershire), une imposante villa victorienne sur un terrain de douze hectares, construite dans les années 1860 par Thomas Fulljames, bien connu pour avoir été l'architecte de plusieurs églises du comté. Celui-ci a dessiné la maison dans le style néogothique pour sa retraite, et il n'y manque rien : tour à créneaux, tourelles, jardin d'hiver, vitraux. Shirley a désormais toute la place voulue pour créer son premier haras, précurseur de Halsdon.

Alors que *Black and Blue* est depuis un mois n° 1 aux États-Unis, les Stones se produisent en vedette lors du festival de Knebworth, devant un public estimé à peut-être 200 000 personnes. Une fois de plus, le bruit court que ce pourrait être leur dernier concert. L'entrée coûte 4,25 livres, et les admirateurs en coulisse comptent dans leurs rangs Paul et Linda McCartney ainsi que Jack Nicholson, pour une affiche qui propose aussi Lynyrd Skynyrd, Hot Tuna, Todd Rundgren's Utopia et 10cc. Les Stones commencent leur concert avec quatre heures de retard, pour des raisons plus techniques qu'autre chose, et jouent jusqu'à 2 heures du matin. Le *Melody Maker* juge qu'« ils ont encore de la puissance et de l'intérêt » ; *The Listener* trouve que Charlie ressemble à Bertrand Russell.

Neuf mois vont ensuite passer avant qu'ils remontent sur scène. L'infanterie du punk est alors en pleine mobilisation, soi-disant décidée à renvoyer la vieille garde du rock dans les tréfonds de l'histoire. Les Stones sont quelque peu gênés dans leur riposte par l'*annus horribilis* de Keith Richards – 1977 –, où ses démêlés avec les stups donnent à la descente de Redlands, dix ans plus tôt, des airs de *tea time* et menacent sérieusement sa liberté.

Mais ces déboires sont oubliés pendant les deux soirées de mars où ils donnent deux concerts « secrets » (les billets sont au nom des Cockroaches) mais soigneusement organisés à l'El Mocambo, un club de Toronto qui ne compte que trois cents places. Quelques pistes seront retenues pour l'album *Love You Live* sorti la même année, mais il faudra attendre 2022 pour que ce moment fasse l'objet d'un album complet. J'ai écrit dans son livret d'accompagnement que le groupe « a donné un spectacle qui rassemblait au moins trois des âges des Stones : le R&B des débuts, la majesté diabolique, et un nouveau son rock épuré qui va bientôt narguer la new wave ».

Keith a affirmé que c'était comme être de retour au Crawdaddy. « Tout le monde est là à parler de ruine et de catastrophe, et nous on est sur scène à l'El Mocambo, et on ne s'est jamais mieux sentis, s'est-il étonné. Je veux dire, on avait un son d'enfer ! »

« Vous vous connaissez tous ? demande Mick au public incrédule. Je vous présente Charlie. Charlie est batteur de jazz, il est là juste pour l'argent. »

Charlie appréciait peut-être les clubs pour les concerts de jazz, mais il n'a jamais été convaincu qu'ils convenaient au plus grand groupe de rock du monde. « Je trouve ça généralement assez nul, a-t-il avoué, parce qu'il y a trop de monde ; ça devient très inconfortable, et en plus on joue souvent trop fort. »

La preuve que les Stones tiennent bien compte de l'arrivée de la new wave et sont prêts à lancer une contre-attaque incisive se trouve dans l'album qu'ils commencent à élaborer plus tard dans l'année. En octobre, ils rejoignent les studios Pathé Marconi à Paris pour créer ce qui deviendra *Some Girls*, un enchaînement de morceaux magistraux qui, à ce jour, reste leur meilleure vente d'albums studio en Amérique. Il fait plus punk que les punks sur *Respectable*, *Shattered* et *When the Whip*

Comes Down, plus disco que le disco sur l'hymne *Miss You*, et inclut de futures références comme le déchirant *Beast of Burden* et la chanson autobiographique de Keith *Before They Make Me Run*.

Charlie est brillant sur tous les morceaux. « C'est très influencé par le punk londonien, et Mick le nierait sans doute, mais je pense que c'était conscient », me confie-t-il en 2011, au moment où sortait une nouvelle édition augmentée de l'album. « Certes, Ronnie jouait la guitare en *open rhythm*, et plutôt vite. Mais quand on dit "punk", on ne pense en fait qu'à un groupe », explique-t-il, faisant référence aux Sex Pistols.

« Je les trouvais très bons. Je détestais le look des punks, mais bon, je détestais aussi le foutu Flower Power, grommelle-t-il. J'ai vécu tout ça. Mais [le punk] c'était un mouvement intéressant, du point de vue du groupe, de la façon de jouer. Je ne jurerais pas que je préférais ça à Chuck Berry et à Freddy Below [son batteur] jouant *Roll over Beethoven*, sans parler des tubes de la Motown, mais c'était quelque chose de très intéressant.

« *Miss You*, c'était Mick et moi version disco. Ça faisait rire Keith, mais c'est vrai qu'on aimait bien le disco. Je l'ai refaite au moins quatre fois de manières différentes à divers endroits, avec Mick. *Just My Imagination* [la reprise des Temptations], c'est fait un peu à la manière de Johnny Rotten. [Le punk] a eu une grande influence, je pense. Les gens disaient : "Vous avez été une grande source d'inspiration pour eux." Ça, je ne sais pas, mais pendant cette période particulière ça a eu une influence sur moi. »

Ronnie Wood partage ses réflexions sur cet album : « Pour *Some Girls*, on avait le petit Mac [le claviériste Ian McLagan], ce qui était très agréable parce que, pour moi, il était un peu mon doudou des Faces. Charlie l'a accueilli, et Keith aussi, à bras ouverts. »

Ils sont sur la route pour la promo de *Some Girls* à l'été 1978. Leur concert filmé à Fort Worth montre un groupe qui a reçu une transfusion d'énergie nouvelle. Ronnie, désormais engagé à plein temps – et à vie – dans le groupe, a commenté en revoyant cette prestation : « Un nouvel élément malicieux était arrivé dans le groupe. J'ai pris plaisir à jouer et adoré les souvenirs que ça me rappelait. Il n'y avait pas de cuivres, pas de choristes, juste un groupe qui jouait punk, brut de décoffrage, et ça a plu même à Charlie. »

Assis à côté de lui pendant l'interview, Charlie, comme toujours, lance la repartie qui fait mouche : « Bon, je faisais autre chose quand c'est passé. Mais, dans le bout que j'ai vu, j'ai trouvé le son très bon. Ça m'a agréablement surpris, parce que d'habitude ces films sont ennuyeux à mourir et leur son n'est pas top. C'est très enthousiasmant, en fait. »

Les sessions de Paris donnent à l'ingénieur du son Chris Kimsey l'occasion d'observer minutieusement Charlie au travail, et il en reste à la fois fasciné, édifié et impressionné. Assis avec moi dans le restaurant sélect de l'Olympic, le studio de Barnes où il a passé une si grande partie de sa vie depuis ses débuts en 1967, y compris de nombreuses sessions avec les Stones, il raconte : « J'ai des souvenirs très tendres de Charlie. Je n'ai jamais vu personne de plus posé, de moins affecté par tout ce qui se passait dans leurs vies. Mick et Keith avaient besoin de ça pour garder eux aussi les pieds sur terre. Quelqu'un à qui ils pouvaient toujours se fier.

« Je me dis que c'était un des musiciens les plus gentils avec qui j'aie travaillé, en fait. D'autant plus si on considère sa position dans le groupe, du fait que Mick et Keith signaient les chansons et recevaient de grosses sommes pour ça, ils le dépassent largement côté finances, mais il ne s'en est jamais, jamais plaint, ou n'a même jamais trouvé que ce soit un problème en quoi que ce soit. »

Kimsey a déjà travaillé pendant des sessions du groupe, mais il endosse à présent un rôle plus important, celui de réaliser en studio les idées de production des Glimmer

Twins[1] – surnom donné au tandem Jagger-Richards. « Je me dis qu'ils ont eu de la chance de me trouver, en fait, parce que j'ai grandi avec Glyn Johns, en apprenant et en comprenant comment il fonctionnait. J'étais assistant sur *Sticky Fingers*, et à ce moment-là Glyn commençait à en avoir un peu marre de tout ça, si bien que je me suis retrouvé ingé son sur certaines sessions d'overdubs.

« Ma première rencontre avec Charlie et Bill, c'était lors d'une session de Glyn, ici, chez Olympic. Quand on est assistant, on installe toute la salle, tout, pour que l'ingé n'ait plus qu'à se pointer et pousser les manettes. J'avais déjà travaillé avec Glyn deux ou trois fois, et je savais qu'il fallait être dans les starting-blocks avec lui, sinon on dégageait. J'avais donc tout installé. 7 heures, personne n'est là… 7 h 30…

« J'étais dans la régie, et l'entrée du studio était assez loin, de l'autre côté de la grande salle. Alors, les portes s'ouvrent, et deux types déboulent. J'ai regardé, et comme je ne les reconnaissais pas, j'ai appelé la sécurité : "Il y a deux mecs qui viennent d'entrer dans le studio 1, je ne pense pas qu'ils soient censés être là." C'était Bill et Charlie. Ils étaient simplement très "normaux", et n'avaient pas du tout l'air de rockstars. Non pas que les rockstars m'aient impressionné.

« Travailler avec Charlie à Paris, c'était génial, continue Kimsey. Le son de sa batterie était unique, aussi. Ça tenait à ce qu'il jouait, et à sa façon de le jouer. Je n'ai jamais bossé avec un batteur comme lui. J'ai appris que la plupart des batteurs frappent la caisse claire et le charley en même temps. Charlie ne faisait jamais ça, c'est pourquoi il avait toujours cet espace fabuleux. Quand il frappe la caisse claire, il n'y a pas de cymbale ni d'autre caisse pour interférer avec le son, donc c'est très ouvert. Pour un ingénieur du son, c'est le rêve. J'ai découvert ça par hasard : j'ai compris tout à coup ce qui se passait, ce

---

1. Les jumeaux étincelants.

150

qu'il ne faisait pas. Il avait aussi un toucher fantastique. Il était batteur de jazz, ça lui venait de là. »

Johns confirme sa technique inhabituelle. « Charlie est le seul batteur que j'aie jamais vu faire ça, dit-il. Si d'autres l'ont fait, c'est qu'ils l'ont copié. Évidemment, le son de la caisse claire est complètement différent s'il n'est pas accompagné par celui d'un charley. Mais, ça, c'était vraiment lié au son de Charlie. Il avait une batterie jazz et n'a jamais rien voulu d'autre, jamais eu besoin de rien d'autre. Il a terminé avec exactement le même matos qu'au début. Ringo est pareil. Il avait en fait deux tom-toms, mais n'a jamais eu une batterie énorme pour prouver quelque chose. C'était totalement superflu. Pourtant, ni l'un ni l'autre ne sont particulièrement brillants techniquement. Leur point fort, c'est le feeling, sans aucun doute. On peut avoir un super feeling avec un tambourin. »

Kimsey renchérit : « L'une des choses que je préfère dans le jeu de batterie de Charlie, surtout au début, à Paris, c'est que les chansons étaient écrites au studio et travaillées en jammant, c'est comme ça qu'elles se formaient. Ils jammaient sur les accords du couplet, et personne ne savait vraiment quand le pont allait arriver, ni le refrain, jusqu'au moment où Mick s'exclamait : "Maintenant ! Maintenant !"

« Du coup, les *fills* de Charlie, au lieu d'amener un passage, arrivaient parfois après. Au lieu d'être sur le premier temps, ils tombaient un peu plus tard, ce qui fonctionne aussi bien, en fait, mais c'est assez unique. Une fois de plus, c'était du génie. Je revois sa tête, parce qu'il jouait avec les autres, et le changement arrivait, et il savait qu'il avait loupé le premier temps, alors il faisait quand même le *fill*. Puis il me regardait en souriant, l'air de dire : "Encore ?" Cette expression merveilleuse qu'il avait...

« Sa batterie n'avait que sept éléments, précise Bill, admirant cette sobriété. Les autres avaient tous des bazars de trente éléments, avec double grosse caisse et des tonnes de machins partout, et Charlie, lui, se contentait de sept. Parce que, l'important, ce n'est pas la quantité, c'est le groove qu'on obtient. Tous les grands batteurs de blues et de R&B étaient des gens très simples. Tout est dans le contretemps : il faisait ça à merveille, et ça convenait parfaitement à notre musique parce qu'au départ on était à mi-chemin entre le jazz et le blues.

« Cette petite batterie s'est révélée un peu problématique quand on était à Montserrat, explique Kimsey, parce que faire jouer tout le monde en même temps dans la salle, ce qu'on faisait avec les Stones, c'était un peu difficile vu que l'endroit était tout petit. On a dû construire un tunnel pour la grosse caisse, pour en amplifier le son, parce que dans cette petite pièce ça ne sonnait pas comme la grosse caisse de Charlie doit sonner. J'ai toujours préféré qu'il ait la peau de résonance sur sa grosse caisse, et lui aussi. Ça, c'est clairement le style d'un batteur de jazz. »

Mais pour revenir à *Some Girls*, il ajoute : « Quand je dis qu'ils ont eu de la chance de me trouver, c'est dans le sens où je connaissais à fond le meilleur moyen de les capter, qui était de les installer en demi-cercle comme quand ils jouent dans un club, ou en répétition, de les laisser en roue libre, et de rester attentif pour m'assurer que ça enregistrait si quelque chose sonnait bien. Parce que ce n'était pas le genre de groupe avec lequel on peut dire : "OK, les mecs, première prise." Ce n'était pas comme ça du tout. »

La décontraction de Kimsey et son acceptation par le groupe débouchent sur de joyeuses sessions pour *Some Girls*. « Quand j'ai commencé à travailler avec eux à Paris, pendant la première semaine, ou peut-être les deux premières – car on était là pour plusieurs mois au moins –, on était dans la salle la moins chère, mais pour moi elle ne l'était pas, parce que c'était celle qui sonnait le mieux : elle avait la console EMI classique. L'autre salle était équipée d'une énorme [console] Neve toute neuve, qui était bien aussi, mais dans cette salle-là le son était vraiment top. Heureusement, Keith m'a soutenu, et on n'a pas bougé. On a gardé ce lieu pour tout.

« Mais je stressais un peu parce que Charlie ne venait jamais à la régie, ou très rarement, et pareil pour Bill. Mick et Keith n'y entraient qu'une fois tous les deux jours, peut-être, pour écouter des trucs. Je me disais : "Ils doivent aimer ce qu'ils entendent", mais je pense que c'est ce qu'ils attendaient, de toute manière. Je crois qu'il y avait eu une conversation où Glyn et Stu leur avaient dit : "Vous devriez prendre Kimsey."

« Qu'est-ce que je m'éclatais, pendant ces sessions, à bricoler des trucs ! poursuit-il. Vous êtes là neuf ou dix heures d'affilée, et vous finissez par avoir cette impression : "C'est merdique." Andy Johns – le petit frère de Glyn, lui-même lieutenant de studio des Stones –, a dit quelque chose du genre : "Ils sonnent comme le pire groupe du monde, jusqu'à ces cinq minutes magiques où tout se met en place." Et donc, j'ai vraiment pris plaisir à créer différents sons à la console, et ils m'ont plus ou moins laissé me débrouiller. Ça nous a bien convenu pendant tout le temps où on a bossé ensemble.

« En général, j'arrivais le premier, mais je demandais toujours à celui qui veillait sur Keith – Alan Dunn ou un autre – quand ils comptaient arriver, quand Mick allait arriver. Je n'avais pas envie de poireauter pendant trois heures. Il y avait un groupe appelé Téléphone qui travaillait au studio. Ils étaient bons, c'étaient de grands fans des Stones, et ils sonnaient comme eux. » La ressemblance était visuelle aussi. Le groupe parisien, formé en 1976, allait plus tard faire la première partie de ses idoles, et a même été décrit par un chroniqueur comme « le premier groupe français qui compte ».

« Un jour, les Stones étaient vraiment très en retard, raconte Kimsey, et les mecs de Téléphone ont demandé s'ils pouvaient venir jouer sur la batterie de Charlie et la guitare de Keith. J'ai dit au roadie : "On peut bien les laisser jouer une demi-heure, non ?" C'est ce qu'ils ont fait, et Charlie est arrivé pendant qu'ils jouaient. Je ne me rappelle pas précisément ce qu'il a dit, mais il a été très très sympa avec eux. Il n'a pas lancé : "Qu'est-ce que vous foutez ? Dégagez de ma batterie !" Au contraire, il les a complimentés sur leur musique. »

Les sessions chez Pathé Marconi donnent à Kimsey des occasions sans fin d'observer de près le brio insouciant de Charlie. « Une autre fois, j'étais seul sur place, les sessions avaient bien commencé depuis au moins un mois. Comme j'étais toujours en train de bricoler en régie, j'ai pris sur moi d'aller changer le son des amplis des guitares. Pas de beaucoup, et personne ne l'a remarqué.

« Quand j'ai regardé le cerclage de la caisse claire, il y avait plein de confettis de Hyde Park [plus de neuf ans auparavant] encore coincés dedans. Charlie ne changeait jamais ses peaux, du tout. Ça, c'est un batteur de jazz. Pas comme un batteur de rock, qui n'arrête pas de les remplacer à chaque album, et qui le fait souvent une fois par mois en tournée. J'ai pensé, en tapant sur la caisse claire : "Je vais juste l'accorder un peu, pour voir ce qui se passe." J'ai littéralement donné un demi-tour de clé sur le tirant du haut, un demi sur celui du bas, puis j'ai laissé tomber. Je ne voulais pas faire de dégâts, évidemment, mais à mon oreille ça sonnait bien.

« Une heure plus tard, Charlie est arrivé, a retiré sa veste, l'a pliée, s'est assis. Il s'est mis à jouer, et aussitôt que sa baguette a touché la caisse claire, il a fait un bond et a levé les bras, stupéfait. Depuis la régie, je l'ai entendu demander : "Quelqu'un a touché à ma batterie ?" J'ai répondu : "Oui, c'est moi", et il s'est apaisé : "Ah ! bon, pas de problème." Je n'en revenais pas qu'il l'ait remarqué. Un demi-tour, ça ne changeait pas l'accordage. C'est là que j'ai vraiment pris conscience de la connexion de cet homme à son instrument, au point qu'en une seule frappe – qui n'a pas dû rebondir comme il s'y attendait – il a tout de suite su. J'ai culpabilisé à mort. Mais il n'y a pas eu de problème, il l'a juste remise comme avant. Vraiment extraordinaire. J'avais déjà du respect pour lui, mais là, j'ai pensé : "Waouh ! incroyable !" »

La précision sans effort de Charlie fascinait Kimsey. En 2022, ce dernier, après avoir travaillé en tant que producteur ou ingé son sur plus de trois cents albums et avec cent artistes, était non seulement de retour chez Olympic pour concevoir le nouveau studio entièrement rénové et superviser le son Dolby Atmos pour le cinéma attenant, mais aussi pour donner des master class à l'université. « Je n'enseigne que si l'université a aussi de l'analogique, précise-t-il. C'est un peu comme commencer par un crayon et du papier plutôt que sur ordi, car les restrictions liées aux 16 ou 32 pistes élargissent vraiment l'esprit.

« Quand j'enseigne comme ça, les étudiants s'exclament en arrivant : "Oh là là ! mais où est l'ordi, où est la grille, l'écran ?" Moi, je leur réponds : "Oubliez tout ça, nous sommes ici pour nous servir de nos oreilles, c'est avec ça qu'on écoute de la musique, et avec la tête." Et quand on parle de minutage, en particulier, ils me disent qu'ils doivent tout caler dans le temps. Je leur réponds : "Si vous devez tout recaler, c'est qu'il faut changer de batteur." Il est l'élément le plus important de l'enregistrement, celui qui compte le temps. C'est la colonne vertébrale. La musique flue et reflue. Elle n'a pas à être parfaitement dans le temps.

« Je leur ai dit : "Je peux vous donner un exemple de bon batteur." Quand j'ai enregistré *Some Girls*, c'était essentiellement un long bœuf. Mick avait écrit tellement de couplets sur tellement de femmes qu'il les enchaînait, et puis un pont était intercalé peut-être deux fois au cours des quinze minutes. Quand la piste est sortie, la version longue, Mick est venu l'écouter, et m'a dit en gros : "Je le sens vraiment bien, tu peux couper là-dedans pour arriver à 4 minutes ?" J'ai fait : "Oui, d'accord. Quels couplets tu veux garder ?" Il m'a répondu : "Bah ! choisis."

« Donc je me suis fait un petit plan avec ce dont parlaient tous les couplets. Je ne me suis pas donné trop de mal – ce n'était pas aussi simple que couper à la quatrième minute et passer direct à la huitième, mais j'ai fait environ quatre coupes pour arriver à quatre minutes. Je devais virer dix minutes, et elles n'étaient pas regroupées à un bout du morceau. Je prenais un passage vers la fin, je le déplaçais au début, et si j'ai pu le faire, c'est uniquement grâce à la précision de coucou suisse de Charlie.

« Ça me fascine aujourd'hui, parce que je n'y pensais pas vraiment à l'époque : je m'y mettais, et c'était tout. Évidemment, si une chanson ralentissait en cours de route pour une raison ou pour une autre, on ne pouvait pas mettre la fin au début parce que ça aurait tout ralenti avant d'accélérer à nouveau. Mais, dans l'ensemble, le tempo de Charlie était d'une constance absolue. »

La tournée américaine de 1978 est suivie par d'autres enregistrements en Californie, interrompus par la nouvelle tragique de la mort de Keith Moon, à tout juste trente-deux ans. Loin de n'être que « Moon the Loon[1] », il a été un bon copain du groupe pendant leurs années de célébrité, et Charlie et Bill sont rentrés en avion pour son enterrement. Comme s'en est souvenu Pete Townshend plus tard, Charlie pleurait à chaudes larmes.

« Alors lui, c'était un personnage, a indiqué Charlie à propos de Moon dans *Rolling Stone* en 2013. Je l'aimais beaucoup. Il n'y en aura plus, des comme lui. Il me manque énormément. C'était un type très charmant, adorable, vraiment, mais… il pouvait être difficile. En fait, il n'était pas tout à fait unique : il était plutôt trois personnes en une. »

1979 est une année sans concerts mais pleine d'enregistrements, à Nassau, Paris et New York pour *Emotional Rescue*, sorti en juin de l'année suivante, avec Chris Kimsey promu au titre de producteur associé et ingénieur du son.

---

1. Moon le fou.

La prestation de Charlie sur la chanson éponyme – un morceau systématiquement sous-estimé, qui comprend la meilleure imitation par Mick de Barry Gibb – est fabuleuse ; la chanson n'emporte peut-être pas autant l'adhésion que son prédécesseur disco-rock *Miss You*, mais elle est tout aussi innovante, et Charlie n'y est pas pour rien.

C'est en partie dû au fait qu'il est attiré à la fois par le beat et par la culture du disco. « Charlie s'intéressait aux rythmes de la dance, et il aimait danser, il était très bon, raconte Mick. Il connaissait les danses de salon, et bien sûr, étant batteur, il avait une affinité pour les grooves et leurs nouvelles versions. Donc on a d'abord écouté du disco en 4/4 de base, puis on a commencé à avoir ces disques de dance d'influence latino. Il s'intéressait toujours à ça, et je lui passais les nouveautés que je me procurais. Ou je les achetais pour lui, ou bien il me parlait de quelque chose qu'il avait entendu. »

Un vent nouveau soufflera sur la décennie suivante pour ce groupe qui tourne déjà depuis bientôt vingt ans, mais les exigences sans pitié des tournées pousseront bientôt Charlie à se chercher une échappatoire. Il se retire avec Shirley et Seraphina dans le Gloucestershire, puis dans le Devon, chaque fois qu'il a un moment. Mais les années 1980 seront aussi l'époque où, à la surprise générale, il se trouvera le pire des refuges possibles.

BACKBEAT
Un mètre soixante-treize de style

CI-DESSUS : À trois mois, Charlie pose pour la première fois.

À DROITE : Encore une photo tirée de l'album de sa sœur Linda : Charlie, quatorze mois, est né pendant la guerre. « Je me souviens des cavalcades entre la maison et les abris [...] : je crois que je n'ai jamais eu réellement peur. »

CI-DESSUS : Au volant avec Linda. « Il tenait de ma mère, et moi de mon père. Il restait dans son coin sans dire un mot. »

À GAUCHE : La classe même à deux ans : « Charlie Boy » nourrit les pigeons à Trafalgar Square avec sa mère Lilian et son père Charles.

La promotion 1952 : avec ses camarades de l'école Fryent Junior à Kingsbury, dans
nord-ouest de Londres. Charlie est au dernier rang, le troisième à partir de la gauch

En « petit lord Fauntleroy », comme il se
décrivait lui-même, avec Linda
et leur père.

Jeune adolescent, en 1954, Charlie commen
à entendre les sirènes de ses premièr
idoles du jazz.

CI-DESSUS : L'élégant batteur et, derrière lui, son ami contrebassiste Dave Green jouent dans le Joe Jones Seven au Masons Arms, Edgware, 1959.

À GAUCHE : Charlie, cinquième à partir de la gauche, avec amis et musiciens au mariage de Brian « Joe » Jones et sa femme Ann, 3 septembre 1960.

DROITE : Son projet fin d'études (1960), *e to a Highflying Bird*, superbe évocation l'ascension et de la chute Charlie Parker.

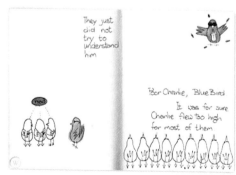

They just did not try to understand him

Poor Charlie, BlueBird

It was for sure Charlie flew too high for most of them

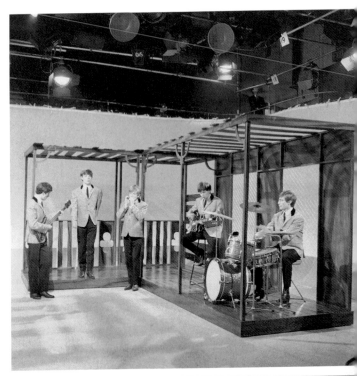

CI-DESSUS : Sous une bonne étoile : le 7 juillet 1963, les Rolling Stones interprètent *Come On* lors de leur première télé, dans l'émission *Thank Your Lucky Stars*.

À DROITE : La bande des six : en 1963, une des rares photos incluant le très aimé Ian « Stu » Steward, à gauche, qui sera bientôt retiré de l'affiche pour assumer le rôle de road manager et bien plus.

Le week-end commence ici. En position au *Ready Steady Go !* à Londres en avril 1964, e mois où les Stones lancent leur premier album.

MICK JAGGER   CHARLIE WATTS   BRIAN JONES   KEITH RICHARD   BILL WYMAN

« Des millions de parents scandalisés » : les Stones entretiennent leur réputation de *bad boys* de la pop britannique dans l'émission *Juke Box Jury*.

CI-DESSUS : Charlie rencontre son public à l'hôtel Astor, à l'arrivée du groupe à New York en 1964. « New York était le cadre de ce que je rêvais d'être. »

À DROITE : Ne jamais perdre de vue le plus important : shopping chez Beau Gentry dans Vine Street (Los Angeles).

De la magie dans l'air, toujours : Charlie et le groupe à Broadway au cours du même voyage.

À DROITE : Toujours au turbin
et toujours impassible en 1965,
une année occupée par une multitude
d'enregistrements et quelque
deux cents concerts.

CI-DESSOUS : Shirley et Charlie
devant le bureau de l'état civil
de Bradford le jour du mariage
qu'il espérait garder secret,
le 14 octobre 1964.

À GAUCHE :
« Alors les boutons se
rapprochent nettement.
Et les Stones, on les voit
plus clairement. »
Dessins de Charlie
au verso de la pochette
de *Between the Buttons*,
janvier 1967.

CI-DESSUS : Hyde Park,
5 juillet 1969, sur « une toute petite
scène format Mickey Mouse,
un truc minuscule sur des montants
en métal ».

À GAUCHE : Charlie, Shirley
et Seraphina Watts, qui vivent
maintenant dans les Cévennes,
de retour à l'aéroport d'Heathrow,
5 décembre 1972.

À DROITE : Pendant la tournée *US STP*
de 1972, connue comme « le zénith absolu
du libertinisme rock' n' roll », Madison
Square Garden, New York, 26 juillet 1972.

Amsterdam, 1977. « Ah ça ! il était fait pour Savile Row, dit Keith Richards avec admiration. Il aurait pu vivre là-bas. Je lui ai demandé : "Tu ne veux pas épouser un tailleur ?" »

L'économie du
style. Aux studios
S.I.R, New York,
30 juin 1981, où les
Stones tournent les
clips de *Start Me Up*
et d'autres morceaux
de l'album *Tattoo Yo*

Michael Philip (Mick)
et Charles Robert
(Charlie) filmés
sur scène pour le
documentaire live
de 1981 *Let's Spend
the Night Together*
réalisé par Hal Ashby.

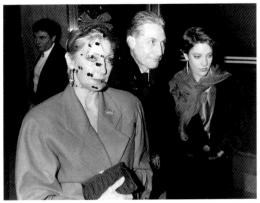

Ave
sa bien-aimée Shirley
et sa fille Seraphina
aux Kensington Roof
Gardens, février 198
« Mon seul regret
dans cette vie,
c'est de n'avoir pas
été assez souvent à la
maison. »

CI-DESSUS : Charlie se distingue avec son groupe de jazz lorsqu'il fait l'ouverture du club Ronnie Scott's à Birmingham (Angleterre) en octobre 1991. « C'est pour moi un grand honneur qu'on m'ait demandé d'être ici », dit-il alors.

À GAUCHE : Charlie et son contrebassiste préféré et plus vieil ami, Dave Green, s'installent pour la première soirée du *Tribute to Charlie Parker with Strings* dans la salle de leurs rêves, le Blue Note, New York, 14 juillet 1992.

À GAUCHE : Charlie et Billy Joel ont malencontreusement choisi le même déguisement pour la fête des cinquante ans d'Elton John au Hammersmith Palais, 1997. Également sur la photo (de g. à d.) : Shirley Watts, le fils de Lulu Jordan, Lulu, Tony King et la compagne de Billy.

À DROITE : Noël new-yorkais pour Charlie, sa fille Seraphina et sa petite-fille Charlotte, Madison Avenue, 15 décembre 1997.

À GAUCHE : « Ils m'ont encore persuadé » : mai 2002, arrivée en dirigeable au Van Cortland Park, dans le Bronx, pour annoncer la tournée mondiale *Licks* du 40e anniversaire.

À GAUCHE : Charlie Watts et Ronnie Wood, les deux gémeaux, au Festival international du film de Berlin, lors de la première mondiale du *Shine a Light* de Martin Scorsese, 7 février 2008.

À DROITE : L'hommage de Jools Holland à son ami : les maquettes de son train électrique représentent les préfabriqués dans lesquels Charlie et Dave ont grandi.

Sur son trente-et-un, au Ladies Day du Royal Ascot, 17 juin 2010.

Wild Horses ? Ou pas tant que ça : visite annuelle aux Arabian Horse Days, une foire exclusive à Jadow Podlaski, dans l'est de la Pologne.

Un Charlie rayonnant devant une salle comble à Manchester, à l'Old Trafford, lors du passage en Angleterre de la tournée *No Filter*, 5 juin 2018.

CI-DESSUS : Dans l'avion privé (notez logo des Stones sur l'appui-tête) avec sa petit fille Charlotte, qui accompagnait Charlie da ses dernières tournées – sa famille étant ain toujours avec lui.

À GAUCHE : 2 octobre 2018, retour aux sources au Troubadour, à Earl's Court, où Charlie jouait jadis avec Alexis Korner et où il a rencontré Ginger Baker.

harlotte sur la route.
Beaucoup de gens m'ont dit
..] que ma présence faisait
aiment une différence,
arce que c'était comme un
etit bout de son chez-lui. »

endant les dernières tournées, Charlie et son drum tech Don McAulay ont visité des hauts
eux comme le musée de la Maison de Louis Armstrong à New York ou le Motown
Museum à Detroit.

L'artisan parmi ses outils : toujours à l'écoute de son instrument, Charlie farfouille dans sa salle de musique.

La balance avant ce qui sera son dernier concert avec les Rolling Stones, au Hard Rock Stadium des Miami Gardens, Floride, 30 août 2019.

Le dernier salut : à la fin d'un concert sous une pluie battante, avancé de vingt-quatre heures pour éviter un ouragan, Charlie rejoint pour la dernière fois ses camarades sur le devant de la scène.

À deux ans déjà, Charlie Watts avait la classe. Sur la charmante photo qui a circulé au moment de sa mort, prise à Londres avec ses parents en 1943, il arbore un manteau croisé court, très chic, complété par une touche osée mais géniale : un béret. Les dés sont jetés dès le jour où son père l'emmène chez un tailleur juif de l'East End, puis aussitôt qu'il commence non seulement à écouter du jazz, mais aussi à admirer les magnifiques pochettes des disques de Miles Davis, Charlie Parker, Duke Ellington et les autres ; il tombe amoureux.

« Son style vestimentaire, il le tient de notre père, qui était très élégant, confirme Linda. Papa achetait du tissu et faisait faire ses costumes, et pour sortir il portait toujours un feutre, jamais une casquette. Il cirait ses chaussures tous les soirs, et Charlie était exactement pareil – et moi aussi. Je suis allée le voir un jour, et je l'ai trouvé chez lui en smoking. Il *adorait* les vêtements. » Roy renchérit : « C'était un vrai gentleman-farmer. Il allait de la maison au haras à pied, avec deux chiens, puis longeait la route en croquant une pomme. Il faisait une promenade autour du haras et il rentrait. »

À sa mort, le magazine *GQ*, fervent admirateur de longue date, a dit de son style : « Prenez-le en exemple au moment d'acheter un costume en 2021. » Dans un éditorial, il était écrit que ses costumes « penchaient toujours du côté de ses racines de rockstar : revers larges, silhouette structurée, pantalons amples et flottants. Ses choix vestimentaires lui donnaient une présence – qu'on ne peut normalement pas créer avec un ennuyeux costume marine ou gris –, sans que l'on puisse tout à fait déterminer quel était son secret. »

Au tout début des années 2000, Chuck Leavell, directeur musical de tournée et claviériste des Stones, était backstage pendant un concert avec Charlie et Keith. « On discutait, dit-il, et un type que je ne connaissais pas s'est pointé. Il était plutôt bien fringué, avec une très belle veste. On parle un peu, et Charlie le complimente sur sa veste. Le type s'est illuminé, il était vraiment heureux. On fait un peu la conversation, et il s'en va. Aussitôt qu'il est hors de portée, Charlie glisse : "Dommage, ces chaussures." »

De ses cheveux argentés à ses souliers faits main, Charlie, c'était un mètre soixante-treize d'élégance mesurée : un fashion-vainqueur, jamais une fashion-victime, doté d'une classe discrète mais fondamentale que beaucoup recherchent, mais que peu parviennent à atteindre. Je me rappelle être allé lui rendre visite un jour dans sa suite, dans un hôtel d'Amsterdam, au cours d'une tournée en Europe. Tout était bien rangé, et on entendait en sourdine un album de Miles Davis, choisi avec précision dans une boîte à CD de voyage. Jeans et baskets n'étaient même pas dignes de son mépris. Il était l'oncle élégant que vous auriez aimé avoir.

À la fin des concerts, quand il enfilait sa veste officielle des Stones pour avoir chaud et pour saluer le public, il boostait mieux les ventes de produits dérivés que n'importe quelle campagne de pub. En coulisse, il lui arrivait même de déambuler dans le peignoir orné du logo avec la langue dont il était si fier. « Il fallait qu'il soit noué d'une manière bien précise, se rappelle la chanteuse Lisa Fischer. Charlie avait un formidable sens du style. Il aurait sûrement été heureux de simplement dessiner des vêtements. Je ne l'imagine pas mannequin, mais je l'aurais bien vu tailleur. S'il n'avait pas été batteur, le stylisme aurait été son truc. Il adorait les textures, la qualité, le look, et il était magnifique dans ses habits. Très peu de gens peuvent porter du rose et du bleu sans problème ; lui, oui. D'ailleurs, ça faisait ressortir le rose de ses joues. Même s'il était un peu timide, il savait malgré tout qu'il était beau. »

C'est le cas notamment le jour, en 2010, où Charlie et Shirley se mettent sur leur trente et un à l'occasion du Royal Ascot. Fier d'avoir au bras sa femme, dont la modestie et le glamour sont d'une délicate discrétion, Charlie arbore chapeau haut de forme, lunettes noires et jaquette croisée tourterelle créée sur mesure par Huntsman, son tailleur, avec les boutons en diagonale. Le gilet et la cravate sont rose layette, le col rond de la chemise est épinglé sous le nœud de cravate. Pour l'inspiration, il faut se référer à la pochette du classique *Our Man in Paris*, sorti chez Blue Note, du saxophoniste Dexter Gordon, que Charlie cite volontiers. De même lorsqu'il a vu Miles Davis sur la jaquette de l'album *Milestones* de 1958, cool et décontracté en chemise verte : il a aussitôt fallu qu'il s'en procure une, comme tous les aficionados du style jazz.

À Savile Row, dans la maison Huntsman qui habille les esthètes depuis 1849, Dario Carnera me raconte fièrement que sa famille et lui-même ont eu Charlie comme client et comme ami. Leur relation était telle qu'une étoffe dessinée par le batteur lui-même, *The Springfield stripe*, est toujours à leur catalogue. « Ah ça ! il était fait pour Savile Row, dit Keith Richards avec admiration. Il aurait pu vivre là-bas. Je lui ai demandé : "Tu ne veux pas épouser un tailleur ?" »

Après que Dario m'a présenté aux employés qui fabriquaient à la main les costumes et vestons sur mesure de Charlie – et m'a montré, souvenir déchirant, les quatre dernières vestes superbement coupées qu'il a commandées mais n'est jamais allé chercher –, nous rejoignons à pied la Royal Arcade, dans Old Bond Street. Là, nous nous enfonçons plus profondément encore dans un monde d'artisanat londonien que beaucoup croient perdu.

Nous allons voir le père de Dario, John, maître bottier en semi-retraite, qui a fabriqué les chaussures de Charlie pendant presque trente ans dans l'entreprise familiale, G. J. Cleverley. Dans sa liste de clients se côtoient Winston Churchill, Humphrey Bogart et le prince de Galles. C'est là un art bien éloigné de la gratification instantanée qui caractérise le monde moderne : l'apprentissage de M. Carnera père, à lui seul, a duré cinq ans.

Peu après avoir repris l'affaire à la suite du décès du fondateur, John a reçu un nouveau visiteur. « Charlie Watts est apparu à la porte, se souvient-il. Je lui ai dit : "Bonjour, monsieur Watts, c'est bien ça ?" Il m'a répondu : "Oui", très modeste. J'ai proposé : "Entrez donc", et il m'a dit : "Je me demandais si vous me feriez des souliers." J'ai répondu : "Avec plaisir." Il a précisé : "J'ai un bottier, mais la fabrication chez lui est longue. Pouvez-vous aller plus vite que deux ans et demi ?" J'ai répondu : "Je pense que nous pouvons vous le garantir. La première paire pourrait être faite en trois à quatre mois." Il était ravi. "Oh ! c'est formidable. Vous faites de belles chaussures. Vous prenez mes mesures ?" Il a posé la question presque sur le ton de "Pourriez-vous me rendre un service ?" Il était comme ça. Nous avons donc pris ses mesures et, à dater de 1993, nous l'avons chaussé, jusqu'en 2021. »

John partageait la passion de Charlie pour le jazz, et il se souvient de ses soirées dans les bouges de Soho à la fin des années 1950 et au début des années 1960, en particulier le Ronnie Scott's d'origine, à présent signalé par une plaque bleue. « Je n'oublierai jamais le soir où je suis descendu dans cette cave, me raconte John comme il le racontait certainement à ces clients célèbres. C'était à côté de la poste de Gerrard Street. Un rade miteux, mais je me rappelle l'affiche. Il y avait Ronnie Scott, Tubby Hayes, Phil Seamen à la batterie, et je crois que c'était

Johnny Hawksworth à la contrebasse. Charlie et moi avions de merveilleuses conversations. »

Une paire de souliers faits main chez Cleverley demande en général six mois de fabrication, et coûte dans les quatre mille livres. Ils ne fabriquent qu'une douzaine de paires par semaine. Charlie s'en est fait faire au moins quatre-vingts, avec le « bout Cleverley ». « C'est un peu comme un bout ciselé, explique John. Chaque fois que nous terminions une paire, il disait : "Qu'est-ce que je n'ai pas encore, John ?" »

Dario ajoute : « Il avait le pied très fin, très élégant ["Le pied dont tout le monde rêve", note le patronnier en chef Adam Law]. Il entrait, lorsqu'il venait chercher quelque chose, et s'interrogeait : "De quoi ai-je besoin ? Enfin… je n'ai besoin de rien, de quoi ai-je envie ?" »

Charlie, devenu un ami de la famille, les invitait aux concerts des Stones et aux siens dans le monde entier. John Carnera évoque en riant un souvenir qui met en scène le gourou financier du groupe, le prince Rupert Loewenstein. « Il faisait faire ses chaussures par le neveu de George Cleverley, Anthony, qui était encore meilleur cordonnier que son oncle, même si, bien sûr, on ne le lui aurait jamais dit. Enfin bref, Anthony rencontrait ses clients à domicile, il n'avait pas de boutique, et Loewenstein était un de ses meilleurs clients. Il avait un appartement près de Kensington High Street. Anthony est allé le voir pour un essayage, et il se trouve que Mick était là. Loewenstein était en train de dire : "Ah ! monsieur Cleverley, une superbe paire de chaussures comme toujours", etc. Jagger jette un œil et lâche : "Belles pompes, Rupert." Puis il se tourne vers Anthony : "Vous m'en feriez une paire comme ça ?" Anthony répond : "Je ne vous laisserais pas bousiller mes souliers en caracolant sur scène !" En ce qui le concernait, Mick ou M. Tout-le-Monde, c'était pareil. »

Parler du prince Rupert rappelle à John une autre anecdote, qui concerne cette fois un proche de Loewenstein.

« Le lien avec Charlie, c'est qu'en apprenant la mort de cette personne en 2004, Charlie a dressé l'oreille. Il m'a demandé : "Vous pensez que je pourrais récupérer certaines de ses chaussures, John ?" J'ai répondu : "J'ai cru comprendre qu'il va y avoir une vente aux enchères." Il est allé à Paris pour la vente. Je crois qu'il a racheté une douzaine de paires. »

Charlie était peut-être un adepte de la cordonnerie à l'ancienne, mais il y avait une tradition avec laquelle il n'était pas d'accord. Il considérait qu'il revenait au client d'assouplir lui-même ses chaussures neuves. Il disait : « La plupart des aristocrates qui ont les moyens de se faire faire des chaussures les donnent à porter d'abord au jardinier ou au majordome pour qu'ils les assouplissent. »

À ce sujet, le claviériste des Rolling Stones Chuck Leavell partage ce souvenir de tournée : « À Madrid, ma femme et moi, on s'était levés assez tôt. On voulait aller voir un musée ou je ne sais quoi, et Charlie était dans le hall de l'hôtel. Ça m'a un peu étonné, car il devait être dans les 8 h 30. Je lui ai donc demandé ce qu'il faisait là, et il m'a répondu : "J'emmène mes chaussures neuves en promenade." C'est pas fabuleux, ça ? »

Dès les années 1960, aussitôt que les Rolling Stones commencent à faire sensation, Charlie devient client du célèbre franc-tireur de la mode Tommy Nutter, qui habille pratiquement tout le show-business et qui réécrit les règles du costume de Savile Row au passage. C'est ainsi qu'il en vient à s'habiller chez Huntsman, mais aussi chez Chittleborough & Morgan, une maison cofondée par Roy Chittleborough et par Joseph Morgan, un élève de Nutter. C'est là qu'il achète pour son ami Tony King un complet comme cadeau de fin de tournée.

Charlie arrivait à Savile Row dans sa limousine avec chauffeur et apprenait à aimer et respecter les nuances des traditions et coutumes spécifiques à chaque tailleur. Son goût pour les larges revers et les coupes audacieuses l'aidait à se créer une silhouette plus imposante que ne le faisait sa corpulence modeste ; il disait que, quand son pantalon préféré commençait à le serrer à la taille, il cessait simplement de manger jusqu'à ce que ce soit de nouveau confortable.

Sur scène, c'était tout autre chose : il aurait adoré imiter le style formel, veste et cravate, d'une autre de ses idoles, Art Blakey. Mais après avoir porté des vestes quand il était jeune homme, il opte plus tard pour des tenues plus confortables, T-shirts ou chemises à manches courtes. Même ses T-shirts étaient faits sur mesure : on voyait, sans aucune hésitation que ce n'était pas du prêt-à-porter. Sunspel, une marque britannique remontant aux années 1860, a créé sous la supervision du styliste William Gilchrist un T-shirt dans lequel Charlie était plus à l'aise pour jouer. Il comprenait une pièce de tissu supplémentaire sur chaque côté, ce qui faisait deux coutures latérales, et il était plus court que la normale. Le résultat plaisait tellement à Charlie que le groupe entier a porté ce modèle au festival de Glastonbury en 2013.

Sa connaissance de la mode dépassait de loin ses goûts et sa garde-robe personnels. « Quand on a commencé à travailler, se souvient Chris Kimsey, ma femme, Kristy, était souvent avec moi, en voyage ou au boulot. Charlie lui a fait connaître Opium, le parfum, qui venait de sortir. Travailler avec lui à Paris, c'était génial. Il m'emmenait faire le tour des boutiques de bagages vintage – il avait une collection de malles – et aussi des chapeliers.

« Chaque fois qu'il débarquait à une session, il était tellement chic, tellement élégamment vêtu ! C'est une chose qu'il avait en commun avec Glyn Johns – Glyn, mon mentor, m'a dit très jeune : "Kimsey, prends soin de t'habiller chaque fois que tu te rends à une session." Tous les soirs, quand on enregistrait aux studios Pathé Marconi, Charlie était le premier arrivé. Il ne venait presque jamais en régie. Il rejoignait simplement sa batterie, retirait sa veste, la pliait parfaitement, la posait sur le dossier d'une chaise et s'installait avec tout son petit attirail. Il déballait tout. »

Lisa Fischer ajoute : « À côté de la batterie de Charlie, même en répétition, il y avait toujours une petite place où suspendre sa veste. On aurait dit qu'il arrivait au bureau. Je l'adorais, cette petite place. »

Dario Carnera a mentionné – et cela ne nous étonnera plus, connaissant le côté dépensier de Charlie – sa collection d'anciens albums de patrons de chez *Tailor & Cutter*. « Ça se vend une fortune en ligne, de nos jours, indique le tailleur. Il m'a dit qu'il en avait une belle collection. Parfois, quand il n'avait rien d'autre à faire, s'il se trouvait à Londres, il passait, ou bien je disais : "J'ai des choses prêtes pour vous, je vous les envoie à la maison ?" » Charlie, à ce moment-là, avait une maison de famille près de Fulham Road. « La cave de sa propriété de Pelham Crescent était convertie en dressing géant. Il me disait : "Si vous n'êtes pas trop pris, apportez-les vous-même : on prendra un thé en bavardant, et on regardera mes vêtements." »

« Il observait certaines pièces, continue Carnera. À un moment, nous avons fabriqué une étoffe très particulière, et il l'a regardée, pensif. J'ai dit : "Je sais que c'est très cher, et ça ne vieillit pas si bien, c'est comme du cachemire." Il a conclu : "Ça ne fait rien, je ne la mettrai sans doute que deux fois tout au plus." Il adorait vraiment s'habiller. Je m'efforçais toujours de faire un commentaire sur ce qu'il portait, car il appréciait qu'on le remarque. »

Sa famille reconnaît que son sens du style, à certains moments, prenait largement le dessus sur son sens commun. Sa petite-fille en parle avec une immense affection. « J'allais les voir dans le Devon, dit-elle. C'était perdu en pleine cambrousse. Même s'il ne voyait littéralement personne, il était en costume trois pièces à table. Je lui disais : "Quoi, pour aller marcher dans la boue ?" et il me répondait : "Eh bien oui."

« C'était drôle, car il portait ces tenues très chics, avec ce style particulier qu'il avait, à Londres, dans le Devon ou ailleurs. Puis on prenait l'avion, et là il était en pantalon chic et mocassins, mais avec un T-shirt blanc et une veste en cuir. Je me rappelle avoir réfléchi à ce contraste. Là où il était le plus en vue, il s'habillait comme en tournée, et là où on le voyait le moins, il gardait son style à lui.

« Il est venu me voir un jour quand j'étais en internat dans l'État de New York : il y avait une grosse couche de neige, de plusieurs centimètres d'épaisseur, et le temps était glacial. C'était en mai, la neige n'était plus tombée depuis plusieurs semaines et on avait cru que le printemps pointait son nez, mais un blizzard inopiné avait soufflé pendant le week-end, ce qu'il n'avait pas prévu en faisant ses valises. Parfois, à Londres, il neigeait sans prévenir. J'avais vu ça deux fois : son refus catégorique de s'acheter des chaussures adaptées à la neige.

« Il est sorti avec des sacs en plastique de supermarché autour de ses chaussures. Et il a fallu aller jusqu'à la salle du petit déjeuner comme ça. C'était humiliant. Il refusait de changer de chaussures en fonction de la météo. Il tenait tellement à porter les siennes que ça ne le dérangeait pas de sortir avec des sacs en plastique aux pieds. On en pleurait de rire. Je ne sais pas s'il l'a jamais fait en tournée, mais il l'a fait en public à Londres, et aussi dans le Village, à New York. »

Le présentateur de télévision et musicien Jools Holland, qui a la fierté d'avoir partagé avec Charlie (son aîné de dix-sept ans) une amitié pleine de complicité, témoigne que celui-ci avait aussi une idole question mode dans la famille royale. « Je me rappelle qu'il a acheté quelques-uns des costumes d'Édouard VIII. Il disait que cet homme avait du style. Charlie était l'homme le mieux habillé que j'aie jamais rencontré. Toujours impeccable, et ses modèles figuraient parmi les grands du jazz. Il s'inspirait des grands artistes du blues et du jazz qui présentaient toujours bien, ainsi que de figures historiques du XVIIIe siècle, mais aussi des années 1930.

« Donc il a acheté – sans même les avoir vus, j'en suis sûr – deux des costumes d'Édouard, juste parce qu'il les trouvait magnifiques. Il comptait soit les faire copier, soit au moins se renseigner sur le tissu et essayer de retrouver le même. C'est exactement le genre de choses qu'il aimait faire, aller à Savile Row et demander : "Où puis-je trouver cette étoffe ?" et s'entendre répondre : "Ah ! ça ne se fait plus", des conversations comme ça.

« J'étais en tournée avec lui, et après notre retour je l'ai recroisé et lui ai demandé : "Alors ?" Et lui : "Je n'en reviens pas, ils me vont *parfaitement*. Comme un gant." Il surveillait les salles des ventes pour voir s'il n'y avait pas d'autres vêtements d'Édouard. Ils avaient exactement les mêmes mensurations. Il y a beaucoup de gens, moi le premier, qui s'épaississent de la taille et changent de forme en vieillissant. Allez savoir pourquoi, les Rolling Stones, j'ignore à quoi ils carburent, ils ont tous la même silhouette parfaite qu'en 1962. Je ne sais pas comment ils font. »

Les conversations musicales avec ceux qui travaillaient pour et avec Charlie pouvaient être révélatrices, surtout quand ils avaient leurs propres ambitions. Dario Carnera se remémore une discussion avec son client : « Je lui ai dit que je faisais de la guitare. Il a commenté : "Vous ne jouez pas cette musique tonitruante, quand même ?" Une autre fois, je me rappelle l'avoir informé que mon groupe faisait une reprise de *Honky Tonk Women*. J'ai expliqué : "Notre batteur a un peu de mal." "Comment ça ?" a demandé Charlie. J'ai répondu : "Eh bien, au début, il y a la cloche, et puis ça démarre sur un *offbeat* vraiment bizarre. Il fait son possible pour rendre ça, il n'arrête pas de la réécouter." Et Charlie m'a dit : "Oh non ! C'est juste que je me suis trompé." »

Steve Balsamo, chanteur britannique distingué, riche d'une immense expérience sur scène – non seulement en solo, mais aussi dans des groupes comme les Storys ou Balsamo Deighton – nous offre un délicieux exemple de l'humour et de la classe de Charlie : « J'ai toujours adoré Charlie, notamment parce qu'il était le type le mieux sapé du rock 'n' roll, et j'adore les gens qui se sapent. Donc je m'étais toujours promis que, si je le rencontrais un jour, je le lui dirais.

« Je finis par faire un concert pour Ginger Baker, dans un groupe avec Keith Carlock, Tony Levin et Ray Russell, qui comptent parmi les meilleurs musiciens de la Terre », raconte-t-il, évoquant la cérémonie de 2008 au cours de laquelle Charlie a remis à son vieil ami Ginger le prix Zildjian pour l'ensemble de sa carrière. « On a joué *White Room* et *Manic Depression*, de super chansons. Ça s'est passé au Shepherd's Bush Empire, et c'était génial. Charlie Watts était là, je suis arrivé et j'ai filmé la loge, pleine à craquer.

« J'ai aperçu Charlie, il est venu vers moi et m'a dit : "T'as bien chanté, bravo !" J'ai répondu : "Merci, monsieur Watts. Écoutez, je me suis toujours promis que, si un jour je vous rencontrais, je vous dirais ceci : vous êtes l'homme le mieux sapé du rock 'n' roll." Il a répliqué : "Ne dis jamais ça !" Ça m'a soufflé. Je me suis excusé, croyant que je l'avais vexé. Il a repris : "Je suis l'homme le mieux sapé du *jazz* !" »

5
Sale boulot
et dangereuses habitudes

Si le phallus géant a parfois des pannes lors de cette tournée du milieu des années 1970, tout le reste en revanche semble grossir de plus en plus dans les affaires des Rolling Stones. Les obligations contractuelles menacent désormais de prendre le pas sur l'élan créatif, et il est sûr en tout cas que dans la vie de Charlie l'appel du monde au-delà du groupe se fait de plus en plus sentir.

En mars 1981, son père décède à soixante ans, une nouvelle qui le fait réfléchir, d'autant plus que lui-même fêtera bientôt ses quarante printemps. Une nouvelle tournée nord-américaine se profile, et un nouvel album est requis. À ce moment-là, Chris Kimsey se distingue en réussissant à créer un album étonnamment musclé, *Tattoo You*, à partir de fragments disparates.

« Rupert Loewenstein [leur manager de longue date] m'a demandé : "Kimsey, tu sais s'il reste des choses ?" J'ai répondu : "Ouais, des tonnes. Vu le nombre de choses qui ont été enregistrées quand j'étais en session, il doit aussi rester des trucs des précédents albums." Mais ils n'étaient pas trop doués pour conserver leurs masters, ils avaient perdu beaucoup de bandes. » Il assemble le 33 tours à partir de pistes remontant jusqu'aux sessions des années 1970, à la lointaine époque de *Goats Head Soup* et *Black and Blue*.

Une image plus complète de ces sessions éparpillées s'est dessinée en 2021, à la sortie de l'édition de luxe augmentée de *Tattoo You*. Celle-ci contenait la version de travail de *Start Me Up*, dénichée parmi les bandes de *Some Girls*, qui montre Charlie déployant avec brio un jeu rigoureux mais parsemé de reggae. Il y avait aussi un hommage à *Brown Sugar* dans *Living in the Heart of Love*, et d'autres exemples des digressions des Stones dans des reprises de soul, notamment Troubles a' Comin des Chi-Lites, et une, dont Kimsey se souvient avec une affection particulière, de *Drift Away* par Dobie Gray.

L'avis de Charlie, même s'il n'est pas sur la photo, compte beaucoup dans la création de la pochette de l'album, qui vaudra au photographe Hubert Kretzschmar, à l'illustrateur Christian Piper et au graphiste Peter Corriston un Grammy Award de la meilleure pochette d'album. Les Glimmer Twins sont photographiés par Kretzschmar dans son studio de Tribeca, sur West Broadway, sur fond rouge (pour Mick) et vert (pour Keith), et couverts de tatouages par Piper. Le résultat est inoubliable.

« Charlie devait venir au shooting, explique Kretzschmar dans le livret d'accompagnement de l'édition de luxe. Tout était prêt, mais il n'était pas arrivé. J'ai reçu un coup de fil me disant qu'il était coincé dans un bar de SoHo – il s'était arrêté pour boire un verre, avait été reconnu et s'était fait acculer. J'ai dû envoyer un assistant à la rescousse.

« J'adorais la présence de Charlie. Nous avions en commun l'amour du jazz. Nous écoutions des disques et les commentions tout en travaillant, même s'il était surtout là parce que Mick et Keith avaient un grand respect pour son sens artistique. Il avait un œil de graphiste. »

Pendant que l'album monte dans les charts américains, où il restera neuf mois au sommet, le groupe entame une tournée nord-américaine de cinquante dates, conduite une fois de plus par l'éminent promoteur américain Bill Graham, qui a déjà supervisé plusieurs de leurs tournées. L'apport de Charlie va se révéler encore plus précieux, surtout de la part d'un homme qui, avant la tournée, semblait plus réticent que jamais à reprendre la route. Il a

176

soutenu à plusieurs reprises qu'il ne partirait pas. Ils l'ont convaincu, comme toujours. « J'ai donné ma démission à la fin de toutes les tournées depuis 1969 », a-t-il dit.

Les concerts de cette période ont lieu l'après-midi, avec des scènes de vingt mètres de large et deux panneaux colorés de vingt-cinq mètres reproduisant des toiles de l'artiste japonais Kazuhide Yamazaki. Mick nous les décrit : « On avait les couleurs primaires très vives, conçues par Kazuhide, plus des images énormes d'une guitare, d'une voiture et d'un disque – très américain, tout ça – qui fonctionnaient bien l'après-midi. »

Charlie met sa patte partout, puisant dans son sens instinctif du graphisme et dans l'expérience lointaine du seul autre métier qu'il ait exercé. « C'est lors de cette tournée que Mick et moi avons commencé à nous intéresser sérieusement à la scénographie, parce qu'on jouait dans des stades, donc il fallait penser grand. Quand vous êtes là, dans un stade immense, vous êtes minuscule sur la scène, c'est pourquoi, pour la tournée de 1981-1982, nous avons voulu donner aux gens quelque chose à voir. Quand un concert devient si énorme, il faut quelque chose en plus. Il faut quelques gimmicks, comme on les appelle, comme les panneaux colorés qu'on avait des deux côtés de la scène, et l'éclairage, et la pyrotechnie. Il faut un peu de théâtre. »

Après le concert d'ouverture à Philadelphie, le *New York Times* s'étonne que « des hommes bientôt quadragénaires » aient pu attirer 90 000 spectateurs, dont environ 12 000 ont dormi dans le parking la nuit précédente. La fille de Charlie elle-même partage cette fascination. « Le premier vrai concert où j'ai eu le droit d'aller, c'était quand j'avais environ treize ans, avec ma cousine, m'a-t-elle raconté avec un sourire. Ça devait être en 1981-1982, et ça y est, c'était parti : je me voyais dans ce monde, et ma mère disait : "Oh non !" Le poney club, c'était terminé. Je voulais être sur la route.

« Mon père avait sa carrière, il partait faire son boulot, et c'était bien cloisonné. J'avais toujours eu le sentiment qu'il y avait le travail d'un côté et la maison de l'autre. Nous avions quelqu'un pour donner un coup de main, avec les chevaux et les chiens, et mon oncle a vécu un moment avec nous. Maman, elle, allait le rejoindre, mais moi, non, parce que j'avais école.

« Puis, à l'adolescence, je suis partie en internat, et je suppliais toujours pour aller le voir, mais il n'était pas question de manquer les cours pour suivre la tournée, donc c'était non. Ce n'est pas faute d'avoir essayé ! De la même manière, j'avais le choix entre faire mes devoirs et "travailler le cheval". Ma mère était très stricte, bien plus que mon père. Avec le recul, je me dis que c'était sans doute une très bonne chose. »

C'est aussi la tournée pendant laquelle se produit un bide monumental, lors du concert de Los Angeles. « La première partie, un chanteur new wave-funk du nom de Prince, a apporté la seule fausse note devant ce public plutôt orienté rock, rapporte l'*Oxnard Press-Courier*. Prince n'a tenu que trois chansons, vingt-cinq minutes, avant d'être chassé de la scène par les projectiles que lui lançait le public[1]. » Les autres premières parties, George Thorogood and the Destroyers et le J. Geils Band, sont des choix bien plus sûrs. Les fans des Stones obtiennent toujours *satisfaction*.

En parlant de Prince, Charlie en a toujours été fan, comme il était fan de la Motown, de James Brown et d'autres rois de la soul et du funk. Il admirait en particulier les Four Tops, dont il écoutait les disques chez lui. Avec Mick et d'autres personnalités comme Georgie Fame et Eric Burdon, ils étaient à leur célèbre premier concert en terre britannique, en novembre 1966, au Saville Theater de Londres.

1. Il sera rappelé par Mick Jagger pour jouer à nouveau le lendemain. Il réussira ce jour-là à finir sa prestation, malgré un public défiant.

Pendant l'année 1998, alors que Prince traversait un passage à vide – mais peut-être pas aussi vide que le batteur ne l'imaginait –, Charlie m'a dit : « Il y en a un que je trouvais fabuleux sur scène, c'est Prince, ou l'homme-qui-était-appelé-Prince. Il n'a plus beaucoup de succès, et je me demande pourquoi. Il faut être capable de projeter ce qu'on fait, et à ce que j'ai vu très peu de groupes savent le faire. Michael Jackson et Prince y parviennent, mais il faut un Mick Jagger. »

Alors que des projets de tournées en Australie et en Asie peinent à dépasser le stade de la discussion, le groupe commence à travailler sur ce qui deviendra *Undercover*, un album un peu fourre-tout qui propose un titre éblouissant et inventif, *Undercover (of the Night)*. Mais, l'atmosphère entre Mick et Keith s'étant considérablement refroidie, il devient nécessaire de faire le point, souvent avec la distance d'une activité annexe. Charlie et Bill (qui a pris un virage vers la pop, avec le hit au Royaume-Uni *(Si si) Je Suis un Rock Star*) en profitent pour accepter l'invitation de Glyn Johns à participer aux concerts ARMS de 1983.

Pour lever des fonds pour la recherche contre la sclérose en plaques et en soutien à leur vieux copain Ronnie « Plonk » Lane, qui s'est vu diagnostiquer la maladie en 1977, un groupe de potes comprenant Eric Clapton, Jeff Beck et Ray Cooper donne un grand concert caritatif à l'Albert Hall. L'organisation enchaîne avec une série de concerts aux États-Unis, comprenant les apparitions de Ronnie Wood, Joe Cocker et Paul Rodgers. C'est comme un *hall of fame* avant l'heure, parti des meilleures intentions et bientôt miné par les abus.

« Quand on a fait la tournée avec Beck, Page, Eric et toute la bande, l'argent a été détourné, explique Bill. Le million de dollars qu'on avait levé s'est volatilisé. Quelqu'un s'est barré avec la caisse, c'était écœurant. Alors on a formé Willie and the Poor Boys avec Andy Fairweather-Low, tout ça pour ramener des sous pour

Ronnie. Beaucoup de gens nous ont rejoints, et Charlie aussi est venu travailler avec nous. »

Cela débouche sur un album et un concert à Londres. « On a filmé une émission spéciale au Fulham Town Hall sur deux jours, se souvient Bill. On attendait un plombier dans la loge où on tournait, parce qu'il y avait un problème avec les robinets ou je ne sais quoi. Chris Rea s'est pointé, lui aussi était invité. Il entre, et Charlie le prend pour le plombier ! C'était tout Charlie, ça. Chris m'a envoyé un mail la semaine dernière et l'a simplement signé "Chris, le plombier qui chante".

« On enregistrait à The Mill, à Cookham, qui a appartenu à Gus Dudgeon, puis à Jimmy Page, puis à Chris. Charlie s'endormait par terre dans une des salles. Les autres musiciens n'en revenaient pas. "Il dort, qu'est-ce qu'on fait, est-ce qu'on le réveille ?" ; "Non, il est comme ça, laisse-le, ça ne fait rien." »

La tournée américaine des Stones en 1981 et sa prolongation européenne vont être suivies par la plus longue pause de l'histoire scénique du groupe. Entre leur dernier concert au Roundhay Park, à Leeds en juillet 1982, et le mastodonte qui déboulera à Philadelphie en ouverture de la spectaculaire tournée *Steel Wheels* à la fin de l'été 1989, ils ne vont monter qu'une fois sur scène en tant que groupe : lors de l'hommage funèbre à leur très cher Ian « Stu » Stewart, au 100 Club, à Londres.

Pour une soirée et une seule, c'est le retour aux clubs rhythm and blues de leur jeunesse, avec une foule d'amis qui viennent les rejoindre sur scène (Beck, Bruce, Clapton, Townshend) et encore bien d'autres dans le public (Glyn Johns, P. P. Arnold, Kenney Jones, Bill Graham et compagnie). Le programme est empreint d'une nostalgie de mise, réchauffant des classiques comme *Route 66* et *Little Red Rooster*, et même deux chansons qui n'ont pas vu la lumière du jour depuis les années 1960, *Confessin' the Blues* de Jay McShann et *Down in the Bottom* de Howlin' Wolf.

180

Stu, le fidèle pianiste des débuts, le roadie qui n'avait pas un physique de star, qui a cornaqué ses copains pendant presque vingt-cinq ans, qui préférait le golf au rock 'n' roll, et qui avait quand même le droit de les appeler « ma petite pluie de merde ». « C'était lui l'organisateur des Stones, a commenté Keith. D'une certaine manière, c'est encore son groupe. »

La première fois que Charlie a vu Stewart, son sens de la mode a été gravement heurté : Stu était en short. « Il n'a jamais changé depuis le jour où je l'ai connu, a-t-il dit. Il n'a jamais fait aucun effort pour se mettre au diapason des années 1970 – et moi non plus d'ailleurs, mais j'ai quand même essayé, et j'ai eu l'air d'un con. La première fois que je l'ai vu au début des années 1960, il était exactement le même que quand je lui ai dit au revoir sur les marches du Fulham Town Hall, un jour ou deux avant sa mort. Il était en jean, mocassins et cardigan de la marque au crocodile, comme toujours, et il partait jouer au golf – comme toujours. Stu nous déposait et s'en allait, et pour le retour on devait poireauter le temps qu'il termine un parcours de golf quelque part. »

On situe généralement le moment où les Rolling Stones ont touché le fond à la période de l'album *Dirty Work* de 1986, et Ronnie Wood affirme qu'on peut mesurer la dégradation du mariage Jagger-Richards au fait que lui-même a réussi à coécrire quatre chansons dessus. Mick est généralement pointé du doigt comme le méchant dans l'affaire, parce qu'à ce moment-là il signe un contrat solo avec CBS et sort *She's the Boss*, le premier de deux albums solo en deux ans et demi, et parce qu'il tourne avec son propre groupe.

Tony King apporte cependant un autre son de cloche. Selon lui, Mick sent à cette époque que les Stones ne sont pas en état de tourner, et le dernier dommage collatéral en date n'est autre que Charlie, qui à la quarantaine avancée, a pris tardivement de vilaines habitudes. Son étonnante dégringolade dans une période de toxicomanie (heureusement brève, mais grave) atteint son paroxysme à Paris pendant les sessions pour *Dirty Work*. Un album mal-aimé, supervisé par le coproducteur Steve Lillywhite, qui a pourtant ses bons moments comme la reprise féline de *Harlem Shuffle* et le pensif *Sleep Tonight* de Keith.

Deux soirs après l'hommage à Stu, tous les Stones se trouvent aux Kensington Roof Gardens pour une prestation en live aux Grammy Awards de 1986, où Eric Clapton leur remet une récompense pour l'ensemble de leur œuvre. Deux choses se remarquent immédiatement : premièrement, l'absurdité du fait que les Stones n'aient non seulement jamais reçu de Grammy mais n'aient même jamais été nommés avant 1978 ; deuxièmement, le physique squelettique et maladif de Charlie.

C'est là qu'intervient une histoire qui a fini par acquérir un statut presque mythique et qui, ayant été largement répétée et enjolivée au fil des décennies, a reçu une nouvelle couche de broderies fantaisistes à la mort de Charlie. Les circonstances et les détails ont beau avoir été bricolés et retouchés, il y a un fond de vérité que Charlie lui-même assumait. Le chœur assourdissant des rumeurs, cependant, empêche presque entièrement d'en établir une version définitive. L'incident s'est produit soit à Amsterdam soit à New York. Mick portait, ou pas, la veste de smoking de Keith. Charlie a collé un bourre-pif à Mick, ou peut-être que non. Mick serait tombé dans un plat de saumon fumé et aurait failli passer par la fenêtre, ou pas.

« Keith a inventé une version de cette histoire, constate sans rancune Bill, en éternel archiviste des Stones. Il dit que c'était à Amsterdam, et que c'est lui qui a empêché Mick de passer par la fenêtre. Tout est inventé ! Il fait toujours ça, Keith. C'était à New York, et Mick recevait du beau monde dans sa suite. Je le tiens de Paul Wasserman, qui était notre attaché de presse, car il y était [poids lourd des relations publiques, « Wasso » avait d'autres clients tels que les Who, Bob Dylan et Neil Diamond]. Nous, on n'était pas là. Keith dormait.

« Charlie est descendu pour chercher quelqu'un qui soit encore debout, comme à son habitude. Donc il est descendu, est entré dans la loge, et Mick a lancé [à ses amis] : "Tiens, voilà mon batteur !" Là, Charlie a vu rouge. "Je ne suis pas ton batteur, bordel, c'est toi qui es mon chanteur !", et bim ! il l'a envoyé voler à travers la pièce. Évidemment, les invités de Mick étaient sous le choc. Charlie est simplement sorti et remonté dans sa chambre. »

Bill poursuit la version qu'il a eue des événements. « Mick a juste dit : "Il doit être bourré." Là, le téléphone a sonné et quelqu'un a décroché : "C'est Charlie. Je crois qu'il veut redescendre s'excuser." Alors, il y a eu des coups à la porte. Mick est allé ouvrir, et Charlie lui a balancé : "Et t'as pas intérêt à l'oublier !" et il l'a frappé à nouveau. Mick a volé encore à travers la pièce, et Charlie est allé se coucher. Je ne dormais pas, donc Paul Wasserman m'a appelé et m'a tout raconté ; j'ai appelé Keith, mais il était au lit, alors je lui ai raconté ça le lendemain matin. Heureusement, je garde toujours mes notes, donc je sais exactement ce qui s'est passé ce jour-là et qui était là. »

À ma grande surprise, Mick n'a pas esquivé le sujet quand nous nous sommes parlé avant la tournée *SIXTY* de 2022. « J'ai peut-être dit ça, mais ce n'est quand même pas le pire qu'on puisse dire de quelqu'un, non ? C'était plutôt amical. Et il ne m'a pas assommé, ni même touché. Quelqu'un l'a arrêté avant. Je me rappelle que j'étais près d'un balcon et que les types de la sécurité ont dit : "Ça suffit." Ce n'est pas allé jusqu'aux coups, ni rien. Le souvenir que j'en ai, c'est qu'il y a eu un incident, mais que ça s'est arrêté là. Et ça ne ressemblait pas du tout à Charlie. »

Cité dans *According to the Rolling Stones*, Charlie mêle gêne et justifications : « Le fond de l'affaire, c'est qu'il ne faut pas me chercher, tranche-t-il. Ce n'est pas une chose dont je suis fier, et si je n'avais pas bu je n'aurais jamais fait ça. »

Keith a pourtant un autre souvenir de Charlie perdant le contrôle, « et encore, concède-t-il, d'une manière très réservée. Une grande gueule avait dit quelque chose, on était dans un restau quelque part, aux États-Unis je crois. Je ne sais plus ce que c'était, mais Charlie l'a mal pris. On était ensemble sur une banquette – je crois qu'il y avait deux autres mecs avec nous, je ne suis pas sûr –, et Charlie a commandé, puis il s'est levé et s'est approché du type. Il lui a dit : "J'ai entendu", et boum ! il a foutu le mec par terre. »

Tony King s'alarme de voir à quel point la défonce change Charlie en tant que personne, mais heureusement, et à temps, le batteur se regarde dans la glace, au sens propre comme au figuré. « J'étais personnellement dans une situation infernale, au point que je n'avais pas vraiment conscience des problèmes entre Mick et Keith, ni du fait que ces problèmes menaçaient l'existence même du groupe, s'est-il rappelé. J'étais dans un sale état, je consommais beaucoup de dope et d'alcool. Je ne sais pas ce qui m'y a poussé si tard dans ma vie, même si avec le recul j'imagine que je devais être en pleine crise de la quarantaine. Je ne m'étais jamais sérieusement camé quand j'étais jeune, mais à ce moment-là de ma vie je me suis dit : "Eh merde ! je vais faire ça maintenant", et j'y suis allé à fond.

« Ce qui me faisait peur, c'est qu'en m'engageant sur ce chemin je devenais quelqu'un de tout à fait différent du type que tout le monde connaissait depuis plus de vingt ans. Il y a des gens qui peuvent fonctionner comme ça, mais pour moi c'était très dangereux, car je peux tomber facilement. Je n'ai simplement pas la constitution pour. Cette phase a duré deux ans, mais j'ai mis beaucoup de temps à m'en remettre, et ma famille aussi. »

Lors de notre première rencontre, Charlie s'est opposé au fait d'être considéré comme l'élément raisonnable, tant au sein des Stones que dans la communauté musicale en général. Cette remarquable confession est restée inédite jusqu'à présent. « Je ne suis pas si raisonnable que ça. Mais je me suis refusé aux excès jusqu'à environ quarante-cinq ans, soit la ménopause masculine, pourrait-on dire, et là j'ai tout essayé. Et j'ai bien failli me tuer. Je ne veux pas dire par overdose ou quelque chose de ce genre, je veux dire que j'ai failli me tuer spirituellement, failli foutre ma vie en l'air.

« J'ai fait tout ce qui ne me ressemblait pas, parce que c'est ce que vous font les drogues, elles vous flinguent de toutes sortes de manières. Et je buvais beaucoup. Bon, par chance, grâce à ma femme, j'ai tout arrêté. Moi qui ne m'étais jamais rien cassé, je me suis cassé la cheville en descendant à la cave chercher une énième bouteille de vin, chez moi. Je devais jouer au Ronnie's trois mois plus tard, c'est moi qui avais organisé ça pour mon big band. Et je me suis dit : "Ça suffit. C'est ridicule. Qu'est-ce que tu fous ?" Et j'ai pratiquement arrêté à partir de là, j'ai freiné sur tout.

« Quand j'y repense, c'était idiot, ce que j'ai fait, pendant cette courte période. C'est facile de se mettre minable, et c'est alors que les accidents arrivent, quand on est crevé et bourré. On peut tomber et se briser le cou pour un rien. C'est souvent ce qui arrive, non ? On se cogne la tête. Il y a un filet de sécurité qu'on ne sent plus. Et, quand la cinquantaine arrive, on ne tient plus le coup. »

Charlie a continué de mettre son âme à nu, et cela dès notre premier entretien. « Je buvais, et je fumais beaucoup, dit-il de ses années de jeunesse, mais je n'étais qu'un camé alcoolique occasionnel, deux jours par semaine, en gros. En revanche, il y a quelques années, je me suis mis à consommer à fond. J'ai déraillé. Alors, maintenant, je comprends par exemple comment Keith

Moon... Si vous avez ce tempérament, c'est facile de se foutre en l'air. Et c'était un type adorable, Keith. Très gentil. Timbré, mais de la meilleure manière possible. Il en faut, des personnages comme ça, sinon on se ferait suer, hein ? Mais je ne dis pas que c'est la came qui l'a rendu comme ça. Il était pareil même quand il n'avait bu qu'un verre de lait. »

Chris Kimsey livre son ressenti sur la période compliquée de Charlie : « Ça ne ressemble pas à Charlie. Ce n'était pas un toxico, je pense qu'il a seulement expérimenté pendant un moment. » Le plus vieil ami de Charlie, Dave Green, était au courant à l'époque que certains musiciens abusaient de substances illicites, mais pas pour Charlie. King l'a pourtant vu mal parler à sa femme, ce qui sautait particulièrement aux yeux chez cet homme aux manières impeccables. « Il n'allait pas très bien, à cette époque. Mais il s'en est remis », dit-il avec tact. La spirale des drogues dures a sans aucun doute mis en péril le couple de Charlie, mais ce dernier a fini par trouver la force d'admettre ce qu'il faisait subir à lui-même et à sa famille, et de s'en sortir.

« Mon père n'était pas un type en or 100 % du temps, reconnaît Seraphina. C'était un homme qui avait ses démons, comme tous les musiciens. Bien sûr il s'est sevré et il est resté sobre très longtemps, et cela sans en faire tout un foin, ni toute une histoire. Il a arrêté, sans partir en cure ni rien : il a cessé, c'est tout. » Chuck Leavell ajoute : « Quand il a décidé de se désintoxiquer, il n'a pas fait les choses à moitié. Il est devenu végétarien, n'a plus touché une goutte d'alcool ni rien d'autre. Il a vraiment pris un virage à 180 °. C'est dire s'il avait de la volonté. » Le principal inconvénient, d'après Charlie lui-même, est qu'il a aussi cessé de manger, vivant pendant six mois, comme il l'a dit, « d'eau, de raisins secs et de noix ».

Parmi tous ceux qui l'ont complimenté pour son réta-blissement et qui ont compris l'effort que c'était, Keith lui a adressé de riches louanges posthumes. Quelques années plus tôt, parlant des frasques de l'époque *Exile*, il avait volontiers reconnu : « Les drogues étaient l'outil, j'étais le laboratoire. » Mais il avait aussi souligné que, en ce début des années 1970, Charlie avait « quand même pas mal soutenu les producteurs de cognac ».

Aujourd'hui, Keith y repense : « Charlie savait boire, et tenir la boisson. Ce qu'il détestait dans l'alcool, c'était que ça le faisait grossir. La picole commençait à l'empâter, et ça, pour lui, c'était impardonnable. Quelques années plus tard, il a replongé une fois ou deux, à Paris. Mais Charlie n'a besoin de rien pour changer l'ambiance autour de lui. Il ferait le pire junkie du monde. » Sur la désintoxication de son ami, il ajoute avec admiration : « Je pense qu'il a réalisé : "J'ai traversé cette période", et qu'il s'est dit : "C'est fait, c'est bon, terminé, plus jamais." Chapeau ! Moi, j'ai mis dix ans. »

Pour Dave Green, c'est au contraire une période de souvenirs heureux, car il est invité à travailler de nouveau avec son ancien voisin et compère de jazz. « Il m'a appelé pour me dire : "Je vais remonter le big band et faire une semaine au Ronnie's, en cadeau de remerciement pour le club." Fantastique ! Le groupe était incroyable. Trop grand, même : deux ou trois batteries, deux contrebasses, deux vibraphones, douze trompettes. Extravagant. Le mot de *Variety* a été "éléphantesque". Personne n'aurait pu le faire à part Charlie, c'est lui qui a tout financé. Il nous a donné à chacun 1 000 livres pour la semaine, ce qui était très bien payé en 1985. On était… j'ai envie de dire quarante, mais ce n'était peut-être que trente-cinq. Ce que ça a dû coûter ! Ronnie, Pete [King] et le club ont gardé toutes les recettes. Et puis il a emmené le groupe aux States. » Charlie a déclaré à ses amis qu'il s'amusait comme un fou.

Les Stones étant justement inactifs, ces spectacles de big band traversent l'Atlantique en 1986, parcourent les États-Unis jusqu'en 1987, et accouchent du premier album portant le nom de Charlie. Le *Live at Fulham Town Hall* du Charlie Watts Orchestra demeurera une sorte d'élégant hommage à cette vaste formation, aussi raffiné que ses costumes sur mesure et comprenant des membres distingués tels Courtney Pine, Stan Tracey et, dans une filiation qui remonte jusqu'à l'époque de Blues Incorporated, Jack Bruce.

Tous ensemble, ils administrent un électrochoc de modernité à des standards du swing tels que *Stompin' at the Savoy* et le *Flying Home* de Benny Goodman et Lionel Hampton. Le *New York Times* note avec enthousiasme que dans *Lester Leaps In* « sept saxophones ténors crachent le feu et le soufre. Quand les sept trompettes et les quatre trombones entrent en jeu, on peut presque sentir trembler le plafond. »

Le choix du lieu – le Ronnie's que Charlie aime tant était peut-être déjà pris – est également parfait. « C'est une chance pour moi de ne pas avoir à jouer pour 90 000 personnes dans un festival de jazz, parce que, ça, je le fais déjà avec les Stones, a-t-il lancé. Donc je peux dire que j'ai envie de jouer au King's Head and Eight Bells pour vingt personnes, en me pointant quand ils veulent. Ça me donne ce genre de liberté. »

Les années 1987 et 1988 sont largement consacrées aux activités individuelles. Mick sort des disques solos et Keith aussi malgré sa réticence ; Ronnie se consacre à la peinture et Bill à des projets caritatifs, développant aussi des idées pour son futur restaurant, le Sticky Fingers. Charlie quant à lui revient à la vie dans la chaleur de son big band, qui se déplace deux fois aux États-Unis. Puis retour dans le Devon pour travailler à la restauration de l'équilibre familial.

Sa période de reprise en main produit, le temps qu'il rentre chez lui, d'heureux résultats en l'amenant à une vision claire de ce qu'il a été et de ce qu'il est devenu. L'analyse qu'il en fait, notamment dans *According to the Rolling Stones*, montre un homme d'une lucidité rare.

« Pendant que les Stones ne tournaient pas, raconte-t-il, j'ai monté un orchestre composé de tous les musiciens que j'aimais mais avec qui je n'avais jamais joué, ainsi que d'autres avec qui j'avais déjà joué, et je me suis retrouvé avec cette formation énorme. C'est une chose que je n'aurais jamais pu faire si je n'avais pas été dans cet état, mais en tout cas je suis très content de l'avoir faite, parce que j'ai pu travailler avec certains des grands que j'admire depuis tout petit. Donc ma sale période a eu ses avantages et ses inconvénients. Je regrette seulement de ne pas avoir eu la tête plus claire parce que ça aurait été mieux, mais d'un autre côté, sans les drogues, je n'aurais jamais eu le courage de demander à ces gens de jouer avec moi. Quand on a commencé à jouer, j'étais déjà sevré, ce qui fait que la première phase a été complètement cinglée et la seconde totalement sobre. »

La clarté nouvellement acquise de Charlie a un autre avantage, comme le décrit Tony King après des années passées à superviser la promotion du groupe : « Je me rappelle que, quand il a voulu que je travaille sur ses projets de big band, je l'ai prévenu : "Si tu veux que je bosse là-dessus, il va falloir que tu donnes beaucoup d'interviews." Il m'a répondu : "Je ferai tout ce que tu voudras." Mick m'a demandé une fois au studio : "Qu'est-ce que tu vas faire avec Charlie ?" J'ai répondu : "Plein de presse." Il m'a dit : "T'es sûr ?" Une fois passées toutes ces interviews sur le jazz, Charlie est devenu beaucoup plus ouvert pour faire des choses pour les Stones. Il avait compris que le monde de la presse n'était pas forcément la fosse aux lions. Ça dépend à qui on parle. »

Seraphina décrit le père qu'était Charlie pendant son adolescence dans le Devon, puis quand elle vivait à l'étranger et revenait de temps en temps voir ses parents. Il menait une vie domestique délicieusement éloignée de l'existence perpétuellement surveillée d'un musicien dans un groupe mondialement connu. « Un type bien, mais pas un homme parfait, dit-elle. Un homme juste, mais parfois impossible à vivre. La vaisselle, mon Dieu ! J'ai une photo de lui devant l'évier. Il aimait que les choses soient rangées d'une certaine manière, et il était extraordinaire pour faire le thé. Ce sont les petites choses de tous les jours. Maintenant, chaque fois que je fais la vaisselle, je lui parle.

« Le temps passe trop vite, ajoute-t-elle doucement. On regrette de ne pas avoir posé plus de questions, de ne pas en avoir su davantage. Bien sûr, moi qui vivais depuis si longtemps aux États-Unis, je lui demandais, à lui qui voyageait tant : "Tu ne trouves pas que ça a changé ?", et il trouvait que si. Mais c'était très difficile de le faire parler, de le cuisiner, d'avoir ses opinions. Il répondait souvent : "Je ne sais pas", ou : "Ça m'est égal." Enfin, j'ai essayé. »

Sa petite-fille, Charlotte, se souvient d'une fois où son parrain, Tony King, est venu passer Noël avec la famille. « Il a offert à Pa[1] un tablier, très chic évidemment, parce qu'il avait vraiment la manie de ranger et d'éteindre les lumières. Il était très très maniaque. On ne pouvait pas ouvrir un cadeau sans qu'il nous tourne autour avec un sac pour tout ramasser. Le papier n'avait même pas le temps de toucher le sol. Alors Tony lui a acheté un tablier de majordome, parce qu'il était toujours à nettoyer autour du sapin. Toujours en train de faire la vaisselle. »

Un autre mégagroupe qui a vécu dans la promiscuité pendant une éternité, les Eagles, a fini par déclarer de manière retentissante qu'il gèlerait en enfer avant qu'ils retravaillent ensemble. Avec leur humour bien à eux, ils ont ensuite repris l'expression pour le titre de l'album de leur reformation, *Hell Freezes Over*. Pour les Stones, le dégel arrive hors saison, en plein hiver, début 1989. Mick

---

1. Charlotte appelait Charlie « Pa », comme Seraphina.

et Keith, pendant l'été, ont prudemment évoqué l'idée de trouver un terrain d'entente mais, tous deux étant sur le point de partir en tournée solo, ils avaient peu de chances de conclure un accord digne des Nations unies.

Cependant, une fois ces tournées terminées, le groupe revient au centre du jeu, les jumeaux se remettant à scintiller timidement lors d'une rencontre à la Barbade qui combine rapprochement diplomatique et écriture de chansons. « On s'entendait plutôt bien quand on se limitait au travail », a confié Mick. Leur arrivée à New York pour l'intronisation du groupe au Rock and Roll Hall of Fame n'est pas franchement un brillant exemple d'unité de groupe, Bill et Charlie ne faisant même pas le voyage, mais peu après les cinq se réunissent pour des répétitions à la Barbade suivies de sessions d'enregistrement à Montserrat. L'ère moderne des Rolling Stones est sur le point de commencer, et le rôle de Charlie va prendre plus d'importance que jamais.

Chris Kimsey, revenu au bercail, piaffe d'impatience. « Quand on m'a demandé de faire *Steel Wheels*, j'avais déjà une idée du son que devrait avoir cet album, dit-il. J'avais entendu les chansons, car il était convenu que Mick et Keith écriraient quelque part ensemble, au lieu de laisser tout le monde se pointer et créer les chansons au studio, ce qui aurait pris au moins un an. Ils sont allés faire ça à la Barbade, donc j'ai pu entendre les chansons assez tôt. J'avais [imaginé] ce son, un album presque en technicolor, assez luxuriant, pas brut comme *Exile*, pas léché mais avec un son plutôt riche, et je pense avoir réussi. Il est vraiment intéressant, différent de ce qu'ils avaient fait avant. J'ai pris beaucoup de plaisir à travailler dessus. »

Dans certains cercles, le groupe est à présent accusé de s'autoparodier, comme en hommage à lui-même. Mais *Steel Wheels* est un disque qui contient des pépites sous-estimées, y compris un tube tardif qui se classe parmi les classiques des Stones, *Mixed Emotions*, ainsi que l'émouvant *Almost Hear You Sigh*, un formidable rappel de Richmond avec *Break the Spell* (qui offre même l'habile jeu d'harmonica de Mick, dont Keith a toujours chanté les louanges) et la touchante conclusion de Keith, *Slipping Away*. Pour Kimsey, c'est un morceau sur lequel Charlie ne joue *pas* qui amène un moment révélateur.

Continental Drift est un semi-instrumental hautement inhabituel, très excitant niveau percussions, avec une ambiance mystique marocaine, rehaussée par la présence des Master Musicians of Jajouka. Il passe au moment où le groupe monte sur scène pendant le volet européen de la tournée *Steel Wheels* de l'été 1990, *Urban Jungle*, le rendant inoubliable.

À la fin du mixage de l'album chez Olympic, Kimsey se souvient : « Charlie n'était pas sur ce morceau. Il y avait les percussionnistes africains, et Keith jouait du vélo. Il avait emprunté le vélo d'un assistant, l'avait posé par terre sur la selle, et il tournait les pédales pour entraîner les roues, sur lesquelles il tapait avec une baguette. On a essayé d'ajouter Charlie. On avait une piste, alors on l'a installé, il a mis les écouteurs, et au bout de trois minutes il les a enlevés en disant : "Eh merde ! je ne sais pas faire ça. Les overdubs, très peu pour moi : moi, je joue en live." Et il avait raison. Charlie réagissait aux musiciens autour de lui. Il n'avait pas un rôle particulier en tête, il jouait en fonction des autres. »

La sortie de l'album est aussi l'occasion d'un documentaire vidéo, intitulé *25x5*, marquant le vingt-cinquième anniversaire de l'année de la conquête des Stones, (à partir de 1964 plutôt que de 1962, celle de leur premier concert, qui deviendra par la suite leur année zéro). Charlie y prononce l'une de ses fameuses répliques, apparemment sans préméditation ni préparation. Pour être précis, la question était : « Vous avez dû pas mal traîner avec les Stones, en vingt-cinq ans passés ensemble, non ? »

Et sa réponse, spontanée, a fusé : « Cinq ans à bosser, vingt à glander. » Bill se la remémore en riant : « Ça, c'était vraiment son truc. Il était doué pour résumer les choses en une phrase. »

« Quiconque se trouvait dans son sillage se faisait plus ou moins balayer, rigole Ronnie. Je me rappelle qu'on avait été invités à l'émission de Geraldo Rivera, aux États-Unis, et qu'ils en faisaient toute une affaire. Charlie a été installé en plateau, et Geraldo était là : "OK, moteur. Bon, Charlie…" Et lui l'a coupé : "Une seconde. Je ne vous connais pas, vous ne me connaissez pas, alors qu'est-ce que je fais là ?" Là-dessus, il s'est levé et est parti. C'est dire s'il supportait les interviews. »

Steel Wheels voit aussi l'arrivée de choristes qui vont jouer un rôle immense dans les tournées des Stones dans les décennies à venir. Lisa Fischer et Bernard Fowler deviennent des piliers du groupe en live, rejoints en studio pour cet album par Sarah Dash, une ancienne de Labelle, qui a chanté sublimement en duo avec Keith sur le somptueux *Make No Mistake* de son premier album solo, *Talk Is Cheap*, l'année précédente. Fischer, l'une des choristes les plus imprégnées de soul qui aient jamais croisé le chemin du groupe, faire-valoir détonnant pour Mick, tisse un lien particulier avec Charlie.

« On les appelle mari et femme, dit Tony King. Sur scène, on ne voyait qu'elle. Quand elle faisait *Gimme Shelter* avec Mick, c'était extraordinaire. » Seraphina ajoute, à propos de l'hommage rendu à Charlie en décembre 2021 au Ronnie Scott's : « Mon père l'adorait, c'est pour ça qu'elle a chanté à la cérémonie. On lui a demandé de le faire spécifiquement pour nous. En tournée, il redoutait le moment où elle l'appelait, courait vers lui et le serrait dans ses bras. Il lui disait : "Ouh ! va-t'en !" Il y avait quelque chose de magnifique entre eux deux. »

« J'ai rencontré Mick d'abord, raconte Fischer, puis ils nous ont expédiés par avion, Bernard, Sarah Dash et moi, dans un studio pour enregistrer *Steel Wheels*, quelque part à Londres, et Ronnie et Keith étaient là. Je ne me souviens pas d'avoir vu Charlie à cette session. J'ai fait connaissance avec lui une fois mon poste un peu plus assuré, car je crois qu'il voulait me tester d'abord.

« J'ai plus de souvenirs de lui en coulisse ou en répétition, où il avait tendance à aller et venir discrètement, à la manière d'un fantôme. Il se déplaçait toujours en silence, on ne l'entendait pas arriver, il apparaissait, comme par magie. Ou bien quand on finissait par le remarquer, il était dans un coin en train de vous observer, se confondant presque avec les murs, et il vous lançait ce regard : "Qu'est-ce qu'elle fait là ?" Ou bien il parlait avec Tony King, qui était un ami très proche. Ils avaient une énergie similaire, très classieuse. Ils semblaient tellement bien s'entendre, et quand ils étaient comme ça l'un près de l'autre, plongés dans leur conversation, on voyait à leurs têtes qu'il valait mieux ne pas aller les déranger.

« Parfois, Charlie pouvait être taquin, par exemple lorsque je mangeais quelque chose de pas raisonnable. "Qu'est-ce que tu fais avec ça ?" ; "Charlie, lâche-moi." Il vous grillait toujours. Mais il ne jugeait pas, il agissait seulement comme un miroir pour révéler des choses pertinentes sur vous.

« Après ça, j'essayais toujours de le chambrer, gentiment, c'était comme un jeu. Par exemple, je le coinçais lorsqu'il était derrière la batterie sur scène, il ne pouvait aller nulle part, impossible de me fuir. En général, quand je commençais à l'embêter en lui disant : "Oh ! mon Charlie, t'es tellement chou !" il partait en courant. Il pouvait être tellement timide, il prenait ses jambes à son cou. Il ne voulait surtout pas de ça ! Il ne voulait pas entrer dans ce petit jeu, parce que ça ne lui ressemblait pas. »

La tournée *Steel Wheels* est un spectacle taillé pour les stades, un monstre en kit nécessitant quatre-vingts camions rugissant d'une ville à la suivante, interprété par un groupe qui a retrouvé toute sa motivation à prouver qu'il demeure sans rival. Les Stones entrent en scène entre feux d'artifice et tours de flammes. C'est leur premier roadtrip avec Fischer et Fowler, plus l'as du clavier Chuck Leavell en renfort – et leur dernier avec Bill.

Tony King se rappelle une date qui a émerveillé une autre étoile de son panthéon personnel. « Elton John est venu à un concert [près de] Chicago, et il est resté debout toute la soirée. Shirley me regardait, et elle m'a lancé : "Elton est à fond, hein ?" Il donnait des coups de poing en l'air. On avait les meilleurs choristes, Lisa, Bernard, et aussi Cindy Mizelle, sur cette tournée. Je n'ai jamais entendu de meilleurs chœurs que ces trois-là ensemble. J'adorais quand Cindy était aussi là. Et le groupe était conscient d'avoir quelque chose à prouver, alors il donnait tout. »

Au bout de plus de vingt-cinq ans, le futur vient de commencer. De manière étourdissante, Charlie Watts va y jouer un rôle indispensable pendant encore presque trente ans.

6
Tour du monde
et retour au bercail

À l'aube des années 1990, la discrète influence de Charlie comme conseiller graphique pour les Rolling Stones prend plus d'importance que jamais. Ils ont beau récolter les dividendes de leur célébrité inégalée, à un niveau jamais atteint pendant la première phase de leur existence, ils risquent bien de décrocher ce statut décrit plus tard avec dédain par le *New York Times* : celui d'« une organisation aux longues traversées du désert et aux profits infinis ». Mais sur les sommes astronomiques que rapporte leur empire, une grande partie est reversée directement dans l'affaire afin d'assurer qu'ils restent toujours plus grands, plus forts, plus spectaculaires que leurs concurrents pourtant largement inoffensifs.

Charlie n'est pas un aficionado des stades, mais il comprend bien l'économie de base. Ainsi, il a expliqué lors d'un entretien en 1998 : « Vous restez un mois dans une ville pour jouer devant 30 000 personnes. Vous allez jouer où, dans une salle de 3 000 places ? Les stades, c'est pour accueillir tout ce monde, en espérant les remplir. Et c'est ce que nous sommes devenus. C'est notre faute, ou notre plaisir, appelez ça comme vous voulez. C'est en tout cas la direction que nous avons prise. C'est ce qu'est devenu le monde avec notre manière de faire.

« Et on est dans un monde où on se suit soi-même, en réalité. Vous avez de temps en temps un groupe comme U2 : "Ils ont fait combien à Denver ?" et vous vous dites : "Mince ! on a intérêt à faire aussi bien." C'est une sorte de rivalité amicale, d'une certaine manière. Et souvent, il n'y a que vous qui avez déjà joué là-bas, donc c'est plutôt : "Pourquoi on ne fait pas aussi bien que la dernière fois ?" et c'est comme ça qu'on s'inquiète. »

Charlie et Mick travaillent en proche collaboration sur la tournée *Steel Wheels* avec le feu scénographe Mark Fisher et le régisseur lumière Patrick Woodroffe. Ils remportent la première récompense décernée par le magazine professionnel *Pollstar* pour la production scénique la plus créative. La tournée se prolonge à tel point que son volet européen porte un nom différent, *Urban Jungle*, avec un nouveau décor.

Fisher est le fondateur de Stufish, le bureau de scénographes dont la relation avec les Stones se poursuivra jusqu'aux festivités de *SIXTY*, en 2022. Au moment où Stufish préparait le lancement de cette tournée européenne – malheureusement sans nouvelle contribution de Charlie –, le P-DG actuel, Ray Winkler, a évoqué *Steel Wheels* dans le *Guardian* : « La tournée était, pour l'époque, la plus énorme simplement par le volume des différents éléments utilisés pour construire la scène. Il a fallu plus de cent personnes pour la monter. Elle faisait cent mètres de large et était flanquée de deux tours de vingt-cinq mètres, sur lesquelles Mick Jagger apparaissait au moment de *Sympathy for the Devil*. C'est là qu'est née l'industrie moderne des tournées : quand l'architecture et la musique se sont alliées pour former ces shows rock à grand spectacle. »

Mick Taylor, en tant qu'ex-membre du groupe mais aussi que simple admirateur, est entièrement d'accord. Il m'en a parlé en 2013, alors qu'il avait temporairement réintégré le groupe pour les célébrations du cinquantième anniversaire des Stones et la tournée *14 on Fire* : « Je dirais que les débuts des Stones modernes, en matière de scénographie, c'était… Bon, ça avait toujours été très théâtral et aussi musical mais, en matière de grand spectacle et d'éclairage de scène, il y a eu une évolution gigantesque entre 1969 et les années 1980. Leurs tournées sont devenues vraiment géantes. Tout ça, ça a commencé avec *Steel Wheels*, en fait. Je les ai vus en 1999, au stade de Wembley, et c'était fantastique. »

La fille de Charlie, Seraphina, rayonne de fierté quand elle évoque l'importance cruciale de son père dans ces choix visuels pour lesquels il n'est pas crédité. « Il était derrière le processus créatif, ces mégatournées, ces scènes, avant U2, avant tous ces mecs-là, témoigne-t-elle. Avec son bagage de graphiste, il faisait le merchandising, la conception des scènes. La direction artistique, quoi. Il s'impliquait dans l'éclairage, tout ce travail en coulisse. Ils ont une équipe vraiment fabuleuse, [toujours] les mêmes, et je ne pense pas que les gens sachent à quel point il était impliqué. »

Charlie, naturellement, minimise son rôle. « C'est Mick, en réalité, moi je l'accompagne. C'est nous. Puis une fois qu'on est sur la route, j'ai tendance à laisser tomber, mais lui reste attentif à beaucoup plus de choses. Il travaille énormément. Et puis les gens s'adressent davantage à lui. Heureusement, ils ont appris à ne pas venir me trouver, ajoute-t-il en riant. "Ce vieux grincheux, n'allez pas le voir." »

Au bout d'une année et de cent quinze concerts, la mégatournée *Steel Wheels/Urban Jungle* fait ses adieux avec deux concerts de plus au stade de Wembley, en août 1990, ce qui fait cinq en tout là-bas, un total impressionnant. À l'un d'eux, je me rappelle distinctement Ronnie jouant un solo et profitant des applaudissements un peu plus longtemps que d'habitude – tout cela pour apprendre ensuite que nous acclamions en fait un but de l'équipe d'Angleterre en Coupe du monde. « Moi, je me disais : "Waouh ! j'avais pas réalisé qu'on jouait aussi bien" », raconte le guitariste.

Aussi absurde que soit le destin d'un homme qui rêvait de jouer dans un club de jazz et qui se produit devant un total de 5,5 millions de personnes en une seule tournée,

Charlie m'a confié peu après qu'il trouvait ces énormes spectacles faciles. « C'est très commode de jouer avec les Stones. À l'heure actuelle, c'est très commode, parce que… » (Encore une de ses pauses inattendues, suivies d'un brusque changement de sujet.) « Voyons… Les concerts de deux heures, à mon avis, c'est la faute de Led Zeppelin. Tu comprends, en quelques années, on est passés de vingt minutes, tous les tubes, et c'est fini – appelons ça la revue Apollo – aux clubs à deux sets par soirée – ce qui était très marrant – puis à deux minutes parce que la scène était envahie et à des concerts type Apollo de vingt minutes à nouveau, et enfin à ce show de deux heures – merci Led Zeppelin.

« Quand vous êtes Jimmy Page, vous pouvez faire ça, sans compter Bonham et ses solos de batterie de vingt minutes. Avec nous, ce n'était pas pareil, c'était autre chose. Je n'aime pas jouer des solos, point final. Je n'entends pas les choses comme ça. Quand les Zep, comme on les appelle, faisaient ça – c'était quand ? le début des années 1970, je suppose –, c'était éprouvant physiquement parce que les enceintes de retour n'étaient pas top, vu le volume auquel on jouait. Comme batteurs, je veux dire. Mais, maintenant, l'équipement audio est tellement sophistiqué ! Le plus dur pour un batteur sur ces grandes scènes, c'est d'être entendu. Aujourd'hui, ça se fait pratiquement tout seul. L'amplification est là, donc je joue naturellement, au volume dont j'ai envie, dans cette petite cage où je vis, et les gens avec qui on bosse règlent le volume. »

Chuck Leavell est entré dans l'équipe qui accompagne les Stones au moment de la tournée européenne de 1982 et est resté pour les deux albums suivants. Le choix de le garder quand le cirque de *Steel Wheels* prend la route s'impose naturellement. Pilier du rock du Sud, déjà admiré quand il était membre de l'Allman Brothers Band, il est lui aussi un élément important dans l'avenir d'un groupe qui n'a aucune intention de prendre sa retraite. Il sera plus tard promu directeur musical des concerts des Stones et va trouver un mode de communication particulièrement important avec Charlie.

Leavell a vu les Stones pour la première fois à treize ans, payant ses trois dollars pour assister à leur concert commun avec les Beach Boys et les Righteous Brothers au Legion Field, dans sa ville natale de Birmingham (Alabama) en 1965. Il était de nouveau dans le public lors de la tournée américaine de 1969, où il a fait connaissance avec Charlie pendant que les Allman se produisaient pour la première fois en Europe, leur deuxième concert étant en première partie de Knebworth, en juillet 1974. Contrairement à ses habitudes, Charlie était présent à la soirée donnée par leur label, où Chuck lui a demandé sur le ton de la conversation : « Comment ça va, mec ? » Charlie, fidèle à lui-même, lui a fait cette réponse quelque peu déroutante : « Tu veux dire pour moi ou pour les autres ? » Leavell se rappelle : « Il était très cordial, si on met de côté ses réponses laconiques. »

Charlie, comme les autres membres des Stones, donnait l'impression de tout faire d'instinct. Mais il faut beaucoup de répétitions et de symbiose pour maîtriser un concert de deux heures et demie qui touche aux plus précieux souvenirs musicaux des spectateurs, et Leavell a tenu un rôle crucial dans ce processus. « Charlie a joué sur quelques-uns des disques les plus mythiques jamais sortis, évidemment, dit-il. Mais, quand on allait les présenter en live, il ne pouvait pas toujours se rappeler exactement tout ce qu'il avait fait, ni où il y avait des changements.

« C'est en grande partie là que j'intervenais dans mon rôle de directeur musical, pour aider Charlie quand la section B allait arriver. Il se tournait toujours vers moi pour ça, et c'était vraiment quelque chose de pouvoir lui donner ces indications. Ce n'était pas seulement pour Charlie, je le faisais aussi pour Mick : parfois il était là, à chauffer le public, et il me regardait pour que je lui dise "couplet" ou "refrain". Mais avec Charlie, en particulier, on avait ce genre de lien, et ça me touchait beaucoup. C'était énorme, pour moi, de pouvoir faire ça. » L'investiture par les Stones de Steve Jordan, ami et collaborateur de longue date, pour remplacer puis succéder à Charlie a apporté une continuité admirable, mais aussi un changement inévitable dans la dynamique de la scène. « Très franchement, pendant la tournée [de 2021, la reprise des dates nord-américaines de *No Filter*], ça m'a manqué, parce que Steve Jordan a un grand sens musical et qu'il n'a pas vraiment besoin de mon soutien là-dessus. »

Charlie était immensément fier du dévouement des Stones à leur travail, mais il savait que cela contredisait quelque peu l'idée injuste selon laquelle leur hédonisme collectif aurait sapé leur engagement dans leur art. « Ce que beaucoup de gens ne savent pas, c'est que les Rolling Stones sont théâtraux et terriblement professionnels, disait-il. Ils l'ont toujours été, dans tous les aspects, grands ou petits, de leurs talents. Le groupe n'a annulé qu'une seule fois, et je n'ai manqué qu'un concert parce que je m'étais trompé dans les dates [en 1964, comme nous l'avons vu]. Même quand on était de jeunes branleurs, ce qu'on n'a jamais vraiment été... Tout ça, c'était en grande partie de la foutaise. Je connais des gens qui étaient bien plus... je ne sais pas quel est le mot. La presse est une chose redoutable, pardon de le dire. Je n'arrive pas à la lire. Je feuillette les pages sur le cricket, et ça s'arrête là. »

La tournée *Steel Wheels/Urban Jungle* achevée, Charlie peut rentrer chez lui et se consacrer à son nouveau projet jazz : la réédition de son projet d'études, le livre *Ode to a Highflying Bird*, dessiné une trentaine d'années plus tôt. Au printemps 1991, le livre est réimprimé par UFO Records et complété par le mini-album *From One Charlie...* Enregistré au studio Lansdowne de Londres, il comprend Dave Green à la contrebasse ; le leader de big band Peter King – qui n'a rien à voir avec son homonyme, connu sous le nom de Pete King, qui a longtemps été le gérant du Ronnie Scott de Soho – au saxophone ; Brian Lemon au piano ; et un petit jeune fraîchement découvert, Gerard Presencer, à la trompette. Ensemble ils forment le complément parfait au livre, combinant cinq nouvelles compositions de King avec deux originaux de Bird, *Bluebird* et *Relaxin' at Camarillo*.

Les instincts de graphiste de Charlie l'ont poussé à rejeter beaucoup d'offres de rééditions dans le passé parce qu'en voyant les épreuves il n'était jamais satisfait des couleurs. « Le livre était un exercice de dessin, et nous l'interprétions musicalement, m'a-t-il expliqué lors de notre première rencontre, en août 1991. Peter King a écrit la musique pour moi : je choisissais des passages à illustrer musicalement, et Peter écrivait dessus. C'est vraiment bien observé. Je n'ai omis qu'une chose dans le livre, c'est de mentionner la section des cordes, mais on le fait en musique. »

Ses explications sur la manière dont il entendait le livre montrent bien la précision de ses connaissances et l'enthousiasme vorace qu'il avait pour cette musique. « Mes instructions pour Peter, en ce qui concerne l'écriture, c'était que je voulais que le groupe sonne comme la formation que [Charlie] Parker avait rassemblée au studio pour quatre morceaux. Celle avec Red Rodney, qui se trouvait justement à Londres et à New York quand on y a joué récemment, si bien qu'il est venu jouer avec nous.

« Il y a donc un lien extraordinaire avec Parker. C'est parti du livre d'il y a trente ans jusqu'à ce disque, et le groupe dont je voulais retrouver le son, c'était le groupe de Red Rodney, avec Kenny Clarke à la batterie, un de mes batteurs préférés, John Lewis au piano et Ray Brown à la contrebasse. La seule chose qui aurait pu surpasser ça, c'est si Parker avait pu être en vie et jouer avec nous. On ne peut pas s'en rapprocher plus que ça. »

Alors que Charlie franchit le cap de la cinquantaine, *From One Charlie…* s'anime dans des spectacles, notamment un concert d'un soir tout droit sorti de ses rêves, au Blue Note à New York, avec Bernard Fowler, maintenant bien installé à bord du navire des Stones, qui fait une lecture du texte. Keith est dans le public. Le quintette se produit aussi à Tokyo et, un peu plus tard dans l'année, cette œuvre illustrée fait partie de leur semaine de concerts qui ouvre le nouveau club de Scott à Birmingham, cette fois avec Ronnie parmi les spectateurs.

« C'est pour moi un grand honneur qu'on m'ait demandé d'être ici, déclare Charlie avant l'événement (avec une modestie tout à fait superflue), parce que je ne suis pas très connu dans ce monde-ci. Je pense qu'ils auraient pu inviter 1 000 autres personnes. Mais ça va être sympa. » Cette prestation donne lieu à l'album live du Charlie Watts Quintet, *A Tribute to Charlie Parker with Strings*.

Cet élan se prolonge jusqu'au printemps 1992 en Amérique du Sud, avec pas moins de onze concerts au Brésil, avant qu'une glissade à la maison et une fracture du coude ne provoquent l'annulation des dates prévues en Allemagne. Mais il y a ensuite d'autres concerts aux États-Unis, dont de nouvelles dates au Blue Note, cette fois encore avec Keith dans le public. Après un concert au Hollywood Palace, *Variety* écrit avec enthousiasme que c'est « peut-être bien le projet solo artistiquement le plus réussi d'un membre des Rolling Stones, toutes catégories confondues ».

La conclusion de Charlie est simple et sans détour. « Ce qui serait bien, ce serait que les gens l'entendent et se disent : "Bien, maintenant j'aimerais écouter l'original", et qu'ils achètent l'album *Charlie Parker with Strings* ou les grandes choses qu'il a faites chez Verve. »

La vie domestique continue dans le Devon, avec les priorités et distractions habituelles. La revue d'antiquaires

Antiques Trade Gazette rapporte, par exemple, que Charlie a été aperçu à la Foire des antiquaires d'Irlande à Dublin. Le conflit entre Mick et Keith étant en sursis et la civilité restaurée (nonobstant quelques explosions futures), il est confirmé que les Stones vont poursuivre leur route pendant les années 1990 avec la signature, en novembre 1991, d'un nouveau contrat extrêmement lucratif avec Virgin Records.

Ce sera sans Bill Wyman, dont le départ, après avoir douloureusement traîné en longueur, est enfin confirmé en janvier 1993. Le bassiste sort d'un mariage extrêmement mouvementé avec Mandy Smith et sera bientôt remarié avec Suzanne Accosta, sa maîtresse depuis déjà longtemps. Il désire maintenant se consacrer à ses nombreux centres d'intérêt en dehors de la musique. Charlie comprend bien, mais il fera plus tard cette remarque : « C'était dommage qu'il s'en aille parce que a) c'était formidable de l'avoir, et b) je pense qu'il a raté une période très lucrative de notre existence. Il y a eu des périodes difficiles où on a construit le groupe, et il ne profitera pas des dividendes qui arrivent maintenant. »

Bill raconte que, quelques années après son départ, Charlie l'a appelé d'Amérique du Sud pour lui dire : « Ce soir, au milieu du concert, j'ai tourné la tête pour te dire quelque chose, et tu n'étais pas là. » Charlie a même partagé quelques considérations rares et révélatrices sur son travail et celui du groupe : « Quand on était à Toronto en répétition pour la tournée *Forty Licks*, je réécoutais beaucoup de chansons que Bill et moi avions jouées ensemble, et je me suis surpris à me dire qu'il était bien meilleur que dans mon souvenir. Je suppose que je n'y avais jamais vraiment réfléchi. Bill était un bassiste avec qui je travaillais et un ami, et je n'avais jamais pris le temps de songer à son jeu de basse en soi. »

Une telle analyse de leur catalogue enregistré était rare. Si vous aviez interrogé Charlie sur ses morceaux préférés des Stones, il vous aurait répondu qu'il ne les écoutait jamais, sauf peut-être dans un contexte particulier. Comme il me l'a confié : « J'étais au lit hier soir, j'ai entendu une pub pour le Royal Automobile Club et je me suis dit : "Je connais cette intro." C'était *Street Fighting Man*. Ça sonnait très bien. C'est comme ça que j'aime entendre les Stones.

« Il n'y a rien de plus agréable – allons-y pour un peu d'égocentrisme – que de rouler sur Mulholland Drive à Los Angeles, sous le soleil, la capote baissée, dans une Cadillac rose, et d'entendre son disque à la radio, n° 1. C'est vraiment un truc idiot de gamin, mais c'est une sensation merveilleuse. J'ai entendu certains de nos morceaux dans des soirées, et ils paraissent un peu faibles. Mais de temps en temps vous entendez quelque chose de vraiment plus puissant que dans votre souvenir. En général, nos chansons sonnent fabuleusement bien quand Chris Kimsey, par exemple, passe une bande en fin de journée, quand on a fait deux ou trois morceaux. Il n'y a rien dessus à part nous. Quand on est tous les cinq, on fait de très bonnes chansonnettes ! »

Charlie s'impose lui-même d'autres enregistrements : le quintette qu'il forme avec Dave Green, Peter King, Brian Lemon et Gerard Presencer se retrouve en studio, en mars et avril 1993, pour créer *Warm & Tender*. L'album devient un écrin magistral pour les morceaux des Gershwin, Rodgers & Hart, Cahn & Styne et bien d'autres, et pour la voix souple de Bernard Fowler.

Le chanteur de New York est entré dans l'orbite des Stones en faisant les chœurs sur le premier album solo de Mick, *She's the Boss*. Il est devenu un élément compétent et fidèle des concerts et des disques du groupe, mais Charlie est aussi un grand fan de lui et lui demande d'assurer la voix de son ensemble de jazz. « Bernard Fowler est un chanteur fabuleux, aussi bon que Bobby Womack, m'a-t-il affirmé. Il a été fantastique sur mes disques. Je ne parle pas du fait que vous les aimiez ou non, parce que ce sont de vieilles chansons qui font pleurer, mais il les a si merveilleusement chantées, absolument toutes. J'ai toujours pensé que si quelqu'un s'était pointé en disant : "Voulez-vous être son manager ?" j'aurais été obligé de dire oui. »

L'album sort en octobre, avec un gros plan touchant de Seraphina sur la pochette ; une autre photo à l'intérieur montre le père portant sa fille, bébé, avec une expression de joie béate. Au cas où on ignorerait que c'est une musique qui le rend heureux, on le comprendrait au fait qu'il a même accepté des invitations à en parler dans le genre d'émissions qui le font habituellement prendre ses jambes à son cou, comme le talk-show *Late Night with Conan O'Brien*. La récompense pour Shirley et lui, peu après, est de s'envoler pour Albuquerque (Nouveau-Mexique), pour acheter des chevaux. « Il faut bien qu'il paye tous ces étalons arabes, m'a dit Ronnie en riant. Il est obligé de partir en tournée, sinon il se retrouvera sur la paille ! »

Lisa Fischer se souvient : « C'est vrai qu'il nous a emmenés voir des chevaux une fois, Bernard et moi, pour regarder un étalon arabe. Je crois qu'on était en Australie. Il envisageait de l'acheter, et on a déjeuné. Il s'y connaissait en chevaux, et c'était encore une facette paisible et belle de sa personnalité que je n'avais jamais vue auparavant. »

Les Stones entament l'enregistrement d'un nouvel album dans le studio que Ronnie a installé chez lui à Kildare, au sud-ouest de Dublin. Ils viennent de vivre une semaine intense d'auditions pour remplacer Bill Wyman à la basse, jusqu'au moment où, selon le jeu de mots de Charlie, ils ont été « complètement bassinés ». Absolument tout le monde a postulé, des petits nouveaux aux vieux routards comme Noel Redding du Jimi Hendrix Experience. Charlie y voit « un boulot de dingue ». Mick, lui, parle de « torture ».

« Finalement, se rappelle Keith, j'ai dit à Charlie : "C'est toi qui décides." Et il m'a répondu : "Espèce de salopard, tu me fais porter le chapeau !" Alors j'ai dit : "Eh ouais ! pour *une fois*, Charlie, une fois en trente ans, tu vas être le juge suprême sur ce coup-là. Mick et moi, on te dira ce qu'on en pense." » À la fin, une décision unanime est prise, en tenant compte des tempéraments et des affinités en plus des compétences. Ils arrêtent leur choix sur Darryl Jones, natif de Chicago, dont les années passées à travailler avec Miles Davis ne peuvent que lui attirer les bonnes grâces de Charlie.

Les sessions de mixage pour *Voodoo Lounge* ont lieu à Los Angeles, début 1994. Un soir de relâche, Charlie est dans le public avec Keith, Ronnie et Darryl pour voir Bernard Fowler jouer au Viper Room. Bientôt, une nouvelle tournée géante se forme dans le sillage de l'album. « La route vous manque quand vous n'y êtes pas, a avoué Charlie. Puis on repart, et on en a tout de suite marre. »

Le programme est toujours aussi exigeant : l'Amérique du Nord du mois d'août à Noël, l'Amérique du Sud au nouvel an, l'Afrique, l'Asie, l'Australie, puis l'Europe de mai au mois d'août suivant. Pas de remise de peine possible. Même avec des centaines de millions de dollars de chiffre d'affaires, l'équilibre n'est pas atteint avant la moitié de la tournée, vers le mois de février.

Le soir de l'ouverture au RFK Stadium de Washington DC, je les ai regardés passer les vitesses en douceur jusqu'à la quatrième, voire la cinquième, depuis la première salve de Charlie sur *Not Fade Away* jusqu'à *Jumpin' Jack Flash*, vingt-six chansons plus tard. Le groupe, certes vétéran, s'est collectivement lassé de l'éternel cliché selon lequel « cette fois pourrait être la dernière », et on le comprend. « J'entends moins parler de soins gériatriques depuis que Bill a quitté le groupe », a persiflé Mick. Mais les nouveaux morceaux comme *You Got Me Rocking* et *Love Is Strong* tenaient bien la route face à leurs vénérables grands frères. Charlie a joué infatigablement, en souriant beaucoup.

Un an plus tard, à trois semaines près, tandis que la tournée s'installait au stade de Wembley, j'écrivais dans *The Times* : « Alors que la plupart des hommes de leur âge envisagent de se mettre doucement au jardinage, les Rolling Stones sont encore au turbin jusqu'à 22 h 30. [...] Les chansons qui relient Washington à Wembley avaient un son plus enjoué et plus effronté que seule une année de répétition permet d'obtenir. [...] Les vieux diables ne se contentent pas de terminer cette tournée : ils la poussent dans ses retranchements. »

Sur la route, Charlie a ses habitudes, et malheur à quiconque s'avise de les perturber. « Ne vous y trompez pas, il adorait être adulé, confie son proche ami Tony King. Il s'en voulait parfois d'aimer ça. Il n'aimait pas voyager, mais sa garde-robe était impeccable, bien rangée.

« Je me rappelle lui avoir demandé un jour : "Je peux jeter un œil à ta garde-robe ?" Toutes ses chaussettes étaient parfaitement classées par couleur. J'en ai vu une paire qui ne me semblait pas à sa place, alors je lui en ai fait la remarque : "Je ne suis pas sûr, pour celles-ci." Il m'a regardé d'un air outré. Plus tard dans la soirée, en coulisse, il est venu me trouver : "Tu sais, ce que tu m'as dit tout à l'heure à propos des chaussettes ? Tu avais raison." Ça le perturbait énormément que j'aie remarqué qu'une paire de chaussettes était mal rangée. » Seraphina prenait grand plaisir à changer ses chaussettes de place quand il avait le dos tourné. « Shirley aussi le faisait à la maison, raconte King. Elle dérangeait son tiroir à chaussettes. »

Bill me raconte le rituel de Charlie : « Voici ce que faisait Charlie en arrivant dans une chambre d'hôtel. Il ouvrait ses valises, qui étaient ordonnées à la perfection, comme les miennes, et il en sortait toutes ses affaires une par une. Il prenait toujours une chambre à deux lits ou une petite suite, et le second lit lui servait à étaler ses vêtements, comme pour une inspection militaire. J'ai fait l'armée, donc je sais comment il fallait que ce soit présenté aux officiers le matin. Tout devait être précis. Il posait ses chemises, pliées au carré, et ses cravates, et ses chaussettes, puis il alignait ses chaussures. (Rires.) On se serait cru dans un magasin. Mais c'était son rituel. »

Keith ajoute : « Sur la route, Charlie, c'était deux valises, point barre. Moi, je me trimballais du matos et des malles pleines de bazar. Tout mon bordel voyageait avec moi, mais il laissait le sien chez lui. Regarder Charlie faire ses valises, c'était comme assister à une cérémonie bouddhiste. »

King renchérit : « La plupart des gens de la tournée savaient qu'on était proches, lui et moi, et qu'on faisait des choses ensemble. On allait dans les musées, on déjeunait. Je me rappelle une fois où on est sortis dîner à Rome. Il y avait un type dans le restau avec son amie : il s'est penché vers Charlie et lui a demandé : "Vous êtes dans le show-business ?" Charlie lui a répondu : "Je crois qu'on peut dire ça, oui." Le type : "Moi aussi je suis dans le show-business, je m'appelle Harold Davison." Charlie : "Je possède vingt-trois de vos programmes [de concert] ! »

Davison était l'imprésario américain qui a amené Frank Sinatra, Judy Garland et des attractions exotiques en Europe et qui, à l'inverse, a aidé les Stones et d'autres envahisseurs britanniques à monter leurs premières excursions transatlantiques. Charlie, clairement, ne le connaissait pas personnellement à l'époque, mais voilà qu'il était content de parler à l'homme qui avait fait monter Ella Fitzgerald sur les scènes britanniques. « Davison l'a regardé avec stupéfaction, raconte King, et on a fini par avoir une conversation fantastique sur Ella et Sinatra, et tous les gens avec qui il avait travaillé. Un grand moment pour Charlie. »

Après la tournée *Voodoo Lounge*, Keith n'a pas tari d'éloges. Mick et lui se sont très bien entendus, et le fait d'avoir eu sa propre tournée a rendu Charlie encore meilleur. « Je n'ai jamais vu Charlie aussi heureux sur la route, dit-il. Il a bon caractère en général, mais les voyages peuvent taper sur les nerfs de tout le monde. Il a fait venir sa femme plus longtemps, et je crois qu'il prend plaisir à jouer avec Darryl, à jouer avec les Stones. Je pense que ça vient entre autres du fait d'être parti avec son propre projet, le groupe de jazz. Il l'a fait tourner dans le monde, et il a beaucoup appris, trouvé beaucoup plus de plaisir et de possibilités de jeu. »

C'est devenu de rigueur qu'une tournée des Stones soit suivie d'un album live, mais en 1995 ils se surpassent dans l'originalité. *Stripped* est un mélange de retour aux sources, de prestations live en studio à Tokyo et à Lisbonne, et de concerts dans des petites salles : au Paradiso d'Amsterdam, à l'Olympia à Paris et à la Brixton Academy, chez eux. C'est leur version à eux de *MTV Unplugged* mais, selon leurs conditions, sans verser dans l'acoustique plan-plan de cette émission. Pas besoin de sièges, si vous voulez. Il y a des années que le son des Stones n'a pas été si spontané.

Charlie peut ressortir ses balais, notamment dans une merveilleuse reprise de *The Spider and the Fly*, une chanson des débuts à moitié oubliée, coécrite par Mick et Keith pour l'album de 1965 *Out of Our Heads*. Mais lui et les autres savent encore envoyer du lourd, aussi, avec le fantastique enchaînement de *Street Fighting Man* et de *Like a Rolling Stone* de Dylan. « Merci, Bob », lance Keith à la fin. *Stripped* est alors et restera largement sous-estimé. Charlie le considérait comme « un des disques les plus intéressants qu'on ait faits ».

Ils ont tous mérité un peu de repos. Mais, même après avoir eu son shot de rock 'n' roll, aucun des Rolling Stones n'a jamais été très doué pour traîner à la maison. Charlie, comme il l'a toujours reconnu, se retrouvait dans les pattes de Shirley. Au nouvel an 1996, il a d'autant plus de raisons de se consacrer au travail que sa mère, Lillian, décède à l'âge de soixante-quatorze ans. Elle était malade depuis un moment et séjournait à l'hôpital de Milton Keynes, où Linda et Charlie allaient la voir tous les jours.

Et c'est ainsi que Charlie et ses compères de jazz reprennent pied sur un terrain qu'ils connaissent par cœur, à la fois géographiquement, aux studios Olympic de Barnes, et musicalement, en feuilletant les recueils de chansons de Porter, des Gershwin et de Hoagy Carmichael. L'album qui en résulte, *Long Ago & Far Away*, est publié sans traîner en juin, avec une nouvelle prestation de Bernard Fowler au chant.

Sur la pochette, Charlie se présente peut-être sous son aspect le plus suave, en costume et gabardine, adossé à un réverbère. À ce stade, il est presque devenu un habitué des médias, apparaissant dans le *Late Show with David Letterman* pendant une série de concerts en Amérique du Nord, dont un au Carnegie Hall. Keith, toujours fidèle, y assiste, et une date est fixée à Londres pour le quintette, au Shepherd's Bush Empire.

L'album suivant des Stones, *Bridges to Babylon*, s'enrichit plus tard dans l'année de sessions d'écriture productives de Jagger et Richards. Mick a envie de travailler avec des producteurs de Los Angeles et avec les Dust Brothers, de petits génies du sampling, ce qui implique un rôle différent et potentiellement difficile pour Charlie, qui doit jouer sur des boucles. Mais Mick déclare que « le métronome humain » relève admirablement le défi de combiner technologie et tradition.

« Il adorait ça, a-t-il affirmé, et il était capable de faire les deux : être traditionnel, jouer avec le groupe, et faire des boucles, expérimenter. Il aime beaucoup le jazz, et le jazz est une musique très expérimentale. C'est bien plus expérimental que le rock, et le rock peut être très hybride. » En plus du single *Anybody Seen My Baby ?*, vaisseau amiral de l'album, Charlie se montre solide comme un roc sur des chansons archétypiques mais excitantes comme *Flip the Switch* ou *Low Down*, et il brille sur le remarquable morceau électro-blues *Might as Well Get Juiced.*

Il y a aussi un final mémorable, l'album se concluant par la chanson de Keith *How Can I Stop*, d'une superbe vulnérabilité, décrite par le producteur Don Was comme « ce qu'il y a de plus radical dans l'album ». Son audace imprégnée de jazz, qui incorpore aussi des détails extra-ordinaires au saxophone par le grand Wayne Shorter, met en valeur l'une des plus belles prestations de Charlie, et en tout cas l'une des plus accordées à sa passion musicale.

« C'est le dernier morceau qu'on ait enregistré pour l'album, a raconté Was. Une voiture attendait Charlie devant le studio et l'a conduit directement à l'aéroport aussitôt qu'on a terminé cette prise. Charlie a joué une salve hyper intense avec Wayne à la fin, qui était presque son adieu à ce disque. Puis il s'est levé, est parti et est rentré en Angleterre. Il devait être 5 h 30 du matin, et c'est vraiment un moment poignant qui a été immortalisé. »

Cet été-là, je me suis rendu à Toronto pour la série suivante d'interviews du groupe, qui se sont tenues à la chaîne (et en tête à tête) toute une journée dans un ancien temple maçonnique qu'ils avaient converti – sur six étages – pour leurs besoins personnels. Cela s'est terminé, après une délicieuse causette de fin de soirée avec Keith, par l'extravagant privilège d'être invité, avec une poignée d'autres, à les regarder répéter au petit matin. « On s'amuse autant à répéter là-haut sans personne dans la pièce à 2 heures du mat' que quand on donne un concert géant », m'a confié Charlie.

Et loin de s'arrêter à quelques vagues références à des chansons telles que, mettons, *Satisfaction* – présence constante dans leurs vies depuis trente ans –, c'est bien un filage complet qu'ils nous ont livré. Juste eux quatre, dans mon souvenir, quoique Chuck Leavell était peut-être de service au clavier ; en tout cas, pas le groupe live en entier. Toutes les chansons ont été jouées, non pas en direction du maigre public, mais face à Charlie, dans l'attente de son approbation, de son regard, de son verdict.

Toujours expert dans l'art de dissiper toute admiration excessive qu'on pourrait éprouver face à une telle expérience – et si vous ne la ressentiez pas, vous n'aviez rien à faire là –, Charlie a eu la remarque pragmatique parfaite : « Ici, en répète, c'est le seul moment où je connais le catalogue des Rolling Stones, a-t-il lâché. En dehors de ça, j'ai tout oublié. »

Réfléchissant à cette configuration particulière qu'adoptait le groupe en répétition, il a ajouté : « C'est comme ça qu'on fait. Je joue toujours avec l'ampli de Keith à côté du pied gauche. Je n'ai jamais voulu me mettre sur une estrade, parce que je ne l'entendais plus. »

La tournée qui s'ensuit (« Ils m'ont encore persuadé ») commence en septembre et fait le tour de la planète sur toute l'année. Elle englobe quatre-vingt-dix-sept concerts avec, innovation superbement audacieuse, un pont télescopique qui se déploie jusque dans le public et mène à la scène B, qui permet aux Stones de faire revivre dans des stades immenses le R&B de Richmond, y compris *Little Queenie*. Charlie s'est beaucoup investi dans sa conception, avec Mick, Mark Fisher et Patrick Woodroffe. La puissance de la production est écrasante.

« Charlie a regardé les vieux films de Busby Berkeley et s'est imprégné des décors, raconte son ami Jools Holland. Il était très impliqué dans l'esthétique. Une grande part de lui imprégnait la mise en scène, comme ont pu l'observer tous ceux qui ont vu des shows des Rolling Stones au fil des ans. » Holland était le claviériste de Squeeze à l'époque de leur première série de tubes, dont *Cool for Cats*, l'un des premiers disques achetés par Seraphina. Bien plus tard, les deux hommes sont devenus amis.

« Mon père se moquait de moi, se souvient-elle, parce que j'étais éblouie. "Oh ! mon Dieu, papa ! Jools Holland t'a appelé !" » Une fois, elle a été gênée de devoir dire à Holland que son père était allé se coucher à 20 heures.

Holland était déjà bien lancé comme présentateur de télévision pour les émissions musicales *The Tube* et *Later... with Jools Holland* et comme leader de big band quand Charlie et lui ont pris conscience de leur complicité d'esprit. Il a rejoint l'équipe de la tournée *Bridges to Babylon* pour interviewer les Stones en vue de son livre *The Rolling Stones : A Life on the Road*, mais ce n'était pas leur première rencontre.

« Je crois que j'ai joué avec mon groupe au 50ᵉ anniversaire de Mick, et j'ai passé du temps à discuter avec Charlie là-bas, parce qu'il aimait la nature boogie-woogie du big band. La fête était à Strawberry Hill, la grande maison néogothique de Twickenham. C'était assez surréaliste de se retrouver dans cette pièce bizarre, très fantasme gothique du XVIIIᵉ siècle, en train de parler de batterie, et je pense que c'est là qu'on a compris qu'on s'appréciait. »

Pas du genre à être ébloui par les artistes mondialement célèbres, le claviériste réalisait néanmoins ce qu'il y avait d'exceptionnel à bavarder avec quelqu'un qu'il avait admiré de loin. « J'avais toujours adoré leurs disques, bien sûr, et j'aimais beaucoup sa batterie parce qu'il y mettait un feeling particulier, dit Holland. Sans vouloir faire de comparaisons, Ringo avait le même truc. Ils admiraient tous les deux Earl Palmer, le batteur de tous les disques de rock 'n' roll, et Charlie avait ce même feeling. S'il faut essayer de le décrire, ça traverse presque le beat et, à cause de cela, ça s'y insère parfaitement. Ce n'est pas contre tout, mais c'est un contraste, où il est presque en train de jouer légèrement swing quand les autres jouent straight, et straight quand ils jouent swing. C'est quelque chose de minuscule et difficile à définir mais, une fois qu'on le tient, on tient le monde, et rares sont ceux qui ont ça.

« Donc je suis parti en tournée avec eux pendant peut-être trois semaines, c'était génial, et ils ont été adorables, aux petits soins avec moi. C'était super, mais celui que j'ai sans doute vu le plus était Charlie, c'est là que j'ai commencé à mieux le connaître. Vous êtes dans une bulle avec tout le monde et vous éprouvez un certain sentiment de camaraderie. On a tourné aussi au Japon.

« Je crois qu'on avait en commun le même sens de l'humour. Il était très pince-sans-rire. Il restait assis là, et des silences assez longs s'installaient. J'ai quelques amis comme ça. L'un dit quelque chose, puis l'autre lance autre chose, puis un long silence s'étire. Alors l'un de nous sort un truc tellement drôle qu'on ne peut plus parler, après une longue conversation. Très gentleman.

« J'ai pris conscience que Charlie et moi avions beaucoup de centres d'intérêt en commun. En plus, Ronnie et tous les autres avaient leur famille avec eux, alors Charlie était un peu plus disponible le soir. C'est pour ça que je dînais souvent avec lui et, si on était dans une ville, il voulait toujours trouver les clubs de jazz. J'en suis venu à beaucoup l'apprécier, alors, et à apprendre des choses sur lui qui le rendaient vraiment attachant. Il m'a montré certains de ses dessins des chambres d'hôtel où il avait séjourné, et je les ai trouvés excellents. Je me disais : "Quelle idée incroyable de dessiner chacun des lits, de saisir l'instant, c'est tellement zen." »

Après son amour du jazz, l'occupation qui arrive certainement en deuxième position des centres d'intérêt de Charlie connus par son entourage – et il y en a peu – est le « croquis quotidien ». C'était de notoriété publique qu'il dessinait depuis 1967 le lit de toutes les chambres d'hôtel où il avait séjourné. « Quand on enregistrait à Paris, dit Chris Kimsey, on logeait au même hôtel que Charlie, le Château Frontenac, et après une session matinale – parce qu'on ne terminait pas avant

4 ou 5 heures du mat' –, il m'a dit : "Chris, j'ai quelque chose à te montrer". C'étaient des carnets de dessins de toutes les chambres d'hôtel où il a dormi dans sa vie. C'est remarquable, c'était tellement cool. Et c'étaient de vraiment bons petits croquis, en plus. On sait bien que les groupes, quand ils sont en tournée, tout ce qu'ils voient, c'est l'hôtel et la salle de concert. Ils ne voient jamais la ville dans laquelle ils sont, en réalité. C'est peut-être pour ça qu'il dessinait ses chambres d'hôtel. »

« Quand on était en Amérique, se souvient Holland, il aimait sortir. Mais, comme il ne buvait pas, il se levait le matin, dessinait la chambre, puis allait faire des courses, pour s'acheter des chaussettes ou d'autres produits de première nécessité. Il ne s'embêtait jamais avec des gardes du corps ni rien, il avait simplement une cape d'invisibilité. Il était extrêmement laconique et avait une aura incroyable qui s'étendait à tous les autres. C'était l'une des personnes les plus calmes qu'on puisse rencontrer, et sa décontraction était contagieuse. »

« Compte tenu de son niveau de célébrité, les gens étaient plutôt sympas en général, ils le laissaient tranquille, confirme Seraphina. Mais quand on est en tournée comme ça, jour après jour… Je ne dis pas qu'il n'aimait pas les fans, ce serait malhonnête, bien sûr qu'il les aimait, mais disons qu'il n'avait pas particulièrement envie de sortir en boîte. »

Bill Wyman évoque l'approche méticuleuse qu'avait Charlie des heures et des jours passés sur la route. « Il s'installait et dessinait le téléphone dans une chambre ou, dans une autre, il croquait la télé, puis une chaise ou autre chose. Il dessinait partout où il allait. Ces carnets n'ont pas de prix. Ils seraient formidables pour le British Museum ou quelque chose du genre, il faut les garder. » Charlie, comme toujours, balayait cet enthousiasme. « C'est un fantastique non-livre », a-t-il commenté un jour.

En 1996, il a d'autant plus de raisons de vouloir rester chez lui que Seraphina vient de mettre au monde sa fille,

Charlotte (elle ne l'a *pas* prénommée ainsi en son honneur, contrairement à ce que beaucoup de monde a supposé). Il est au comble de la joie et de la fierté. « Charlie était un merveilleux papi gâteau », a observé Chris Kimsey.

Pour revenir à ces anecdotes sur la route, Holland se rappelle en particulier un moment de détente avec Charlie. « Je pense qu'on a passé un après-midi ensemble, où j'ai dessiné sa télé. J'ai essayé de le croquer, lui, mais ça n'a pas marché, et je pensais qu'il me dessinerait, mais ça ne l'intéressait pas. Il crayonnait sa chambre, une fois de plus.

« Puis je suis allé au château de Mick en France et, bêtement, je n'avais pas d'argent sur moi – c'était très gênant. J'avais pris un vol tardif, j'étais monté dans un taxi et j'ai dû emprunter à Mick de quoi le payer. Enfin, bref, Charlie était dans les parages, alors Mick a donné une petite fête. Il est très accueillant, il m'a invité avec Charlie, et Tom Stoppard, le dramaturge, était là – Mick tournait un film avec lui [*Enigma*, de 2001, écrit par Stoppard et produit par Jagged Films]. Et peut-être trois autres personnes, un petit comité.

« Mick nous a réunis autour d'un feu de camp et a préparé le dîner. C'était charmant. Je me rappelle Charlie me disant [à propos de Mick] : "Il est incroyable, n'est-ce pas ? Partout où il va, il rassemble des gens formidables. Je n'ai jamais connu personne d'autre comme lui." Il adorait Mick. Dans un groupe, les gens se tapent sur les nerfs, c'est comme avec la famille, ça arrive. Mais il avait authentiquement un grand respect pour Mick. »

Tony King ajoute : « Il était très fier des Rolling Stones, et me disait toujours que Mick était le meilleur chanteur et leader qui soit. Il avait une admiration folle pour lui, et ils étaient grands amis. » Lisa Fischer renchérit : « J'adorais voir Mick et Charlie comploter ensemble. Ils s'adoraient. Tout le monde l'adorait. »

« C'est un grand inquiet, m'a confié Charlie à propos de Mick, l'homme dont il voyait les fesses remuer devant lui depuis un demi-siècle. Il n'est pas comme Keith ou moi, et parfois c'est tant mieux. De temps en temps, je me demande s'il ne s'inquiète pas trop. Pour moi, la question est de savoir si j'ai mal aux mains. Lui, s'il a mal à la gorge, il ne peut pas chanter, il ne peut pas se produire. Il faut qu'il soit très strict pour ça, c'est obligé, et il est très brillant, très lucide. »

Pendant que je glanais des informations sur l'opinion qu'il avait de Mick en vue d'un des nombreux documentaires sur les Stones que j'ai réalisés pour la BBC Radio 2, je suis allé plus loin et j'ai poussé Charlie dans ses retranchements à propos de ses autres camarades de groupe. Il s'est montré prévisiblement imprévisible. « Ronnie ? Un homme charmant, m'a-t-il dit (et cela en 2006, avant le sevrage spectaculaire du nouveau papa). Il a ses démons, mais c'est le plus sociable du groupe, et celui qui a la plus grosse tête. Les gens l'adorent. Ma petite-fille le trouve merveilleux. Un type très affectueux.

« Mick est celui avec qui je parle le plus. Keith, c'est celui dont on n'a jamais de nouvelles, d'un mois sur l'autre, parce qu'il déteste le téléphone. C'est le plus excentrique de nous tous, ce mec-là. Il adore être en tournée. Chaque fois que je dis que je vais arrêter, il réplique : "Et tu vas faire quoi ?" Il lit des pavés. Je ne pense pas qu'il lise de livres de moins de dix centimètres d'épaisseur. Plus ils sont épais, plus il est content. Il ne regarde pas la télévision. »

Un détail confirmé en 1998, lorsque la tournée européenne du groupe est retardée de presque un mois parce que Keith s'est fêlé deux côtes en tombant d'une échelle de bibliothèque, chez lui dans le Connecticut, en essayant de retrouver un livre de Léonard de Vinci. « Je cherchais un traité d'anatomie de Vinci, a-t-il expliqué. J'ai appris des tas de trucs sur l'anatomie avec l'accident, mais j'ai pas trouvé le bouquin. »

Lorsqu'une laryngite de Mick provoque une plus courte interruption, pendant la tournée européenne, Charlie n'a pas le temps de rentrer chez lui. Mais il en profite pour aller passer deux ou trois jours en Espagne et visiter – comme vous pouvez le deviner, à ce stade – le musée Guggenheim de Bilbao. Mick l'accompagne parfois dans ses escapades culturelles : en 2015, ils visitent tous les deux la maison Darwin D. Martin, dessinée par Frank Lloyd Wright dans le style Prairie School, à Buffalo (État de New York).

Quand les dates reprennent, un nouveau cap est franchi, sous la forme d'un triomphe sociétal. Après des années à essayer d'entrouvrir le rideau de fer, les Stones jouent en Russie pour la première fois, au stade Loujniki, à Moscou. La réaction de Charlie à cette idée est aussi prévisible qu'amusante. « Je n'avais pas envie d'aller là-bas. Ça ne m'intéressait pas du tout. Mick n'arrêtait pas de répéter : "Ce sera super quand on y sera." Le jour où c'est enfin arrivé, ça a été fantastique, en fait. Je pensais que les Russes seraient vraiment misérables, parce que, après avoir traversé la guerre froide et Khrouchtchev, on se disait : "Oh là là !" Mais ils ont été adorables avec nous. On était un peu le truc qu'ils n'avaient jamais eu.

« Il faisait dans les 32 °C la semaine avant notre arrivée et, le temps qu'on soit là, le thermomètre était descendu à une dizaine de degrés. Il faisait un froid de canard, avec de la pluie, et on a débarqué de nuit, alors j'ai pensé : "Oh ! bon Dieu ! Moscou, de la neige", tout ça. J'ai ouvert la fenêtre de l'hôtel, qui était au bord du fleuve, et on voyait la place Rouge et la cathédrale de l'autre côté, c'était féerique. C'était vraiment une chose magique à voir, chaque fois que j'y posais les yeux. Incroyable ! Et je suis sorti deux ou trois fois avec Mick, c'était hilarant, certains des endroits où on est allés. Je me sentais dans la peau d'un vieil apparatchik. »

Le comble, c'est que, si Charlie avait mis à exécution sa menace de ne plus repartir en tournée, il n'aurait peut-être jamais rien connu de cette culture, ni des interactions sociales en général. « Je suis ce qu'on appelle un solitaire, expliquait-il. Je peux très bien m'entendre avec des gens autour de moi. Nous vivons dans une ferme, vous savez. Pire, nous en avons deux – une en Angleterre et une en France. Ma femme gère la ferme, et moi j'y habite, pour ainsi dire. Les seules personnes autour de la maison sont des agriculteurs.

« De temps en temps nous sortons dîner avec des amis, mais pas trop souvent. Je ne suis pas comme Ronnie Wood, qui a besoin d'être entouré à longueur de journée. Pour être honnête, je préfère la compagnie des chiens à celle des humains. Ce n'est pas que je déteste mon espèce, mais je ne lui apporte rien de bon. Ils me considéreraient comme un misérable au bout d'un moment.

« Keith ne sort pas du tout non plus. Il vit avec sa femme dans le Connecticut, et sa vie n'est pas si différente de la mienne. Mick est le seul qui, au fil des années, ait réussi à me traîner hors de chez moi, encore et toujours. »

Il serait facile d'interpréter ces commentaires comme une sorte d'autocritique ou de confession, mais il n'en est rien. Charlie était simplement conscient qu'il était câblé différemment de la plupart des gens, et ça ne l'embêtait pas le moins du monde.

En plus de vingt-cinq ans de tournées avec lui, Bill a pu voir de près ses lubies et ses excentricités. « Parfois, il ne dormait pas, il marchait. Une journée typique pour Charlie, ce serait ça : terminer le concert, rentrer à l'hôtel et se poser un peu, puis aller dans la chambre de Keith, où il y avait de la musique à fond – généralement, ce qu'on venait d'enregistrer, c'est-à-dire la dernière chose que j'avais envie d'entendre en rentrant d'un concert.

« Il traînait un peu là-bas, puis allait dans la chambre de Mick, puis il venait dans la mienne et y restait un peu, et on regardait la télé un moment, ou un truc comme ça. Je finissais par dire : "Je vais me coucher, maintenant, Charlie." Il était dans les 2 heures du matin. Il disait : "D'accord, à demain." Il retournait dans sa chambre, enfilait son manteau, et sortait en ville, où il se baladait pendant environ deux heures, puis il rentrait. Et là, il arpentait les couloirs de l'hôtel pour voir si quelqu'un était réveillé avant d'aller se coucher.

« Il allait tout le temps se balader à pied, et il y a des anecdotes hilarantes. J'en ai une, au Canada. Il est rentré de sa balade et m'a raconté toute l'histoire, alors je l'ai racontée aux autres. Il marchait, et il a vu un magasin de vêtements avec un costume style George Raft dans la vitrine. Ils lui ont dit que le pantalon était un peu grand, mais que s'il revenait dans quelques heures il serait prêt. Donc il est entré dans un restau indien. Il a commandé à manger. Le service était tellement lent qu'il s'est endormi à table, et les Indiens l'ont pris pour un drogué et ont appelé la police.

« Les flics sont arrivés, l'ont secoué et lui ont demandé : "Qui êtes-vous et qu'est-ce que vous faites là ?" Lui : "Où suis-je ?" Les flics : "À Toronto." Lui : "Qu'est-ce que je fous à Toronto ?" Alors un flic a précisé : "Il est 15 heures." Et Charlie : "Ah ! très bien, mon costume est prêt." Cette réplique, c'était exactement lui. Il pouvait réduire une situation entière à une seule phrase. »

BACKBEAT
Un homme
de richesse et de goût

Charlie était un collectionneur insatiable. Il aimait que chaque chose soit à sa place et, cette place, c'était souvent chez lui. Voitures, premières éditions, argenterie, vaisselle, disques, photos, souvenirs de la guerre de Sécession et de Horatio Nelson. Et les batteries vintage. Rien que des pièces dignes de l'attention du National Trust.

« Il collectionnait toutes sortes d'objets. Il était pire que moi, par certains côtés, se rappelle Bill Wyman. Moi, je collectionnais les souvenirs [des Stones], mais lui, c'était plutôt les trucs de guerre américains. Il avait quand même quatorze armes à feu, plus des pièces très diverses, tous les casques et les uniformes. Il fallait voir, chez lui… tout était exposé comme au musée. »

Pour Seraphina, chaque objet représente une page de sa vie, propre à faire monter le rire comme les larmes, ainsi qu'un effarement certain quand avec son mari, Barry Catmur, elle a tenté d'en faire l'inventaire après la mort de son père. Comme elle me l'a confié : « J'ai ouvert un buffet l'autre soir, un meuble à tiroirs, et j'ai trouvé tout ce bazar de verres et de pipes sculptées de l'époque édouardienne. » Elle ajoute en feignant l'indignation : « J'étais là : "Il avait oublié ça, hein, complètement oublié !" J'avais envie de dire : "Encore du bazar !" J'aurais bien voulu lui parler : "C'est quoi, ça encore ? Une antiquité romaine d'une valeur inestimable ou une vieillerie bonne à jeter ?" Ah oui ! et il y avait une boîte en fer. Juste une boîte ! Visiblement un truc de foot des années 1940, et rouillée, en plus. Alors vous voyez : est-ce que je passe à l'émission *Antiques Roadshow* avec ça, ou est-ce que je le mets à la benne ? »

Seraphina se souvient des phases de collectionnite aiguë de son père. « Il a eu des moments, tout au long de sa vie, où ça tournait complètement à l'obsession, je le vois bien maintenant. Par exemple sa phase Nelson, dont ma mère dit que c'était son truc à elle, à l'origine, et qu'il le lui a piqué, si bien qu'elle-même a arrêté. » Elle est pleine de reconnaissance pour les fans zélés qui l'ont aidée à identifier des objets qu'elle se rappelait avoir vus enfant, tel ce sweat-shirt qu'il avait porté une fois au Brésil. Dérisoire et crucial à la fois.

« Il avait des goûts raffinés, note Tony King, le parrain de Seraphina. Il aimait l'argenterie Stuart. Il aimait les photos dédicacées de célébrités d'antan. Il aimait faire des collections, et avait de magnifiques premières éditions. » Charlie se plaisait à chiner dans les brocantes à la recherche de la bonne affaire : un jour, il s'est réjoui de dénicher un phonographe Edison avec trente cylindres, le tout pour 30 livres seulement. Il collectionnait l'argenterie d'époque géorgienne, et ses souvenirs de guerre comprenaient des balles censées avoir été tirées lors de la bataille de Little Bighorn, pendant la guerre des Black Hills, en 1876. La dernière résistance de Custer, peut-être – mais Charlie, lui, ne faisait que commencer.

Posséder les disques sur lesquels jouaient ses héros de la batterie ne lui suffisait plus : il lui fallait leurs instruments. Il a racheté une batterie offerte par la veuve de Kenny Clarke à Max Roach. Il possédait celle de Sonny Greer, de l'orchestre de Duke Ellington, et celle du batteur swing des années 1930 Big Sid Catlett, l'homme dont Art Blakey disait qu'il pouvait « faire sonner une grosse caisse comme un papillon ». *Toutes* les premières éditions d'Agatha Christie, *toutes* celles de Greene, de Wodehouse, de Waugh, et signées, en plus.

« Il était collectionneur, confirme Mick. Moi, quand j'étais petit, j'avais une collection de timbres, mais ça s'est arrêté là. » Il décrit l'immense collection de batteries de son ami comme « une dinguerie », mais convient que toutes ses collections méritent une place au musée. Le *drum tech* et ami de Charlie, Don McAulay, qui en a la charge, affirme que c'est bien là qu'elles iront.

Dans sa résidence londonienne de Pelham Crescent, on ne s'étonnera pas, dit McAulay, de trouver, à côté de ses premières éditions, l'épée de Napoléon. « Je lui dénichais de chouettes batteries ayant appartenu à des tas de jazzmans. On les localisait, d'autres l'aidaient à les acquérir, et il me disait : "Il faut que tu prennes soin de cette chose qu'on a créée."

« J'ai trouvé chez la veuve de Gene Krupa des pièces qui constituent une grande part de l'histoire de la musique. Il avait des transparents originaux par Krupa et Billie Holiday, qu'il n'utiliserait jamais. Il m'a aussi fait un cadeau qui m'a stupéfié. Il m'a dit : "Je n'ai besoin que de ceci : prends ça", et il m'a donné une poignée d'affaires de Gene Krupa. Il avait aussi des montres ayant appartenu à Benny Goodman, des costumes, des bijoux, des trophées. On a complètement rempli sa chambre. C'est un musée devenu fou. »

Pendant la tournée européenne des Stones de 1976, Lord Lichfield invite Charlie et Mick à séjourner chez lui, à Shugborough Hall, dans le Staffordshire. Ils se sont déjà rendus chez le photographe mondain, cousin au deuxième degré de la reine, dans les années 1960, et l'homme qu'on surnomme parfois « l'aristocrate du rock 'n' roll » a pris une photo célèbre au mariage de Mick et de Bianca. Pendant ce séjour-là, il emmène Charlie et Mick visiter la propriété et sa ferme, et prend une photo de Mick avec un coq dans les bras, une image qui sera diffusée avec la légende qui s'impose : « Little Red Rooster ».

Il leur offre aussi une visite privée de la maison, et Charlie, en voyant sa collection d'argenterie Paul de Lamerie, lui indique poliment qu'une date est incorrecte. Ce sera contesté, mais vérifié. Et c'est Charlie qui a raison, bien sûr. Lors d'une interview télévisée, Lichfield s'est rappelé avoir demandé à son majordome qui était l'invité le plus agréable dont il se soit occupé. « Sans hésitation, Charlie Watts », a répondu celui-ci.

Du jour où ils emménagent dans leur premier appartement, à Ivor Court, Charlie et Shirley se font un devoir de l'emplir d'objets d'art. Le photographe danois Bent Rej, qui a voyagé avec les Stones pendant la plus grande partie de l'année 1965, a écrit : « La pièce la plus importante de l'appartement [...] est fermée à clé. C'est une petite pièce – trois mètres sur quatre – bourrée de trésors. Dans des vitrines, Charlie garde ses précieuses collections d'armes anciennes, de couvre-chefs, d'uniformes, de drapeaux et de journaux. Cette dernière est une rareté pour laquelle plus d'un musée débourserait une petite fortune. On y trouve quelques-uns des plus vieux journaux du monde. »

Sa curiosité pour les beaux-arts s'est développée pendant ses premières tournées. « L'art moderne est comme le jazz moderne : ce sont juste des gens qu'on aime, a-t-il dit au *Melody Maker*, avec son habituelle absence de prétention. Évidemment, quiconque vit en 1967 est censé s'y connaître un tant soit peu. Vous voulez parler de Picasso, je suppose, et ça, ce n'est pas l'art moderne. Vraiment, je ne peux pas parler du sujet. Demandez plutôt à ma femme. »

Quand les Watts achètent Peckhams à Halland, non loin de Lewes, Keith Altham, de *NME*, est invité à voir les antiquités et décorations disposées parmi les poutres en chêne et les grandes cheminées. Le salon contient un buste en marbre vert du dieu grec Hypnos et une bibliothèque remplie d'ouvrages de Dylan Thomas et d'Oscar

Wilde ; le bureau est garni de fusils et revolvers de la guerre de Sécession ; dans une vitrine se trouve une liste indiquant la solde de chacun des hommes d'une troupe de cavalerie en 1880. Dans une chambre, des épées sur un présentoir et, dans une petite pièce adjacente, la collection de poupées victoriennes de Shirley.

« Il a rassemblé une grande collection de souvenirs de la guerre de Sécession, dit Keith Richards, et je m'y connaissais un peu, alors de temps en temps il me montrait une pièce qu'il avait achetée. Je pense qu'il ne s'attendait pas à débarquer un jour en Amérique et que, quand soudain on l'a fait, ça a ouvert les vannes de cette passion. Il en a retiré ce qu'il voulait, et puis je lui ai demandé : "Tu continues à acheter des trucs ?" Il m'a répondu : "Non. La collection est terminée. J'ai tout ce qu'il me fallait." »

Les voitures, qu'il n'a jamais appris à conduire – il faut dire qu'il n'en a jamais eu besoin –, étaient encore une de ses obsessions. Il passait ses plus belles tenues pour simplement s'asseoir dans ces magnifiques véhicules anciens et se régaler de leur fabrication. « J'adore tout simplement la forme des vieilles voitures, a-t-il expliqué à *NME* en 2018. Comme je ne conduis pas, je me contente de m'asseoir dedans et d'écouter tourner le moteur. Je suppose qu'on peut voir ça comme un caprice de riche. »

Le joyau de sa flotte était une superbe Lagonda Rapide Cabriolet de 1937 à moteur V12, fabriquée à seulement vingt-cinq exemplaires, qu'il a achetée en 1983. Il se prélassait aussi dans une Bugatti Atlantic de la fin des années 1930, une 2CV Citroën jaune comme celle que conduisait Roger Moore dans *Rien que pour vos yeux*, une Citroën Méhari, une Lamborghini Miura et plusieurs Rolls-Royce. Il n'a pas éprouvé le besoin d'agrandir sa collection comme l'avait fait son ami Keith Moon en ajoutant une camionnette de marchand de glaces ou un aéroglisseur.

Jools Holland se souvient d'une conversation en Europe, lors d'une tournée avec Charlie et les ABC&D of Boogie Woogie, son quartette de jazz plus tardif. « Il parlait de certaines des voitures qu'il possédait à ce moment-là. Quand les gens réussissent et qu'ils aiment les voitures, ils achètent celles qu'ils admiraient enfants, ou qu'ils avaient en jouet. C'est une chose que j'ai souvent observée. En même temps, comme il faut quand même se déplacer d'un point A à un point B dans le monde moderne, on essaye de mettre la main sur la bagnole la plus classe du moment.

« Charlie, lui, avait de vieilles Américaines, parce qu'il les adorait, et aussi des voitures des années 1930. Il parlait de la manière dont il avait obtenu le tissu d'un des costumes d'Édouard VIII et fait regarnir la voiture de la même étoffe, parce qu'il lui en restait et qu'il l'aimait beaucoup. Puis, on parlait de vieilles Rolls et de Bentley, et j'en avais, parmi les Continental des années 1960, et lui aussi, celle qu'on appelait la Rolls-Royce "Chinese Eye". Il m'a dit : "On descendait dans le Devon avec, le capot fuyait légèrement, mais toutes les voitures étaient comme ça dans les années 1960. Mais elle avançait, elle atteignait une bonne vitesse." Puis je l'ai interrogé sur sa voiture des années 1930 magnifiquement habillée, et j'ai dit : "J'adorerais la voir. Ça t'arrive de la conduire jusqu'à Londres ?" Il m'a dit : "Non, non." J'ai insisté : "C'est bon pour entretenir une voiture ancienne, un trajet comme ça." Il a répondu : "Non, je ne conduis pas." J'ai bondi : "Quoi ?!" Ça faisait une heure qu'on discutait de bagnoles, et il n'avait pas le permis. Je suppose que c'est parce que ça prenait du temps de le passer, et les Rolling Stones avaient tellement bien réussi qu'au bout d'un moment c'était un peu tard. C'était tellement Charlie de ne rien me dire jusqu'à la toute fin ! »

En entrant dans la famille étendue des Stones, Lisa Fischer se rappelle le jour où elle a entendu parler pour la première fois de cette excentricité en particulier. « J'étais morte de rire. "Charlie, tu ne conduis pas ? Mais qu'est-ce que tu fais ?!" Moi, je dis que si on en a les moyens, et si c'est ce qu'on veut, pas de problème. La vie est trop courte. Prends ton plaisir rien qu'à les regarder. »

Cet homme savait véritablement profiter de la vie, et ses acquisitions auraient mérité l'invention d'un nouveau prix du Meilleur Usage des millions gagnés par une rockstar. « Une fois, je l'ai aperçu à l'arrière de sa limousine à Soho, dit Dave Green, qui devait certainement être en train de trimballer sa contrebasse pour un concert au Ronnie's ou au PizzaExpress. Je marchais dans la rue, et Charlie était sur la banquette, il n'a même pas dû me voir. Quand on jouait avec les ABC&D, on rentrait ensemble en avion. Un type en Bentley nous attendait à Heathrow, et Charlie me déposait à Ruislip. »

Chris Kimsey ajoute : « Je pense que Charlie était du genre à aimer se laisser conduire, pour profiter pleinement de la voiture. Comme vous le savez, c'est différent quand on conduit soi-même. Quand on est passager, ce n'est pas tout à fait la même chose. » Et, en une occasion, Charlie a insisté pour lui faire profiter de ce luxe. « La dernière fois que je l'ai vu, c'était chez Ronnie, à Holland Park, avec Seraphina et Charlotte. On avait parlé d'art, de musique et de vêtements. Et puis, au moment de partir, il m'a proposé de m'emmener. J'ai répondu que c'était très gentil, mais que j'étais garé à quatre cents mètres, à l'autre bout de Holland Park Road. "Ce n'est pas loin du tout, Charlie." Il a insisté : "Non, je vais t'emmener." Moi, je me disais : "Mais enfin, pourquoi est-ce qu'il…" Donc on est sortis, et il avait loué une Rolls-Royce Phantom, une grosse toute neuve avec chauffeur, pour promener sa famille. Il m'a donc fait monter dans la Phantom juste pour aller au bout de la rue. »

Holland a pu constater de près à quel point Charlie avait façonné sa manière de savourer sa stabilité financière. « À l'époque, les gens achetaient des catalogues d'art. Je suis sûr que de nos jours tout est en ligne mais, lui, il avait des catalogues de peintures et tout ça. Je lui ai dit un jour : "Mais tu ne peux pas les voir à la salle des ventes, tu comptes en acheter quand même ?" Il m'a répondu : "Oui, je vais prendre quelques pièces. Pas de folies, mais peut-être une demi-douzaine, et à mon retour de tournée dans quelques mois, je sais que j'aurai des choses à la maison qui m'attendent et me feront plaisir. Quand je rentre chez moi, c'est comme Noël, parce que j'ai oublié ce que j'avais commandé. Donc en arrivant je trouverai un tableau, un costume, une montre et des 78 tours." J'ai pensé : "C'est quand même bien. Tout le monde travaille et gagne ses récompenses, et ça, c'était les siennes." Un homme aux goûts simples, à l'ancienne. »

Albert Einstein aimait à dire qu'il n'avait aucun talent particulier, juste un esprit curieux. Charlie avait les deux. « On passait chez Christie's South Kensington pour voir ce qu'il y avait, raconte Holland, qu'il s'agisse de pendules ou de cadres anciens. Pas pour acheter, juste pour regarder. Il était de ces gens qui ont l'œil, mais il ne jugeait pas vraiment les choses, il s'efforçait seulement de les comprendre. »

Chuck Leavell voyait régulièrement Charlie s'affairer les jours de relâche. « Et la plupart du temps, sans gardes du corps. C'est seulement dans les dernières années que le groupe a insisté pour qu'il en prenne, dit-il. Il passait son temps dans les musées, et ma femme et moi tombions sur lui à l'occasion, parce que nous aussi aimions faire ce genre de sorties. Il était constamment intéressé par l'art sous toutes ses formes. Meubles anciens, peinture, vaisselle, tout. Il avait des connaissances et un intérêt très vifs pour tout ce qui était artistique. »

Souvent, son besoin compulsif de chercher et de posséder prenait le dessus. Holland se souvient : « Il a acheté une copie de la tapisserie de Bayeux, faite à la fin du XIXe siècle. Elle devait mesurer un mètre vingt de haut, contre peut-être deux mètres cinquante ou trois mètres pour l'original. Il y avait des enrouleurs aux deux bouts, superbement réalisés, en ébène avec des poignées de cuivre. On les tournait, et la tapisserie défilait sous nos yeux, avec un petit descriptif. J'ai dit : "Alors, qu'est-ce que tu vas en faire ?" Il m'a répondu : "Aucune idée. Mais c'est super, non ?" »

Charlie partageait aussi la passion de Mick et de Bill pour le cricket : sur les huit enregistrements qu'il aurait choisi d'emmener sur une île déserte, comme il l'a confié à l'émission *Desert Island Discs*, l'un était le commentaire radio de John Arlott et Michael Charlton du test-match de 1956 entre l'Angleterre et l'Australie. « Il regardait le cricket à la télévision, mais avec le son de la radio », explique sa sœur, Linda.

Bill ajoute : « Il avait des collections d'objets liés au cricket, et je lui offrais par exemple des photos dédicacées de Don Bradman. Il était de toutes les ventes. C'était un fou de cricket, comme Mick, et il allait souvent voir des matchs, notamment les miens – j'ai fait huit ans de cricket caritatif avec Eric [Clapton, pour le Bunbury Cricket Club] et joué avec tous les joueurs internationaux du monde, à la batte avec David Gower ou Viv Richards et face à des lanceurs comme Wayne Daniel.

« Charlie n'est venu à aucun de ces événements caritatifs parce que c'était le week-end et que ça se passait à Hove ou à Birmingham. On a fait tout le circuit international. Mais quand j'ai réussi le coup du chapeau[1] à l'Oval contre l'équipe de l'Old England Cricket Club, j'avais avec moi mon idole Denis Compton et son pote Keith Miller. Gower arbitrait. Charlie en a entendu parler, et j'ai reçu un coup de fil à 3 heures du matin.

« J'ai décroché : "Allô ?" "C'est Charlie." "Il est 3 heures du mat', Charlie, où es-tu ?" "Je sais pas, attends." Et,

---

1. Le coup du chapeau consiste à éliminer trois joueurs adverses en trois lancers consécutifs.

comme dans l'émission burlesque *Goon Show*, j'entends des pas. "Euh… dans un endroit qui s'appelle, je crois, Boonus Airies." J'ai dit : "Tu es en Argentine ?" Lui : "Ah oui ! c'est ça !" Moi : "Mais pourquoi tu m'appelles à 3 heures du mat' ?" Il m'a répondu : "Je viens d'apprendre que tu avais fait le coup du chapeau à l'Oval. Il paraît que tu fumais une clope alors que tu étais lanceur ?" J'ai répondu : "Oui, toujours." Il existe une photo de moi avec la cigarette, en train de lancer mes balles à effet et de faire ce coup du chapeau. Là, il me sort : "Et tes mégots, tu les écrases sur le gazon sacré ?" Il s'intéressait plus à ce que je faisais de mes mégots qu'au fait que j'aie réussi un exploit contre l'équipe de l'Old England ! »

Charlie et Mick se rendaient souvent ensemble au Lord's ou à l'Oval, parfois comme invités de Sir Tim Rice. L'écrivain Jim White a raconté une anecdote concernant le présentateur australien James Brayshaw. Alors qu'il se retournait dans la loge des commentateurs au Melbourne Cricket Ground pendant un test-match, il a aperçu un monsieur d'un certain âge, impeccablement vêtu et assis tout seul. Pas de personnel, pas d'escorte, pas d'histoires. C'était Charlie, qui avait été invité par le joueur Shane Warne. Chaque fois que Brayshaw lui réclamait des anecdotes de rockstar, Charlie lui répondait poliment, mais préférait nettement parler cricket. Mick et lui étaient également amis avec le *fast bowler* australien Dennis Lillee, rencontré à l'occasion de la série de test-matchs The Ashes de 1972.

« On regardait surtout du cricket, mais on était aussi très fans de foot, raconte Mick, qui encourage Arsenal alors que Charlie, lui, soutient les Tottenham Hotspurs. On adorait parler de cricket et on allait voir beaucoup de matchs, surtout les test-matchs et les *one days*. La plupart des Anglais qui sont tous les jours en costume noir se pointent au Lord's avec un blazer à rayures des années 1920 ridicule, aux couleurs du Marylebone Cricket

Club. Hideux, c'est le moins qu'on puisse dire. Charlie mettait parfois ces blazers. Il était très sociable pendant ces matchs, ce n'était pas le Charlie muet que tout le monde décrit. Il blablatait toute la journée. »

En 2014, après un concert à l'Oval d'Adélaïde pendant la tournée *14 on Fire*, Charlie et Mick rencontrent John, le fils du joueur australien Sir Don Bradman, qui leur fait visiter le Bradman Museum. Le lendemain du concert à Murrayfield en 2018, Charlie provoque beaucoup d'exclamations discrètes (« Regardez, c'est Charlie Watts ! ») lorsqu'il déboule au Grange Cricket Club d'Édimbourg pour assister au *one-day* international entre l'Écosse et l'Angleterre.

Linda se rappelle que souvent, quand il l'appelait depuis une tournée, Charlie prenait rapidement des nouvelles d'elle et des enfants, puis demandait à parler à son mari, Roy, et passait trois quarts d'heure à parler cricket. « Je lui racontais les matchs pendant qu'il était aux States, explique Roy. Une fois, il a utilisé une ligne partagée pour que Mick, qui se trouvait dans une autre chambre, puisse suivre la conversation. Je me suis retrouvé avec les deux au téléphone pour leur faire un commentaire en direct ! »

Son autre passion, bien sûr, c'étaient les disques. Pas seulement de jazz, car il aimait aussi le classique, la soul et bien d'autres choses encore. C'est à la poursuite de son premier amour musical qu'il présente à Jools Holland l'un de ses endroits préférés au monde. En écoutant les souvenirs de Holland, on peut presque les voir, Charlie ou lui, farfouillant comme des damnés dans ce magasin qui devait être un paradis pour Charlie. En tournée avec les ABC&D of Boogie Woogie, Dave Green et lui sont entrés un jour au Teuchtler Schallplattenhandlung und Antiquariat, à Vienne. Charlie y a laissé un autographe sur un bac, et surtout beaucoup d'euros.

« Il m'a parlé de ce magasin de disques, qu'il était une fois de plus le seul à connaître, dans un quartier un peu excentré de Vienne, raconte Holland. Le grand-père tenait une boutique à la fin de la guerre, avec plein de 78 tours. Il était spécialisé dans le blues et le jazz, et c'était l'endroit parfait pour acheter des albums de cette musique dont tout le monde était fou. Quand le vinyle est arrivé – c'est-à-dire quand le 33 tours est venu détrôner le 78 tours –, les gens ont vendu les leurs pour trois fois rien. Ce vendeur-là au contraire a dit : "Je ne vais pas brader les miens : un jour ça aura beaucoup de valeur." La boutique a continué – et continue encore aujourd'hui –, et c'est un des meilleurs magasins de disques de blues, de jazz et de classique au monde. C'est d'abord la fille de ce monsieur qui a repris l'affaire, et ce sont maintenant ses deux fils à elle. »

Le magasin propose des disques d'occasion de classique, de jazz, de chansons viennoises, de rock, de pop et de dance. Les 78 tours ne sont pas visibles, mais Charlie savait qu'ils existaient. « Il m'a dit : "Ils n'ouvrent jamais la salle du haut. Vas-y, et tu trouveras ce que moi, j'ai trouvé. Dis-leur que c'est Charlie qui t'envoie, ils te montreront." Donc j'y suis allé, ils ont été contents de me voir, et m'ont fait passer par-derrière. On a emprunté des ruelles et des petits escaliers, on se serait crus dans un film européen des années 1940. On a croisé une femme qui fumait et qui aurait pu être un indic, vous regardant avec dédain quand vous passiez devant sa porte. Tout au fond d'un couloir, quelqu'un a sorti sa lessive comme si de rien n'était, dans ce monde qui semblait figé dans le passé.

« Vous montiez et ils écartaient des rideaux mangés aux mites qui ne tenaient plus qu'à un fil, comme ceux de Miss Havisham dans *De Grandes Espérances*, et la lumière entrait alors dans la pièce. Charlie disait toujours qu'une des plus belles choses qu'il pouvait espérer trouver, ce serait une chemise neuve de l'époque victorienne ou du XVIIIe dans son emballage jamais ouvert. Là, c'était la même chose, car certains des 78 tours étaient encore dans leur pochette d'origine intacte. J'ai demandé : "Vous les avez écoutés ?" Le disquaire m'a répondu : "Non, je n'aurais jamais pu, sachant qu'ils n'ont jamais été touchés. Si je l'avais fait, leur caractère unique aurait été perdu."

« Donc j'ai acheté quelques disques, et Charlie m'a recommandé : "Ne les passe pas sur un gramophone à manivelle parce que ça les bousille, à cause de la grosse aiguille. Il leur faut une aiguille digne de son nom, et de grosses enceintes à ampli. Alors, ils rendent un son fan-tas-tique." Ce que disait aussi Charlie, c'est qu'avec un disque on a un objet qui a été fabriqué en même temps que la musique. Il était très sensible à cette idée, et il adorait ça. J'étais donc ravi qu'il m'ait fait connaître ce magasin, et j'y retourne chaque fois que je suis à Vienne. Mais, bien sûr, c'est une de ces choses que seul Charlie connaissait. Qui d'autre aurait pu ? Il était en contact avec ces mondes perdus. »

7
Une aura de papy

Les shows actuels des Rolling Stones sont réglés comme une horloge. Au bout d'une dizaine de chansons, et avant les deux morceaux chantés par Keith, Mick présente la troupe entière. Après les musiciens de live, il arrive à ses camarades du noyau dur, et au moment qui me manquera le plus.

À mesure que Charlie a pris de l'âge, les cheveux grisonnants d'abord, puis virant à l'argenté, l'adoration qu'il suscitait chez des dizaines de milliers de fans dans les stades est devenue de plus en plus palpable. Il ne savait tout simplement que faire d'une telle adulation, à part rester assis sur son tabouret avec l'air de prier pour que ça s'arrête. Mick avait l'habitude de le présenter comme le « *Wembley Whammer*[1] », en ajoutant parfois un « Boum boum ! » entre son prénom et son nom, comme un surnom affectueux. Le public se déchaînait autant à l'annonce de son nom qu'aux premières notes des mégatubes du groupe, lors de ces spectacles qui duraient désormais plus de deux heures. Une fois, alors que les acclamations se prolongeaient et que Charlie apparaissait, au comble de la gêne, sur les écrans géants, Mick lui a lancé : « Dis quelque chose ! » Après un silence et un regard effaré, Charlie a lâché du bout des lèvres un « Hello ». « Il parle ! » s'est alors exclamé Mick.

1. Littéralement : le cogneur de Wembley.

« J'adorais ça, se souvient Lisa Fischer. Et plus il détestait ça, plus on adorait. C'était trop mignon. C'était touchant de le voir se tortiller sur son siège, parce qu'il méritait tout l'amour qui lui tombait dessus. C'était plus que son cœur ne pouvait en supporter. »

À la fin des concerts, raconte son ami et *drum tech* Don McAulay, « il attrapait les pinces qui serraient le charleston du haut et celui du bas. "Le spectacle est terminé, Charlie, ne t'en fais pas pour ça !" Mais non, il vérifiait que c'était bien serré pour la fois suivante. Puis il me lançait : "Mets ta veste, il faut être beau, il ne faut pas qu'on voie une goutte de sueur." Ça le gênait beaucoup, la sueur. Il disait : "C'est parti. C'est le show-business", et il entrait en scène, toujours impeccable. »

Sa petite-fille, Charlotte, participait aussi. « Ils étaient très drôles pendant les présentations. Juste avant qu'ils commencent, je courais souvent derrière la scène lui faire coucou, lui lancer un coup d'œil et lui dire : "Tout va bien." Ils commençaient à blaguer entre eux, Keith s'amusait à asticoter Mick. Il lançait la rumeur que Mick avait oublié d'annoncer untel ou untel pour le faire paniquer, alors que c'était faux. Pa riait sous cape dans son coin. Je les voyais glousser entre eux, je pensais : "Qu'est-ce qui se passe là-bas ? Ils complotent encore ensemble." Mais, au moment de saluer, ils trouvaient de nouvelles manières de taquiner Pa. Je le plaignais, mais je ne pouvais pas m'empêcher d'en rire. »

« Tu connais Charlie, dit Keith. C'était l'homme le plus réservé, le plus modeste au monde. Il aurait voulu disparaître de la scène quand Mick l'alpaguait comme ça. Qu'est-ce qu'il était aimé, celui-là ! Et bon Dieu ! ce qu'il détestait le show-business ! Ou du moins tout ce qui va avec. Je veux dire, moi-même je suis assez réservé, mais la discrétion de Charlie est légendaire. Comme tu dis, plus tard c'était : "J'adore tonton Charlie" à tous les concerts. »

Charlotte se souvient encore de ce que Shirley disait à son mari. « Elle plaisantait : "Enfin, pourquoi veux-tu être un vieux avant l'heure ?" Je crois qu'il était simplement vieux de naissance, et fait pour être grand-père. Depuis tout jeune, il avait une aura de papy. Ça lui allait comme un gant. »

Les Stones déboulent dans le XXIe siècle sans qu'un nouvel album pointe à l'horizon, mais de plus en plus conscients de la valeur sans limites de leurs prestations scéniques, surtout avec l'arrivée des gros anniversaires. La tournée mondiale *Licks* de 2002-2003, trois cents millions de dollars au compteur, fait la promo de la compilation *Forty Licks*, qui récolte dûment son disque de platine à une époque où les ventes d'albums commencent à décliner pour tout le monde. Charlie, comme d'habitude, râle à l'idée de passer des mois loin de chez lui, mais il n'a jamais vraiment eu l'intention de refuser. « On est presque cloués au job, dit Keith. Comment voulez-vous en sortir ? » Entre-temps, il a peaufiné avec Darryl Jones une section rythmique véritablement redoutable.

« Je crois qu'il était très tiraillé, analyse Chuck Leavell. Bien sûr, il adorait rester chez lui, mais il adorait aussi la batterie. Il savait que c'était donnant-donnant, au fond, et dans sa tête il voyait les côtés positifs, pour se réconcilier avec l'idée de partir en tournée. Mais je n'ai jamais imaginé qu'il arrête un jour. Il y avait toujours une session de plus, une tournée de plus. »

Les arènes et les stades sont depuis longtemps le lieu de travail quotidien des Stones, mais en plus la suprême efficacité de leur énorme organisation de tournée permet désormais aux piliers du groupe de se détendre, de s'amuser et de s'observer mutuellement. « C'était marrant d'être avec lui sur scène, se remémore Lisa Fischer avec un sourire. Il avait une manière à lui de respirer, presque méditative. Sa façon d'inspirer, son nez et sa tête qui faisaient comme ça [elle exhale]… Et puis il jouait, juste comme ça, mais il dégageait beaucoup d'énergie. On aurait presque pu croire qu'il faisait de la respiration circulaire, mais ce n'en était pas. Sa manière de simplement aspirer l'air et l'énergie de ce qui se passait sur scène, c'était magique à voir.

« Une fois de temps en temps, j'essayais vraiment de le taquiner, juste pour voir. J'embrassais par exemple le *baffling* [les panneaux de plexiglas montés autour de la batterie pour isoler le son] en laissant une trace de rouge à lèvres. Il tournait simplement la tête et faisait : "Berk ! va-t'en." Il ne pouvait pas me chasser physiquement, vu qu'il était coincé. Alors, quand il me fusillait du regard, je me disais : "Je pense qu'il a son compte." En tout cas, j'arrivais à le faire réagir. Une fois qu'il avait souri, je lui fichais la paix. »

Charlie a entamé le millénaire avec le disque le plus étonnant et aventureux qui soit sorti sous son nom. Le *Charlie Watts Jim Keltner Project* est une série d'enregistrements réalisés avec son vieil ami – d'un an son cadet –, comme lui une valeur sûre du rock, qui a connu un itinéraire similaire au sien : des penchants jazz des débuts à une présence incontournable dans le monde du rock. Les enregistrements ont commencé en 1997, année où Keltner a été engagé pour des contributions aux percussions sur *Bridges to Babylon*.

Keltner a raconté sur le site mixonline.com : « Les Stones voulaient savoir si j'avais envie de jouer en double, à deux batteries, et Charlie était pour. Mais j'ai refusé. Primo, ce n'est pas quelque chose que j'aime faire, et secundo, ça aurait été un crime d'interférer avec le groove de quelqu'un comme Charlie. Presque un sacrilège. Donc, en gros, je restais en retrait et je me glissais dans son jeu à l'aide d'une batterie partielle, sans grosse caisse ni caisse claire. »

Charlie Watts Jim Keltner Project, album entièrement instrumental, était nettement avant-gardiste, comparé aux précédentes recueils de morceaux de Charlie. Pour un batteur de la vieille école, Keltner était un sampleur invétéré, puisant non pas dans la musique des autres mais dans ses propres captages de sons variés, de l'étagère métallique au cuit-vapeur à poisson. Le Ronnie Scott's était loin.

Charlie et Keltner avaient donc l'esprit grand ouvert, et c'est ainsi qu'est né le *Project* : une incursion dans le monde de l'électro, à base de samples, avec des pistes portant le nom des mentors communs aux deux batteurs, comme Art Blakey, Kenny Clarke ou Roy Haynes. « J'ai utilisé des noms de batteurs parce que Tony Williams venait de décéder cette semaine-là, et ça a été le premier, a dit Charlie. Ça m'a donné l'idée de continuer sur le même principe pour les autres morceaux.

« Tout a commencé avec Jim et moi. On était rien que nous deux à bricoler un peu, en fait. Jim avait quelques boucles samplées sur lesquelles il voulait que je joue, et c'est ce que j'ai fait. Je me suis éloigné de mon approche habituelle, qui consiste simplement à engager des types pour jouer de la musique avec moi. Les harmoniques du rythme forment mélodie en soi. Je voulais donc que la batterie reste aussi sobre que possible. En même temps, on faisait ça de manière très électronique. Et c'était justement l'intérêt, parce que d'habitude ce n'est pas trop mon truc. »

Le critique du *Folk & Acoustic Music Exchange*, Tammy D. Moon, explique à quel point ce disque l'a bousculé dans ses habitudes : « Personne n'aime moins le jazz que moi, et j'ai ADORÉ ce disque ! » En revanche, dans le monde souvent étonnamment guindé du jazz, la revue *All About Jazz* donne le verdict inverse : « C'est n'importe quoi. »

Quoi qu'il en soit, à l'approche de la soixantaine, Charlie est libéré. « J'ai fait toutes sortes de remix de divers morceaux de l'album, a expliqué Tony King, qui a supervisé sa promotion, et Charlie adorait travailler dessus, il trouvait ça vraiment cool. J'aimais beaucoup cet album, je le trouvais vraiment gonflé. Et on a eu d'excellentes critiques. »

Lorsqu'il rentre retrouver Shirley, il chérit, du moins pendant de brèves périodes, la solitude de la vie tranquille, entre les chevaux et les chiens (ils en ont alors dix-huit, d'après un décompte du début des années 2000), ses voitures et ses collections, et toujours ses disques de jazz et de classique. Cette passivité faite de simplicité est la récompense dont rêvent tant de musiciens quand ils sont en tournée. Une fois chez eux, bien sûr, les choses peuvent s'inverser entièrement. Pour Charlie, le bonheur de jouer et les bras de sa famille de tournée finissent toujours par l'attirer à nouveau, surtout quand Shirley commence à lui faire comprendre qu'il est temps de repartir au boulot.

Selon Charlie, « Keith adore être en tournée. Chaque fois que j'annonce que je vais arrêter, il me dit : "Et tu vas faire quoi ?" Là, je ne sais plus quoi dire, parce qu'en réalité je ne fais rien d'autre que jouer de cette foutue batterie. C'est donc très difficile de répondre à cette question. »

Dans une interview donnée en 1969 au *Record Mirror*, il montrait déjà à quel point il se connaissait bien. « Je suis fondamentalement feignant. Je n'ai jamais rien trouvé que j'aie réellement envie de faire en dehors des Stones. Je sais que ça doit sembler barbant, mais ça ne l'est pas. Je perds beaucoup mon temps, mais ce serait aussi le cas si je travaillais dans une banque.

« Je n'ai jamais vraiment eu envie d'apprendre la guitare, et il y en a déjà deux dans le groupe, donc ça ne servirait à rien. Mick Jagger aussi est très bon guitariste. Il s'y est mis et s'est entraîné avec conviction. J'aimerais bien jouer de la trompette, ou peut-être du saxo. Du trombone, peut-être. Le problème, c'est que je ne me suis jamais vraiment décidé à m'y mettre, parce que ça voudrait dire repartir de zéro. J'ai déjà soufflé dans une trompette, mais c'est à peu près tout. Je suppose qu'avec un peu de travail je pourrais en sortir un air, mais pour ça il faudrait que je m'y mette sérieusement, ce que je ne fais pas assez, je suppose. »

Quand il ne se rend pas en Pologne pour acheter des chevaux, Charlie a d'autres occupations lors des périodes de creux. En décembre 2000, par exemple, il est de retour aux studios Olympic pour une session qui ressemble à un rêve d'enfance, avec le grand Chico Hamilton, batteur sur l'un des disques qui ont pavé son chemin : *Walking Shoes* de Gerry Mulligan. Quand Hamilton intitule le morceau qui en résulte Here Comes Charlie Now[1], sur l'album *Foreststorn* de 2001 dédié à son fils décédé, Charlie en reste comme un gosse pétrifié d'admiration.

Quelques années plus tard, lorsque le quartette ABC&D of Boogie Woogie joue à New York, Hamilton est dans le public. « Il a été l'une des premières idoles de Charlie, confie Dave Green. Et à la fin, c'est lui qui est venu le voir. Ça a tellement honoré Charlie ! Dans pas mal d'endroits, des batteurs de renom allaient l'écouter, parce qu'il n'avait pas du tout l'ego typique des batteurs de rock. Il admirait les musiciens de jazz, qui en retour venaient à lui. Steve Gadd est passé dire bonjour. Steve Gadd ! Un géant. Charlie se qualifiait lui-même de charlatan, mais il avait un très joli jeu de batterie. Il avait un excellent tempo, un excellent swing. »

Lors de ce concert au Blue Note à New York, un autre membre du public l'apostrophe amicalement. Charlie est en train de présenter Dave comme étant son plus vieil ami. « Ah bon ? Parce que t'as un ami ? » lui lance alors Keith Richards. À Londres, l'estime est réciproque : Charlie assiste au concert des Rhythm Kings de Bill Wyman qui, trois soirs plus tard, vient voir son groupe

1. Maintenant, voilà Charlie.

à lui, une formation de dix musiciens, au Ronnie Scott's. Plus tard lors de la même série de concerts, c'est Mick qui est là ; le lendemain soir, Keith et Ronnie.

Pendant toute sa carrière, Charlie s'est montré généreux, non seulement par ses cadeaux, mais aussi en donnant de son temps à d'autres musiciens. Les sessions des débuts avec Leon Russell et Howlin' Wolf lui ont valu d'être crédité sur des disques de Pete Townshend, Peter Frampton ou encore Brian May. Autre prestation remarquable, réalisée à Paris : son jeu sur une version pétillante de *Hey Negrita* des Stones pour leur saxophoniste de tournée Tim Ries, sur son album *Stones World*, où figurent aussi Bernard Fowler, Chuck Leavell et Ronnie, avec une brillante contribution de Mick à l'harmonica. À Porto, ils enregistrent un *No Expectations* tout aussi imaginatif et entièrement réinventé, avec Charlie aux balais, Ries ajoutant le saxophone et la chanteuse de fado portugaise Ana Moura qui apporte sa voix raffinée. Charlie et Ries sortent parfois ensemble dans les clubs de jazz, et Dave Green a pu jouer avec Ries au Ronnie Scott's. Des âmes sœurs, tous autant qu'ils sont.

« À la moindre occasion de jouer pour Charlie, [Ries] déboulait », dit Glyn Johns. Charlie a même joué lors du second mariage de Glyn. « Très peu de gens lui ont demandé de jouer pour eux, à ma connaissance, et je peux le comprendre. Quand on ne le connaît pas, il faut pas mal de culot pour l'appeler. Il a fait deux ou trois choses pour moi, notamment pour l'album *Rough Mix* de Pete [Townshend, sur *My Baby Gives It Away* et *Catmelody*]. Chaque fois que j'ai fait appel à lui, évidemment, il a été absolument brillant. »

Chuck Leavell remarque aussi son instinct lors des répétitions ou des balances des Stones. « Parfois, pendant qu'on attendait Mick ou Keith, ou les deux, se rappelle-t-il, je commençais un petit morceau, et pour peu que ce soit

250

proche du jazz… Je ne suis pas un jazzman, en réalité, mais Charlie embrayait tout de suite. Il était toujours partant, motivé et capable de jouer à peu près n'importe quoi. Ça m'a toujours fait plaisir qu'il ait envie de participer et de contribuer. »

Le passage subtil mais inexorable de Charlie au statut de « chouchou » est confirmé par sa participation, en mars 2001, à l'émission *Desert Island Discs*. La présentatrice de l'époque, Sue Lawley, est clairement désarçonnée et même poliment exaspérée par son mélange typique de méfiance, d'hésitation et de refus de se plier au bavardage attendu d'une « célébrité ». Sa sélection d'œuvres à emporter sur une île déserte comprend, sans surprise, des enregistrements de Parker, d'Ellington et, comme nous l'avons vu, un commentaire de match de cricket.

En revanche, certains de ses choix, de Tony Hancock à Ralph Vaughan Williams et, dans la catégorie « livres », les poèmes de Dylan Thomas, en surprennent beaucoup par leur éclectisme. Son œuvre favorite, en tant que naufragé, serait la *Danse des cochers et des palefreniers* de Stravinski, tirée de *Petrouchka*, que Shirley a choisie pour un de ses shows équestres : en l'écoutant, il revoit Charlotte, petite, « caracolant dans toute la pièce ». Il évoque un autre souvenir touchant, celui d'avoir dansé avec Seraphina à un mariage sur *The Way You Look Tonight* chanté par Fred Astaire. Son luxe ? Les baguettes, évidemment.

Charlie aimait écouter du classique : chaque fois que Linda l'appelait pour bavarder, elle entendait Radio 3 en fond. « Ma femme dit toujours : "Oh là là ! quelle barbe !" », a-t-il confié. Je lui ai demandé s'il avait des compositeurs classiques préférés. « Oui, mais je les oublie. Les habituels, en fait. Vaughan Williams, les gens comme ça. »

Les Stones se retrouvent bientôt, pour la troisième fois, à Toronto, le lieu de répétition qu'ils affectionnent le plus. Je suis allé les voir à trois reprises là-bas, et j'ai été émerveillé par ce qu'ils avaient fait de ce temple maçonnique sur six niveaux, qui leur servait de local pour plusieurs semaines : un étage consacré à la grande scène, un autre à la relaxation, avec des loges individuelles, un autre encore qui servait de salle à manger commune, le tout magnifiquement décoré. Leurs répétitions étaient plus belles à voir que les tournées de la plupart des groupes.

La salle à manger, en particulier, était mémorable parce que c'était en pratique un réfectoire de travail – le groupe et le staff faisaient la queue pour remplir leurs assiettes au généreux buffet. Mick y a fait une apparition pendant que Charlie attendait consciencieusement son tour. Ronnie profitait de sa désintoxication toute fraîche et durement gagnée. Keith devait être ailleurs en train de dévorer la tourte au bœuf et aux rognons qu'il adorait.

L'autre tradition de leurs séjours à Toronto consistait à jouer leur concert de répétition en secret. En 2002, c'était au Palais Royale pour environ huit cents chanceux, qui n'ont rien dû sentir de la nervosité dans les rangs, bien perçue en revanche par Mick. La réaction de Charlie quand nous nous sommes parlé peu après était également loin d'être enthousiaste. « C'est très inconfortable, c'est bruyant, il fait chaud. Mais du moment que les gens sont contents, ça ne fait rien. » N'était-ce pas une occasion pour le groupe de relâcher un peu la pression ? « Sans doute. Moi, ce n'est pas mon sentiment, mais je pense que c'est celui de Mick et Keith. On ne joue pas assez souvent dans des clubs pour faire ça bien. Je préfère faire Wembley avec les Stones. »

La tournée *Licks* commence en septembre. Cette fois, elle combine astucieusement toutes les tailles de concerts, avec une alternance de stades, d'arènes et de théâtres. Keith, de manière mémorable, la surnomme « Tournée des calbutes », ou parfois « Tournée des slips », parce que le spectacle est disponible en trois tailles : *small*, *medium* et *large*.

Charlie me racontait : « On a déjà tout fait. Sur certaines tournées, rien que des théâtres – je veux dire, il y a des années de ça. Pour d'autres, rien que des grandes salles. Cette fois on a mélangé les trois. Je crois que c'était une idée de Mick, pour changer un peu de l'ordinaire, ce qui n'est pas un mal, je suppose. C'est plus de boulot, parce qu'on va créer trois scènes différentes au lieu de garder la même du début à la fin. C'est très difficile de faire passer des choses subtiles dans un stade, parce qu'il faut être très direct et pile devant les feux de la rampe, comme on dit. Heureusement, pour ça on a le meilleur du monde : Mick.

« Jouer dans des stades de football, c'est grotesque, mais c'est comme ça, maintenant. Je veux dire, je joue dans des clubs, et je sais que ce n'est pas le même genre de musique, mais c'est très plaisant. Passer au Ronnie Scott's, c'est merveilleux. »

Charlie est resté très évasif quand je lui ai réclamé des indices sur la mise en scène du spectacle (« Je ne dirai rien, il faudra venir voir »), mais en arrivant au concert d'ouverture au FleetCenter, une grande salle à Boston, nous avons vu une scène transformée en panneau d'affichage géant, avec un collage sur mesure, de soixante mètres sur vingt-cinq, réalisé par Jeff Koons. Pour protéger le groupe des éléments, un auvent transparent de soixante mètres de large ; la scène B, désormais de rigueur, s'avançait comme d'habitude dans le public.

« On s'est décidés pour une scène très sobre, à part l'écran géant au-dessus, et c'était bien joli tout ça, mais il fallait encore qu'on décide ce qu'on allait y mettre, sur ce foutu écran, a dit Charlie. C'est une idée que j'aurais aimé développer un peu plus. Si vous vous servez de l'écran comme décor de scène, il y a moyen de créer une ambiance totalement différente pour chaque chanson. Ça peut devenir une salle de bal à Versailles, ou un écran noir avec des portes et des fenêtres qui s'ouvrent pour une autre atmosphère. »

« En coulisse, c'étaient Mark Fisher, Patrick Woodroffe et lui qui faisaient le plus gros du boulot, reconnaît Keith. Moi, je suis plutôt du genre : "Elle est où, la scène ? Bon ben montez-la, et on y va." Mais Charlie, lui, a fini par être expert. Il m'a séché quand il s'est mis à parler éclairage : "Les Super Troupers ici, les lampes à arcs là-bas…" Nom de Dieu ! Il avait beaucoup appris dans ce domaine, et ça lui plaisait. Il était directeur artistique dans l'âme. »

Comme d'habitude, ils sont un peu rouillés pour cette première à Boston, notamment parce que, comme Charlie le souligne, le groupe fait rarement un filage en costume avec les éclairages, les vidéos, etc., si bien qu'il y a toujours un peu de cafouillage. « Les gens adorent aller à une première, dit-il, mais c'est souvent un peu bordélique. Le meilleur moment pour voir un concert, quel que soit le groupe, c'est généralement au bout de trois semaines. » Son jeu, commente *Rolling Stone*, est « un exemple de retenue habile », dans un groupe qui joue « comme s'il avait à la fois tout et rien à prouver ».

Non seulement la tournée est un carton à trois cents millions de dollars, mais en plus sa configuration innovante est une bénédiction pour le groupe, et pour Mick en particulier. « Ce nouveau format a vraiment bien marché, a-t-il commenté. Une très heureuse surprise. Ça fonctionnait pour le public, et ça nous forçait à ne pas nous endormir. La routine tue la spontanéité. »

Au printemps 2004, Charlie reforme son groupe, sa formation à dix, qui n'a pas trouvé un seul créneau pour travailler depuis trois ans. Ils regagnent le Ronnie Scott's, leur QG londonien, pour une nouvelle série de concerts, même si l'album *Watts at Scott's*, qui sort pendant l'été, reprend en réalité des enregistrements faits lors de trois soirées en 2001.

Parmi les hommages discrets à des idoles comme Duke Ellington et Billy Strayhorn, le disque contient ce qui doit être une des versions les plus originales de *Satisfaction* jamais tentées : Gerard Presencer joue de la trompette dans un style très personnel, parfumé d'accents latinos, sur le morceau rebaptisé *(Satis)Faction* pour l'occasion. Mais au moment de la sortie de l'album, en juin, Charlie vient de recevoir le choc de sa vie. Dix jours plus tôt, à l'âge de soixante-trois ans, il a appris qu'il avait un cancer.

Il avait une tumeur dans la gorge depuis deux ou trois ans, qui avait été diagnostiquée comme bénigne, mais lors l'examen qui a suivi l'ablation elle s'est révélée cancéreuse. Puis le cancer a aussi été détecté dans son amygdale gauche. « Quand je l'ai appris, je suis littéralement allé me mettre au lit pour pleurer, m'a-t-il avoué. Je pensais que ça y était, que je n'avais plus que trois mois à vivre. Vous allez là-bas, c'est terrifiant. Toutes ces machines, ça ressemble à des trucs de l'espace. Les chirurgiens et les infirmiers tiennent littéralement votre vie entre leurs mains. » Keith reprend les mots de son ami : « Comme l'a dit Charlie : "J'étais au Ronnie Scott's, en train de me faire acclamer, et je me retrouve sans transition allongé sur une table en marbre." »

Les médecins expliquent à Charlie que six semaines de radiothérapie lui donneront 90 % de chances de rémission complète, et c'est heureusement ce qui va arriver. Il peut se rendre à pied à l'hôpital Marsden pour ses rendez-vous et échappe miraculeusement au regard des médias. Un bref communiqué de presse en août confirme seulement qu'il en est à la quatrième semaine de son traitement. Début octobre, Mick confirme publiquement que le traitement a bien réussi. Le même mois, Charlie et Shirley fêtent un anniversaire rarement vu dans le monde du rock : quarante ans de mariage.

Charlie s'est exprimé plus tard sur son absence initiale pendant l'écriture et les sessions de démo pour le futur album *A Bigger Bang*, sorti en 2005. Les projets de tournée du groupe étaient suspendus à son traitement, mais, ironie du sort, cette frayeur a eu la vertu de rendre Mick et Keith plus proches qu'ils ne l'ont été depuis des années pour l'écriture des chansons. Cet été-là, ils font l'expérience, inhabituelle dans l'histoire récente du groupe, de composer dans la même pièce, au château de Fourchette, la propriété de Mick sur les bords de Loire, à Pocé-sur-Cisse.

« On a passé beaucoup de temps à écrire chez Mick, a confirmé Keith. On travaillait de manière très proche, principalement parce qu'on le faisait dans un espace restreint, et aussi parce qu'on était en équipe réduite. Tous les machins de base étaient faits sur deux canapés. Ensuite, je mettais Mick à la batterie. On s'est bien marrés. Pour la première fois depuis des années, on était tous les deux, rien que Mick et moi, et c'était : "Bon, faut qu'on trouve un truc." Alors : "J'essaye la basse là-dessus, tu fais le piano." Et : "Non, toi, tu fais le piano." »

Mick ajoute : « La maladie de Charlie nous a beaucoup touchés, mais le résultat a été qu'on a [tous les deux] joué de la guitare, de la batterie et de la basse un moment, rien que nous deux. Alors, quand Charlie est revenu, j'avais déjà une bonne partie des rythmes. On les a retravaillés, mais il y avait une base solide, et on a repris des éléments des démos que j'avais faites. » Keith se souvient qu'à son retour Charlie était le même, comme s'il s'était juste mis un coup de peigne et qu'il avait passé un costume.

L'album *A Bigger Bang*, cornaqué avec sagesse par Don Was, qui a produit ses prédécesseurs des années 1990, est une victoire improbable. Ses chansons sobres conviennent à un groupe de sexagénaires (sauf Ronnie qui n'a que cinquante-huit ans), ce qui ne l'empêche pas d'envoyer encore du lourd avec un élan inimitable, depuis les *She Saw Me Coming* et *Oh No, Not You Again* enjoués de Mick jusqu'aux *Streets of Love* et *Laugh, I Nearly Died* plus mélancoliques, sans compter le tapageur *Infamy* et le vulnérable *This Place Is Empty* de Keith. Et quiconque s'attendait à voir Charlie diminué par ses problèmes de santé n'a qu'à l'entendre emplir la pièce du *backbeat* grisant de *Rough Justice* pour comprendre que c'était une erreur.

Je lui ai demandé si son jeu intact était un message subliminal à ses camarades, une façon de leur dire de ne pas compter sans lui. « Ce n'est pas à eux que je voulais le montrer, c'est à moi, m'a-t-il répondu. C'est la limite de mon ego, au fond. »

Don Was connaît maintenant le script aussi bien que le groupe, mais il est ragaillardi de voir leur interaction renouvelée. « Dire qu'il y a de l'amour et de l'affection entre ces mecs, je pense que c'est encore loin d'expliquer la profondeur de cette relation qui s'étend sur plusieurs générations et mariages, m'a-t-il dit. C'est compliqué, certes, mais toutes les relations profondes le sont. »

La tournée d'accompagnement, évidemment énorme, commence à l'été 2005, et ses camarades ont beau le surveiller avec attention, la batterie de Watts reste chargée à bloc. Mick plaisante : « Je lui dis toujours : "Charlie, c'est comme ça qu'on fait une interview." Tu vois, je lui dis : "Parle de ta maladie." Parce qu'on lui pose toujours des questions là-dessus, et ça le fout en rogne chaque fois. Mais non, il a vraiment bien joué, il n'a pas eu de problème. Je n'ai repéré aucune faiblesse chez lui.

« C'est très physique de jouer de la batterie si longtemps sur scène. Je le remarque s'il prend un peu de retard ou s'il a une petite tendance à ne pas taper quand il faut. Mais il n'y a rien eu de ça. J'ai vraiment vu, quand on a commencé à enregistrer, qu'il jouait super bien, et fort, avec beaucoup de verve. Donc il n'y a pas de problème. »

Six mois et cinquante-cinq dates plus tard – et quinze jours après avoir joué au Super Bowl XL pour 140 millions de téléspectateurs rien qu'aux États-Unis –, les Stones se lancent dans l'un des plus grands shows de l'histoire entière du rock, sur la plage de Copacabana, à Rio. On estime le nombre de spectateurs à environ 1,5 million, même si c'est difficile à dire précisément : l'équivalent de vingt Live Aid à Wembley ou de soixante-quinze concerts à guichets fermés au Madison Square Garden.

Le spectacle a demandé des mois de préparation, notamment pour construire un pont d'un genre nouveau, qui mène le groupe directement de l'hôtel à la scène en passant au-dessus du public, lequel occupe entièrement les quelque quatre kilomètres et demi de la célèbre plage. Soixante-dix camions de matériel, un service d'ordre de 500 personnes, 6 000 policiers militaires : c'est leur show le plus énorme, à l'échelle 15 ou 20, plus grand que jamais.

Charlie, sans aucun doute, se demande en coulisse que penser de tout ça, mais même lui se laisse gagner par l'euphorie du moment. Dans les limites du raisonnable. « C'était marrant, a-t-il lâché. Pour être honnête, ça ne change rien qu'il y ait deux millions ou je ne sais combien de personnes, car de toute manière on n'en voit qu'une portion. Pour Mick, c'est différent, la façon de chauffer le public. Mais moi, je voyais les bateaux sur la mer. C'était un cadre extraordinaire, et la journée entière a été fantastique. Comme la finale de la Cup, sauf que ça a duré toute la journée. »

Ronnie renchérit : « C'était simplement indépassable, inconcevable et très... quel est le mot ? Surréaliste. Je n'arrêtais pas de me dire : "Ils arrivent par la terre, par la mer, par les airs !" On était cernés. Mais ce qu'il y a eu de génial à Rio, c'est qu'il n'y a pas eu un seul blessé, personne ne s'est fait mal. Je crois qu'il y a eu un accouchement, mais c'est à peu près tout. »

Puis arrive l'incident de Fidji, et des vacances inattendues pour Charlie. Les théories plus ou moins fumeuses abondent autour de l'accident de Keith, en vacances dans le Pacifique Sud avec sa femme, Patti, et Ronnie et Jo Wood, mais c'est pourtant vrai qu'il a glissé et qu'il est tombé, non pas d'un cocotier comme cela a été dit, mais de ce qu'il appelle « un petit arbre tout tordu », et a été opéré en urgence pour retirer un caillot de sang à l'arrière de son cerveau. Son commentaire lui ressemble bien : « Je n'ai pas pu m'en empêcher, j'y suis retourné et j'ai embrassé l'arbre. Celui qui avait failli me donner le baiser de la mort. Depuis, les gens m'offrent des palmiers gonflables. OK, je suppose que je vais devoir vivre avec ça. On m'a aussi fait livrer plusieurs fois des noix de coco.

« Charlie me racontait ses scanners, et je pensais : "Au moins, je n'ai pas à passer par là." Et, tout à coup, me voilà exactement dans les tunnels qu'il m'avait décrits. J'ai six agrafes en titane dans la tête, maintenant. Et elles ne font pas sonner les portiques d'aéroport, je peux le garantir. J'ai testé. »

Charlie profite de ce moment de relâche avant le début de la tournée européenne. « On m'a appelé pour me dire que c'était remis *sine die*, alors je me suis dit : "Et maintenant, qu'est-ce que je fais ?" En ce qui me concernait, ça ne pouvait pas tomber mieux, car je devais quitter l'Angleterre pour des raisons fiscales. Alors j'ai fait, littéralement, le tour de l'Europe, par moi-même. Je suis allé à Turin, à Rome, à Florence et à Paris pendant un mois. J'ai visité plein d'endroits que je n'avais jamais vus, Pompéi et tout ça. Un voyage très culturel, comme le Grand Tour tel qu'il se faisait au XVIIIe siècle.

« Je n'avais qu'un jean [un *jean* ? C'est dire l'urgence de la situation !] et une paire de chaussures. Pour moi, c'était la catastrophe. Je suis allé directement à Rome me racheter un costume. Donc de mon côté, c'était merveilleux. Ça a dû être l'enfer pour Keith, mais en tout cas, moi, j'ai passé un très bon moment. »

J'ai rappelé cette réflexion à Keith. « Ouais, il m'a lancé ça, a-t-il dit en riant. Il m'a dit : "Tu devrais recommencer, j'en ai bien profité." »

Jools Holland observe : « Charlie était un remarquable croisement entre le gentleman du XVIIIe siècle rencontré quelque part en voyage, qui apparaît comme par magie dans votre vie, et le Londonien laconique qui est en fait hyper cultivé. Quand je dis "gentleman du XVIIIe", je veux parler des jeunes gens de la bonne société qui faisaient le Grand Tour avec leur carnet de croquis. C'était exactement lui. »

Keith arrive à la même conclusion. « Je vais vous dire ce qu'il était : un putain de gentleman. Façon XVIIIe siècle. » Charlie lui-même le reconnaissait. « J'aurais dû naître en 1810, a-t-il dit à *Esquire*. Je vis comme un propriétaire terrien de l'époque victorienne. Je me lève, je décide de ma tenue, je prends le petit déjeuner et je me promène tel un châtelain. Je vais inspecter les écuries et regarder les chevaux. Nous en faisons l'élevage. C'est ma femme, en fait – c'est sa passion. Nous avons des chevaux depuis notre mariage, mais je n'ai jamais monté. En revanche, j'ai des tenues absolument fabuleuses pour l'équitation : des pantalons, et trois paires de bottes. J'ai aussi de vieilles calèches de toute beauté. »

Holland a accompagné le groupe aux États-Unis et au Japon à l'époque où il collectait les interviews pour son livre *The Rolling Stones : A Life on the Road*. C'est Dora Loewenstein, la fille de leur fidèle directeur financier Rupert Loewenstein, qui les a compilées pour la publication de l'ouvrage en 1998. Là, Charlie et Holland ont eu le temps de mieux faire connaissance, et le batteur lui a montré à quel point il rejetait consciemment le mode de vie qu'on attendait d'un membre de la génération rock.

« C'était un gentleman impeccable, dans ces hôtels gigantesques, témoigne Holland. Ils avaient chacun une suite, et quand ils faisaient ces concerts énormes ils avaient trois soirs de relâche entre deux représentations, tellement c'était long de tout réinstaller. Pas quatre concerts et un soir de relâche comme nous autres.

« Donc on était parfois invités dans ce qu'ils appelaient "la Cage", la suite de Keith, où il jouait la plus belle des musiques. C'était comme dans *Le Seigneur des anneaux*, quand les elfes jouent une musique qu'on n'arrive pas à identifier, mais qui est belle à pleurer. Vous ne vouliez alors qu'une chose : écouter encore. Je lui disais : "Keith nous invite à la Cage ce soir." Pourtant, il n'y allait pas, ça ne lui disait rien.

« Mais ça me plaisait qu'il soit si routinier. Vous alliez dans sa chambre boire un café avec lui : tout était parfaitement rangé. Il disait qu'il aurait été parfaitement heureux en châtelain mais qu'il aurait été tout aussi heureux en majordome, comme tout bon gentleman. Tant qu'on ne comprend pas soi-même ce qu'il y a à faire, on ne peut pas attendre d'un autre qu'il le comprenne. »

Lorsque des innovations techniques font leur apparition à la fois dans le monde des Stones et au-dehors, Charlie soit ne s'y intéresse pas du tout, soit n'est pas au courant. Je me rappelle lui avoir dit que leur film de concert de 1991, *Live at the Max*, sortait en format IMAX, le dernier cri de la haute résolution à l'époque. « Ah bon ? » a-t-il lâché, avec les paupières lourdes de celui qui n'en a strictement rien à faire.

Pendant la tournée *Bridges to Babylone*, la série de quatre-vingt-dix-sept dates qui chevauche quatre continents en 1997 et 1998, une chanson de chaque concert est retenue selon le vote en ligne des spectateurs. J'en ai reparlé avec Charlie à notre rencontre suivante, et il m'a répondu avec son flegme habituel et son comique involontaire qui donnait souvent envie de rire : « Ce n'est pas que je sois contre, c'est surtout que ça ne m'intéresse pas particulièrement. Je ne m'intéresse pas aux ordinateurs ni à Internet, mais Mick, lui, ça le passionne, donc de son point de vue c'était très bien. Je ne suis pas fou de l'idée, mais bon, je ne suis pas fou du monde technologique en général. Ça n'a jamais été mon truc. »

La tournée reprend à San Miro, à Milan, en juillet 2006, et quand je la rattrape à l'ArenA d'Amsterdam sept concerts plus tard, nul ne pourrait deviner les soucis de santé qui ont précédé. Charlie reçoit la pleine attention du public, qui le voit désormais comme un patriarche bienveillant. Un fan arbore un T-shirt sur lequel il est écrit « Charlie Watts et ses fabuleux Rolling Stones ».

« La scène, a dit Mick avant ce concert, c'est un peu comme le sport de haut niveau, j'imagine. Tout est dans la confiance en soi et dans la bouteille qu'on a. Il faut se prouver qu'on peut y arriver. Je pense que pour Charlie et Keith, les premiers concerts ont dû être difficiles. Tout le monde vous regarde en pensant : "Est-ce que ça va ?" Il doit y avoir de ça. »

À l'été, la boucle est presque bouclée pour les Stones, au énième degré, puisqu'ils sont de retour à Twickenham pour deux concerts. « On a commencé juste à côté, à l'Athletic Ground de Richmond, et puis on a joué au Station Hotel, explique Mick. Alors on se sent vraiment chez nous, quand on joue à Twickenham. Sauf Charlie. Lui, il est de Wembley, alors le stade de Wembley c'est encore plus chez lui. »

Les concerts près de chez lui mettent à rude épreuve la maniaquerie de Charlie. « Il y a toujours des tas de gens que vous connaissez et que vous appréciez, et ils sont tous là, donc c'est un peu la panique. On se dit : "Oh zut ! en voilà encore." Après, on reste éveillé au lit à se demander : "Est-ce que j'ai bien salué untel et untel ?" »

Charlie et Ronnie reviennent à Londres en novembre 2006 pour soutenir Mick aux obsèques de son père, Joe, décédé à l'âge de quatre-vingt-treize ans. Cela, quelques jours après la mort du grand frère et prédécesseur musical de Ronnie, Art, que Charlie connaissait depuis l'époque de Blues Incorporated avec Alexis Korner. La mère adorée de Keith, Doris, s'en va au printemps suivant, à quatre-vingt-onze ans.

En juin 2007, alors que la tournée *A Bigger Bang* parcourt l'Europe, les Stones sont en tête d'affiche du festival de l'île de Wight. Deux des artistes les plus en vogue en Grande-Bretagne font des apparitions avec eux : Paolo Nutini pour *Love in Vain* et Amy Winehouse pour *Ain't Too Proud to Beg*. Malheureusement, et j'en parle pour l'avoir vu de mes yeux, elle semble ce soir-là, dirons-nous, affaiblie par l'alcool. Charlie me l'a confirmé : « Elle a été atroce quand elle est passée avec nous, mais elle avait été géniale la veille avec son groupe à elle. Je me suis même dit : "C'est pas vrai, c'est la même fille ?" C'est un groupe très agréable, sur le disque [*Back to Black*] ils sont très bien, et elle est fantastique dans cette chanson. Je l'ai écoutée comme il faut depuis, mais avec nous je l'ai trouvée assez… » Il s'est tu, et je lui ai fait remarquer qu'elle ne se rappelait pas les paroles de la chanson des Temptations qu'elle interprétait en duo avec Mick. « Non, en effet. Ce n'était pas vraiment la Amy Winehouse qu'on connaît et qu'on aime. Mais c'est quand même une bonne chose qu'elle ait chanté avec nous, d'une certaine manière, non ? »

Une fois de plus, il a entrepris de me dire pourquoi il n'aimait pas ces événements à grande échelle en général mais appréciait celui-ci en particulier. « Je n'aime pas faire ces festivals, je déteste passer avec quatre-vingts autres groupes. Mais l'île de Wight, c'était très bien. J'ai été très étonné de trouver ça si agréable. J'étais déjà venu en spectateur, pour voir jouer les autres, mais jouer ici, j'ai trouvé ça vraiment bien. La traversée en bateau, c'était chouette aussi. On a de la chance pour ça, on vit des moments vraiment sympas.

« Cela étant dit, j'ai fait peu de [festivals de] jazz. Stu m'envoyait en faire dans toute l'Europe, et je détestais ça. J'aime bien y aller pour voir les autres, mais je déteste y jouer. On ne s'y sent jamais à sa place. C'est très bien payé, mais… Je me rappelle avoir joué à Paris, puis Stu m'a emmené en voiture, je me suis endormi et je me suis réveillé à La Haye [pour le Festival de jazz de la mer du Nord]. Alexis Korner était avec nous, heureusement. Le tabouret du batteur refroidissait à peine que le mien a été glissé à sa place et qu'il a été poussé sur le côté. On est sortis, on a reçu une clé et on est allés dans ma chambre : le lit était encore tiède du groupe de Dizzy Gillespie qui venait de partir. C'est comme ça que ça se passe. Mais ce qui est bien, c'est qu'on tombe sur des gens qu'on n'a pas vus depuis des années et qu'il se passe toujours quelque chose, quand la programmation est de premier ordre. »

En août, ils terminent par trois concerts à l'O2 Arena. La tournée *A Bigger Bang* aura été la plus énorme des Stones, avec 558 millions de dollars de recettes et cent quarante-sept concerts en deux ans. Il est grand temps qu'ils se reposent un peu, et pour Charlie cela signifie rentrer dans sa ferme à Dolton. Il fait quand même une incursion à Londres fin 2008 en l'honneur de son vieux copain Ginger Baker, à qui il remet le prix Zildjian pour l'ensemble de son œuvre, au Shepherd's Bush Empire. Les photos des deux ours mal léchés rayonnants de joie sont fabuleuses.

« Ils sont toujours restés amis, confie Nettie, la fille de Baker. Un jour où il était aux États-Unis, Charlie a déboulé au ranch de papa en disant : "Tu peux venir voir les Stones, mais je sais que tu ne viendras pas, parce que tu les détestes." À la remise du prix, quand Charlie lui a présenté son trophée, ils ont été ravis de se voir. Mon père n'arrêtait pas de dire : "Tu te rappelles quand on prenait le métro ensemble ?" »

John DeChristopher, ancien vice-président de Zildjian, avait lui aussi des rapports chaleureux avec Charlie. Il a vu les deux amis discuter pendant une heure en coulisse avant l'événement. « Charlie était un des rares batteurs dont Ginger ne disait que du bien et qu'il respectait, et je pense que ça vient du fait qu'ils se connaissaient depuis toujours. Il voyait qui était Charlie. Charlie lui parlait toujours avec beaucoup de respect. Ce soir-là, il m'a dit après coup qu'il avait préparé tout un speech sur Ginger mais que finalement, le moment venu, il n'a pu prononcer que deux mots : "Le meilleur". »

Le monde du jazz va encore offrir à Charlie une grande aventure, peut-être la plus chère à son cœur. Il commence à faire quelques concerts avec non pas un mais deux pianistes de boogie-woogie, Ben Waters et Axel Zwingenberger, dont un au club de jazz réputé le Bull's Head, à Barnes, dans l'ouest de Londres, et un autre au 100 Club. L'affaire devient vite sérieuse et aboutit à une tournée qui va s'étendre à l'Europe, sous un nom qui reprend leurs initiales : l'ABC of Boogie Woogie.

Bientôt, un album arrive, *The Magic of Boogie Woogie*, et une autre initiale vient s'ajouter aux leurs pour compléter joyeusement la section rythmique : le vieux camarade de Charlie, Dave Green. L'ABC&D of Boogie Woogie est au complet. « Il y a deux pianos à queue acoustiques, ce qui n'est vraiment pas ordinaire, explique Charlie. C'est pour ça que j'aime ce groupe. C'est fantastique à voir. Pas une guitare en vue. »

« Je suis tombé sur Axel à Vienne, m'a raconté Waters au moment de la sortie du *Live in Paris*, en 2012. Je jouais là-bas, on est allés chez lui et on s'est mis au piano. Il m'a dit : "J'adorerais faire des scènes avec toi en Angleterre." Donc j'ai trouvé des dates pour nous deux, puis j'ai eu la bonne idée d'écrire à Charlie, parce que je savais qu'il avait joué avec Axel. Ian Stewart était un ami de mon oncle et de ma tante, qui connaissaient Charlie aussi. Je lui ai proposé : "Tu veux t'amener avec ta batterie ?" Et il l'a fait. C'était génial. On avait du mal à remplir la salle quand il n'y avait que nous deux, mais le jour où Charlie a ajouté son nom à l'affiche, on a tout vendu en deux heures. Fantastique. »

Charlie raconte l'épisode à sa sauce : « Quand Ben m'a proposé ça, je n'avais rien à faire, et il était temps que je sorte de chez moi, d'après ma femme. Quant à Axel, il a une mission dans la vie, c'est de convertir le monde au boogie-woogie, et il a fait la moitié du chemin. On espère qu'avec ça il arrivera aux trois quarts. Il est phénoménal. C'est très sympa de jouer avec ce groupe, et David y est parfait. Et, ironie du sort, il y joue un des instruments principaux. Moi je joue un peu plus de batterie maintenant, mais pas tant que ça. »

Dans cette interview de 2012, la posture habituellement réservée de Charlie change. Il s'enthousiasme : « Ce groupe, pour moi, est ce qui se rapproche le plus d'une soirée en 1939 au Café Society », dit-il, ravi, imaginant le groupe à Greenwich Village. « Ça correspond exactement à mon idéal. Axel m'a offert un enregistrement de Benny Goodman avec Albert Ammons, Pete Johnson et Meade Lux Lewis jouant avec l'orchestre de Benny à la radio. C'est fantastique. C'est incroyable. Mon Dieu ! ça c'est du swing !

« Les gens adorent cette musique quand ça commence à chauffer. Ils n'aiment sans doute pas le look des vieux croûtons qui la jouent, mais c'est une musique vraiment marrante. Ce n'est pas prétentieux du tout, et ça va droit au but. C'est merveilleux à jouer. On n'a jamais été dans un monde de concurrence, vous voyez ce que je veux dire ? C'est de la musique faite pour être jouée dans des petits clubs, et ça me plaît comme ça. »

L'album live comprend une version irrésistible d'une chanson qui remonte aux premiers enregistrements des Stones, la vieille rengaine de Bobby Troup *(Get Your Kicks on) Route 66*, la première piste de leur premier album. J'ai demandé en quoi les interprétations diffèrent, quant à la façon de jouer. « C'est difficile à dire, m'a habilement répondu Charlie. Ce que vous jouez convient à tel ensemble de musiciens en particulier. Celui des Stones était basé sur une guitare à la Chuck Berry, avec Stu qui faisait des trilles par-dessus ou des basses par-dessous.

« Cette version-ci est fondée sur le piano, entièrement, et sur une contrebasse jazz, ce qui donne une ambiance complètement différente. Parfois, quand on vire un peu à la Jerry Lee Lewis ou Little Richard, je joue comme je le ferais avec les Stones. Mais, ça, c'est Ben qui décide, s'il lance ces chansons. On ne répète jamais. Même la première fois qu'on a joué, c'était sans répétition. Ça peut donner un résultat différent chaque fois. Moi, je me contente d'attendre. Je ne sais pas ce qu'on va jouer ensuite. »

Il y a une ville où Charlie aurait adoré passer avec le quartette et qui est profondément inscrite dans son ADN musical. « Je rêvais d'aller à Chicago parce que c'est de là que vient cette musique. Oui, la même chose est arrivée avec les Stones. On a terminé à Chicago, à jouer du blues de Chicago devant plus de monde que Muddy Waters. (Rires.) Comme dit toujours Keith, c'est de ça qu'il s'agit, au fond. C'est la transmission, et c'est un gamin qui le copie et le joue, ou lui qui copie un vieux schnoque dans sa rizière. »

Charlie se souvient en particulier d'un concert dans les Dolomites, qu'il raconte avec son laconisme inimitable : « C'était vraiment bizarre, en pleine montagne, avec l'église, les oiseaux qui gazouillent et la neige, vous êtes là et vous vous demandez : "Mais qui va venir à ce truc ?" On joue dans une salle de concert en pente, il n'y a personne, deux vieilles dames passent dans la rue pour aller acheter une miche de pain. Et sur le coup de 7 heures du soir, soudain, c'est bourré à craquer. Ils adorent. »

En tournée avec les ABC&D, Charlie approfondit son amitié avec Holland, qui fait de temps en temps une apparition en tant que troisième piano. « Quand on était en Autriche, c'est là qu'on a eu davantage d'occasions de discuter, dit Holland. Quand il était en tournée avec les Rolling Stones, c'était la plus grosse machine de tournée au monde. Ils font ça depuis des années, c'est bien huilé, et ils ont du monde pour tout faire marcher.

« Mais quand il tournait avec les ABC&D of Boogie Woogie, il n'y avait rien de tout ça. C'était parfois un peu désorganisé, et il n'y avait personne pour s'occuper de votre chambre d'hôtel. Mais ça n'a jamais angoissé Charlie. Le chaos l'amusait constamment. Il m'a beaucoup appris sur le fait qu'il vaut mieux garder son calme, que ce n'est pas la peine de s'énerver. Quoi qu'il arrive, ça n'aide pas. C'était sa méthode en tout cas.

« Charlie adorait jouer avec Axel, Ben et Dave, parce qu'il était fou de boogie-woogie. Il comprenait mieux que personne la connexion entre cette musique comme élément des débuts du jazz et la manière dont une partie d'elle s'est transformée en rock 'n' roll populaire. Et les gens venaient parce qu'ils voyaient le rapport avec le meilleur boogie des Stones, qui a cet effet sur l'esprit humain : il donne envie de danser. »

C'est pour ça, d'après Holland, que Charlie était ravi de repartir en tournée, à bientôt soixante-dix ans, pour se reposer… des tournées. « Il l'a fait parce que les Stones avaient de longues périodes de pause. Quand on est musicien, il faut garder les mains dans le cambouis. On ne peut pas se contenter de jouer tout seul chez soi, ce n'est pas du tout le même exercice. Et puis il aimait voyager avec son vieil ami Dave, et l'ambiance était très bonne entre nous tous. Dave et lui se blottissaient sous une couverture dans le fond du bus, comme deux retraités s'en payant une bonne tranche.

« Je me rappelle une fois à Hambourg : on était descendus à l'Atlantic, un hôtel très chic où il se rendait depuis des années. Peu de gens ont une envergure internationale telle que celle des Rolling Stones. À force de jouer depuis des lustres et de se produire dans toutes les villes, ils se sont fait des amis dans le monde entier. Il était donc avec un Autrichien qui faisait je ne sais quoi dans les courses de chevaux, un personnage exubérant. On a pris le petit déjeuner, et ça a duré environ quatre heures. »

Holland conclut : « À mesure que les amis de Charlie sortaient du bois au gré de nos voyages, j'ai compris qu'il collectionnait des gens qui semblaient tout droit sortis des films glamour des années 1970, en Suisse, en Allemagne, en France. Ils venaient aux concerts de boogie en smoking. C'était un mélange étonnant. On pouvait voir arriver un type qui avait l'air d'un repris de justice ou du méchant Allemand dans les films. On n'arrivait pas à comprendre qui étaient la moitié de ces gens, mais tous adoraient Charlie. »

BACKBEAT
Le don de la générosité

Charlie Watts n'avait aucun état d'âme à dépenser de fortes sommes pour ses propres plaisirs, et cela en partie parce qu'il faisait de même pour ses proches, pour leur montrer à quel point il les aimait. Son don pour la batterie n'était égalé que par son don pour les cadeaux.

Où qu'on aille dans le monde des Rolling Stones, on tombe sur des amis et des compagnons de voyage qui ont bénéficié de ses largesses, dispensées sans prétention et sans histoires. Les sceptiques auront beau persifler que c'est facile d'être généreux quand on a des millions en banque, l'industrie musicale ne regorge pas d'artistes qui cessent de penser à eux-mêmes assez longtemps pour songer aux autres, et encore moins pour se demander ce qu'ils aiment.

Dave Green, son ami de l'époque des culottes courtes, des préfabriqués de Wembley et des tickets de rationnement, raconte une anecdote tout à fait typique : « Il était extrêmement généreux. Il s'est pointé un jour au PizzaExpress, à Soho, avec un sac et m'a dit : "Tiens, c'est pour toi." Je m'intéressais beaucoup aux explorations polaires. L'un de mes hobbys est de collectionner les ouvrages sur le sujet, et il le savait. Il m'avait acheté quatre volumes extraordinaires du *South Polar Times* : un fac-similé du magazine créé dans l'Antarctique par l'expédition du capitaine Scott. Bien sûr, je n'aurais jamais pu me les payer, et voilà qu'il arrivait avec. » Conçu par les membres de l'expédition pour se distraire pendant les longues et cruelles nuits d'hiver, le journal comprend notamment des casse-tête et des dessins humoristiques, ainsi que des articles de fond sur les phoques, les baleines, les manchots.

« Je sais exactement où il les avait achetés, continue Dave. Quand Charlie a déménagé à Pelham Crescent, l'une des boutiques de Peter Harrington [un marchand de livres anciens, membre de l'Antiquarian Booksellers' Association] se trouvait juste au bout de la rue. Il y avait là un libraire appelé Glen, que j'ai rencontré pour la première fois lors de l'hommage rendu à Charlie, au Ronnie Scott's [en décembre 2021], une soirée magnifique.

« C'est un type charmant, et j'ai été ravi de faire sa connaissance parce qu'à présent je sais qui dénichait toutes ces merveilles que Charlie m'a offertes. Par exemple, des photos que je n'avais jamais vues de Scott LaFaro, une de mes idoles à la contrebasse, jouant avec Chet Baker. Vous savez que Charlie collectionnait les [premières éditions de] P.G. Wodehouse ? Ça aussi, c'est Glen qui les lui trouvait. Charlie était comme ça. Il m'offrait tous ces ouvrages incroyables comme si ce n'était rien. »

Ces histoires sont d'autant plus savoureuses qu'elles sont incongrues. On imagine Charlie apportant des livres sur les explorateurs de l'Antarctique à son ami de toujours dans un club de jazz, et le voilà maintenant qui achète des épées préhistoriques enveloppées dans du papier kraft. Du moment que c'était digne d'entrer dans une collection, que ce soit pour lui ou pour ses amis, il répondait présent.

Bill Wyman a lui aussi été comblé par sa générosité. Son départ au ralenti des Rolling Stones, finalement officialisé en 1993, lui a donné la liberté de s'adonner à des myriades de nouvelles activités, mais il n'en est pas moins resté sur la liste des vœux du nouvel an. « On se faisait toujours des cadeaux, pour les anniversaires et pour Noël, et on continue de le faire, me dit-il. Je reçois encore une caisse de vin de Mick, et Keith nous fait livrer

du caviar. On s'envoie des choses, on l'a toujours fait. »
Pour ses soixante-quinze ans, en 2011, le groupe lui a
envoyé soixante-quinze roses.

Mais la générosité de Charlie envers son vieil ami est
d'un tout autre ordre. « Je me suis mis à l'archéologie
dans les années 1990, chez moi, dit Bill, parce que des
ouvriers avaient fait une trouvaille dans le sous-sol et
que je me disais : "Il doit y en avoir encore." Ils avaient
trouvé un pichet en céramique du XVe siècle. J'ai donc
acheté un détecteur de métaux et commencé à chercher,
et je suis tombé au bout de ma rue sur un site romain
dont personne ne connaissait l'existence. J'ai trouvé des
centaines de pièces de monnaie romaines, des fibules, et
un tas d'autres objets.

« Quand il l'a appris, Charlie a commencé à m'acheter
ces pièces archéologiques, ridiculement hors de prix. Bien
sûr, il gagnait des tonnes de fric à l'époque. J'étais parti
avant que les gros sous commencent à pleuvoir, avec juste
une petite somme, et sans regret. Pour la dernière tournée
que j'avais faite, les billets devaient encore coûter dans
les 29,95 livres. Mais après, ils s'étaient mis à gagner
vraiment beaucoup, donc Charlie avait de quoi.

« Il est passé juste avant Noël, je lui ai donné son
cadeau, et il m'en a remis un tout en longueur, assez lourd,
enveloppé dans du papier journal et du papier kraft, le tout
tenu par une ficelle. Il m'a dit : "Prends-en soin, c'est un
peu particulier." Donc j'ai répondu : "OK, Charlie", et
je l'ai rangé. Puis on est partis à la campagne, et je l'ai
mis sous le sapin. Le soir de Noël, Suzanne [sa femme]
m'a dit : "Il est temps que tu regardes ce que Charlie t'a
offert." J'ai ouvert le paquet, et c'était une épée de l'âge
du Bronze, datant de mille ans avant notre ère.

« L'année suivante, pour Noël, il m'a acheté un bol
romain en verre, et une autre fois des lames de l'âge
du Bronze, datées de 1 500 et 800 ans avant notre ère.
Une autre année encore, une série de broches romaines
décorées, toutes damasquinées. J'ai reçu une tonne de

cadeaux. Il m'a offert une épée du Ier siècle, et une dague du XVIIe siècle, trouvée dans la Tamise.

« Je n'arrêtais pas de lui dire : "Charlie, il ne faut pas, tu sais bien que je ne peux pas t'offrir des cadeaux de la même veine." Il me répondait : "Mais, toi, tu es fauché, donc ça ne fait rien." Ce qui n'était pas vrai, mais bref… Alors je lui trouvais des objets liés au cricket, ou dans ce goût-là, ce qui lui faisait toujours plaisir. Comme ça, j'ai pu contribuer un peu à ses collections. »

Seul un cœur de glace resterait insensible devant les preuves répétées d'affection mutuelle entre Charlie et ses camarades du groupe. « On s'offrait de vraiment belles choses, et on se renseignait pour savoir ce qui ferait plaisir aux autres, dit Mick. Il appréciait les objets en argent, et de son côté il m'offrait toutes sortes d'étranges petits bibelots de valeur. Il m'a aussi donné une photo de Little Walter avec sa signature au-dessous, et moi des programmes de Louis Armstrong signés par tout son groupe. »

Ronnie se rappelle : « À tous les Noëls, à tous les anniversaires, je recevais un mot manuscrit de lui avec un beau cadeau, comme un pull ou une veste de luxe. Il me faisait toujours de superbes cadeaux comme ça. J'ai chez moi une boîte magnifique dont je me sers toujours, avec des dragons chinois. C'est une œuvre d'art absolument splendide. De mon côté, je lui trouvais des curiosités, des poivriers du XVIIe siècle, ce genre de trucs loufoques. Il avait des goûts très raffinés. »

Chuck Leavell, vieux routier du clavier et directeur musical du groupe de tournée des Rolling Stones, partage une histoire qui résume bien la nature altruiste de Charlie, l'attention qu'il porte à ses proches. Alors qu'ils achèvent une tournée européenne à la fin des années 1990, Leavell cherche un border collie comme cadeau d'anniversaire pour sa femme.

« J'en ai parlé à Charlie : il m'a dit que Shirley était justement présidente de la Border Collie Society et m'a proposé de se renseigner pour moi. Il est alors revenu en me disant : "Je t'en ai trouvé deux, des femelles. Si tu ne veux pas des deux, j'en prendrai une. Ce sont des sœurs." » Le dernier concert de la tournée avait lieu à Zurich. Charlie a envoyé un membre du staff chercher les chiennes dans leur élevage, près de chez lui dans le Devon, pour les ramener en Suisse.

« On est allés les chercher, et c'étaient les plus adorables bébés chiennes qui soient, se souvient Leavell. Je les ai montrées à tout le groupe. Les familles étaient là, et tout le monde s'est extasié sur ces deux petites border collies, Molly et Maggie. On les a gardées jusqu'à leur mort, sans doute pas loin de quinze ans. Charlie et Shirley nous demandaient toujours de leurs nouvelles quand on les voyait, et on leur faisait un rapport complet. »

Tony King, rouage clé pendant un quart de siècle de la machine Rolling Stones à la fois chez eux et sur la route, a tissé un lien particulier avec Charlie. « Pendant la dernière tournée que j'ai faite, *A Bigger Bang*, on a passé beaucoup de temps ensemble. Il savait que je m'étais donné de la peine, et après la tournée il m'a offert une très jolie boîte qui contenait une montre Tiffany. J'ai dû la faire estimer pour l'assurance, et sa valeur était de 7 000 livres. J'ai encore de très belles serviettes faites à la main qui me viennent de lui, et des draps en lin. Cette bague, c'est un cadeau de Charlie et Shirley pour mes cinquante ans. C'est ma préférée, je ne l'enlève jamais.

« Ce qui était bien, avec Charlie et Shirley, c'est qu'ils avaient un goût impeccable. Donc quand ils vous offraient quelque chose, c'était forcément beau, mais en plus ils repéraient toujours un aspect de votre personnalité et trouvaient quelque chose qui y correspondait. Ils étaient très futés pour ça, ils formaient une super équipe, et Seraphina a hérité de la même qualité. Elle est très attentionnée. Elle m'a offert des tulipes magnifiques quand j'ai fêté mes quatre-vingts ans [en mars 2022]. »

Glyn Johns chérit lui aussi ses présents. « J'ai deux cadeaux de Charlie, dit-il. L'un est une superbe carte ancienne du Surrey, l'endroit où je vivais à l'époque, qu'il m'a offerte pour l'un de mes mariages, et l'autre, une cravate. On était à San Francisco, on était allés faire un tour, juste histoire de sortir de l'hôtel. Et, bref, je me suis retrouvé avec cette cravate fabuleuse, qui est d'ailleurs ma préférée. »

Charlie encourageait ainsi la générosité chez les autres. En 1968, le chauffeur et homme à tout faire des Stones, Tom Keylock, confiait à *NME* : « J'ai toujours eu envie d'offrir quelque chose à Charlie. Mais c'est difficile… Je veux dire, les disques et tout ça, ce n'est même pas la peine. Et puis j'ai vu un beau cheval sculpté en bois massif. Je le lui ai offert hier. Il en est resté comme deux ronds de flan. »

Jools Holland n'était pas du genre à se laisser éblouir par les célébrités : ses décennies d'expérience à travailler et à jouer avec les plus grands artistes de la galaxie musicale l'ont laissé totalement blasé de ce côté-là. Pourtant, même lui avoue avoir eu chaud au cœur lorsqu'il s'est retrouvé sur la liste de cadeaux d'un homme qu'il admirait et suivait de loin depuis les années 1960 en l'écoutant attentivement sur 45 tours.

« Il aimait Horatio Nelson, dit Holland. Il se passionnait pour les batailles du XVIIIᵉ siècle ou je ne sais quoi, alors je lui ai offert un buste de Nelson que j'avais chiné quelque part. Comme lui, je suis toujours en train de chercher des trucs. Ça lui a fait très plaisir. Il était vraiment adorable, car ensuite il m'a offert cette affiche très particulière. Il m'a fait quelques cadeaux fantastiques. Je le voyais, et il me disait : "J'ai un cadeau pour toi."

« Il savait que j'aimais Fats Waller, et comme moi il collectionnait les disques des débuts du jazz, signés par les artistes. Il avait des choses comme un disque du Count Basie Orchestra de 1948, signé par tous ses membres. Ça n'a pas une valeur financière énorme, mais c'est quand même extraordinaire. Je lui ai dit que j'en avais quelques-uns, j'en ai un de Louis Armstrong et Duke Ellington. J'aime bien les sortir de temps en temps.

« L'affiche qu'il m'a offerte date de 1937 : Fats Waller était à Londres pour jouer au Finsbury Park Empire. C'était un spectacle de music-hall : il y avait trois shows par soirée, il faisait deux chansons, puis c'était le tour d'un ventriloque, puis venaient un maître de la caricature et les jumeaux Untel qui étaient acrobates. C'était la fin du music-hall, en fait. Charlie m'a fait remarquer que Fats était présenté comme "le meilleur pianiste rythmique d'Amérique", et beaucoup de gens oublient que le piano est un instrument rythmique. C'est comme la batterie.

« Au dos de l'affiche, il y avait un petit souvenir du voyage de Waller. Le manager de sa tournée lui avait avancé 200 livres en liquide. Comme c'était officiel, il avait signé "Tomas – son vrai prénom – 'Fats' Waller, somme reçue : 200 £ en espèces", et il séjournait au Savoy. Charlie m'a dit : "Tu imagines combien ça faisait, 200 balles, à l'époque ?" C'était le prix d'une voiture neuve. On aurait sans doute pu acheter une maison quelque part avec ça. Il a ajouté : "Et il a sûrement tout claqué en une semaine. Décidément, rien n'a changé dans la musique, hein ?" »

Le libraire de l'anecdote de Dave Green a alors surgi lui aussi dans la mémoire de Holland. « C'est là que ça devient vraiment touchant. J'en ai presque pleuré quand je l'ai appris. Lors de l'hommage à Charlie au Ronnie Scott's, l'une des personnes présentes était un libraire de chez Peter Harrington, la boutique qui se trouvait tout près de chez lui à Londres. Quand Charlie m'avait offert l'affiche, il m'avait dit : "Je tiens à ce qu'elle te revienne. Je l'ai achetée et, si elle avait eu une photo de Fats, je l'aurais gardée pour moi. Mais je me rends compte que ça ne me va pas, parce que je veux quelque chose avec une photo. Alors je préfère qu'elle soit chez toi, vu qu'elle n'entre pas vraiment dans les critères de ma collection. » Comme si c'était un rebut dont il ne voulait pas. « C'est trop gentil à toi, Charlie, merci ! »

« À la cérémonie d'hommage, le type de chez Peter Harrington m'a dit : "Nous lui avons dégoté deux ou trois choses qu'il vous a offertes." J'ai répondu : "Oui, j'ai cette magnifique affiche signée par Fats Waller, avec une petite reconnaissance de dette. Une pièce historique fabuleuse. Charlie m'a dit qu'il l'avait achetée pour lui, mais que finalement elle n'avait pas sa place dans sa collection." Alors, le type m'a détrompé : "Non, non, ce n'est pas ce qui s'est passé. Il m'a demandé de vous trouver quelque chose en rapport avec Fats Waller parce que vous disiez que vous ne trouviez rien. Je la lui ai trouvée, et il vous l'a offerte." C'était tellement Charlie. Il prétendait que ce n'était rien au lieu de dire qu'il l'avait cherchée spécialement pour vous. Les larmes me sont vraiment montées aux yeux, et j'ai dû quitter la pièce. »

L'assaut de gentillesse a continué lors de leur rencontre suivante. « Il avait deux livres pour moi, raconte encore Holland, dont un très rare. C'était un petit livre sur Pete Johnson, le pianiste de boogie-woogie, écrit par quelqu'un qui l'avait connu. C'est presque de l'autoédition, datant des années 1950, alors que Pete était déjà âgé.

« Le second, qui m'a vraiment amusé, concernait Edgar Lustgarten, le présentateur d'émissions de faits divers, dont on avait parlé ensemble. » Les téléspectateurs britanniques d'un certain âge se souviendront que ce présentateur et écrivain de polars a présenté l'émission policière *Scotland Yard* pendant huit ans (à partir de 1953), puis *The Scales of Justice* de 1962 à 1967. « Charlie m'a dit : "J'adorais cette émission parce qu'on le voyait assis à son bureau dans un petit salon ravissant." J'ai répondu : "J'adorais cette pièce !" Lustgarten déclarait : "Le meurtre est une chose extraordinaire. Tout le monde croit savoir ce qu'est le crime parfait, mais c'est faux…" Ça ne durait qu'une demi-heure, et on adorait, surtout pour le décor.

« J'ai lancé : "Tu sais, Charlie, dans mon petit appart à Londres, j'ai étudié ce salon pour voir comment c'était fichu. Je voudrais y vivre, dans cette pièce." On essayait de recréer ce petit salon cossu des années 1950 où vivait cet Edgar Lustgarten. Charlie a trouvé ça très drôle. Et il m'avait déniché une première édition signée, très rare, d'un de ses livres. C'était très touchant qu'il ait pensé à quelque chose comme ça. »

Tout aussi touchant – et preuve irréfutable de leur si chère amitié – est ce détail minuscule sur l'énorme train électrique de Holland, chez lui dans le Kent. Il m'a fièrement envoyé des photos en gros plan d'un petit bout de décor qui renvoie à la jeunesse de Charlie. « J'ai fait faire ici une maquette des préfabriqués où Dave Green et lui habitaient. Je lui ai montré une photo, et ça l'a beaucoup amusé. Je la lui ai détaillée : "J'ai l'atelier de mon père, et ton préfa. Celui de Dave est à côté, et il y en a encore un, habité par on ne sait qui." Il ne l'a jamais vu en vrai, malheureusement. »

Les attentions de Charlie s'étendaient jusqu'au bout du monde. En 2011, un admirateur sur un forum en ligne consacré aux Stones a raconté l'histoire suivante.

Sa belle-mère connaissait la famille Watts quand Charlie était petit et avait porté le voile de sa sœur, Linda, à son propre mariage. Elle se rappelait le petit Charlie Watts venant chez eux prendre le thé, avant que les familles se perdent de vue et qu'elle déménage à Adélaïde, en Australie, à la fin des années 1960. Une génération plus tard, la fille de cette femme a écrit à Charlie en joignant des photos du mariage. Un soir, juste après minuit, le téléphone sonne. C'était Charlie, disant qu'il avait bien reçu la lettre, qu'il allait y répondre, qu'il rappellerait et qu'il s'excusait de les avoir réveillés. « Ma femme et moi, on est encore sous le choc, écrivait le fan. Il est vraiment gentleman jusqu'au bout des ongles. »

Un autre exemple : Mark Smallman, chanteur du groupe d'hommage les Rollin' Clones, a raconté que leur batteur, dans un instant d'optimisme béat, avait invité Charlie à son anniversaire. Il a reçu une réponse manuscrite, qui disait : « Un grand merci, je serais heureux de venir mais j'ai un engagement familial. Mais je souhaite tout le succès possible aux Rollin' Clones. Bien sincèrement, Charlie Watts, batteur, Rolling Stones. »

8
Le long chemin du retour

Dans les années 2000, la troupe de tournée des Stones s'agrandit d'une nouvelle recrue. Elle arrive comme très jeune visiteuse et, plus tard, deviendra l'assistante personnelle de Charlie. En 1996 en effet, Seraphina met au monde Charlotte, la fille qu'elle a eu avec son premier mari, Nick. « Je me rappelle parfaitement quand Charlotte était toute petite et qu'elle nous rejoignait en tournée, dit Chuck Leavell. Charlie était fou d'elle, il la prenait par la main, l'emmenait voir la batterie, passait du temps avec elle. »

Seraphina l'amenait de temps en temps, et Charlotte conserve des souvenirs des tournées *Licks* de 2002-2003 et *A Bigger Bang* de 2005-2007, quand elle ne comprenait pas encore l'importance de ce que son grand-père faisait dans la vie. « Je suis allée à l'école un peu partout, me dit-elle dans une rare interview. En Angleterre, aux Bermudes, aux États-Unis… Quand j'étais collégienne, vers onze, douze ans, j'allais les voir en tournée pendant les vacances d'été quand on rentrait à Londres en passant par les Bermudes, ou des Bermudes à Boston.

« Je me souviens que d'autres élèves me demandaient de leur rapporter des baguettes signées. Aux Bermudes, on demande toujours à un ami qui part de rapporter un petit quelque chose, donc pour moi ça n'avait rien d'extraordinaire. J'avais dans les onze ans quand la tournée *A Bigger Bang* s'est terminée, je ne réalisais pas encore.

Ils se sont remis ensemble quand j'avais seize ans, et à ce moment-là je prenais bien plus la mesure de leur aura. »

Ce dont elle était particulièrement consciente, c'était du pur pouvoir d'attraction de ces immortels et de leur envergure qui transcendait toutes les factions musicales. Les invités de la tournée *50 & Counting* étaient de haute volée et d'une crédibilité certaine, comme toujours avec les Stones, depuis l'époque d'Ike & Tina Turner, B. B. King ou Stevie Wonder. Les nouveaux concerts londoniens comportaient des apparitions de gens comme Mary J. Blige et Eric Clapton, ainsi que de membres historiques comme Bill Wyman et Mick Taylor. Aux États-Unis, c'était Bruce Springsteen, Katy Perry, Taylor Swift… et une invitée de marque qui a tout remis en perspective pour l'adolescente que Charlotte était : « Quand je suis allée voir le concert d'anniversaire de 2012 dans le New Jersey, c'était Lady Gaga. Pour ma génération, elle était ce qu'il y avait de plus énorme au monde. En voyant qu'elle était l'invitée, j'ai compris : "Ah ! d'accord… C'est au-delà de ce que j'imaginais." »

« Pour moi, jusque-là, c'était seulement un truc sympa qu'on faisait pendant les vacances. En même temps, c'était un peu triste que Pa soit toujours loin, mais je n'avais aucune idée de sa célébrité jusqu'à ces concerts de reformation. »

« Je me suis dit : "Comment ça, Lady Gaga était dans une caravane à côté, alors que Pa avait sa loge ! Mais qu'est-ce qui se passe ?! OK, je pige, maintenant." C'étaient des mégashows. Ils invitaient beaucoup d'artistes. C'était toujours sympa de passer une tête dans la loge VIP pour voir qui s'y trouvait. »

Charlotte, qui comme son grand-père excelle dans l'illustration, a aussi travaillé plus tard comme mannequin – montrant parfois le logo des Stones tatoué sur son avant-bras. Elle a dix-sept ans quand elle commence à voyager avec son grand-père, à l'époque de la tournée *14 on Fire*, le « 14 » étant une référence à l'année, pas au nombre de dates. Ce qui débute comme une simple visite va déboucher sur un rôle officiel.

« Ils avaient prévu des répétitions à Paris pour le début de cette tournée, dit-elle. Je suis venue les voir au moment de la Saint-Valentin, et ils allaient partir pour le volet Asie et Australie de la tournée. Pa m'a dit : "Voici les dates. Si tu veux venir à un de ces concerts, fais-moi signe." J'ai vu qu'il y en avait trois au Japon : c'était l'endroit où ils restaient le plus longtemps. J'y suis allée et je suis tombée amoureuse du pays. Pour la première fois, j'étais sur une tournée sans mes parents ni aucun de mes copains.

« J'étais donc seule avec l'équipe et Pa. Au bout de deux semaines, j'ai fait mes valises pour rentrer, très triste de partir. Je suis allée lui dire au revoir le soir, parce que mon avion décollait tôt le lendemain matin. Il m'a alors demandé : "Tu veux rester ?" J'ai répondu : "Vraiment ? Tu penses, avec joie !" À la tournée suivante, il m'a posé la question : "Tu veux venir avec nous ?", et après ce n'en était plus une : "Tu viens avec nous."

« Ça exaspérait Seraphina, se rappelle Chris Kimsey, parce que Charlie la laissait faire tout ce qu'elle voulait. C'était assez charmant à voir. » La version de Seraphina diffère légèrement. « Sur la tournée, on voit les mêmes gens année après année. Et c'était les mêmes à l'époque de ma fille que quand moi j'avais son âge. Donc quand elle a commencé à travailler pour mon père, avec mon père, je lui ai dit : "Tu ne pourras pas faire de bêtises, Charlotte, parce que ces gens se souviennent de moi. Donc pas de chance, ils ont déjà tout vu !" C'est drôle. J'ai pensé : "Je me sens vieille maintenant que c'est ma fille de vingt et un ans qui y est !" C'est une machinerie énorme. Ce n'est plus le 100 Club. »

Don McAulay, le *drum tech* de Charlie, s'est rapproché de Charlotte quand elle est devenue un pilier des tournées. « Charlie adorait lui montrer le monde, confie-t-il. Sans ça, je pense qu'il n'aurait pas continué si longtemps après cette tournée des cinquante ans. Il me demandait toujours de veiller sur elle et de m'assurer qu'elle allait bien. Elle est devenue comme une petite sœur pour moi. »

Cette lignée familiale, et l'incroyable continuité qu'elle établit, témoigne avec force de la permanence des Rolling Stones à travers les générations.

Lors du passage de relais de la mère à la fille, Seraphina s'est étonnée de la responsabilité de Charlotte, par rapport à ses propres excès au même âge : « Moi, on m'avait renvoyée chez moi en pleine tournée : ma mère exigeait que je rentre, et mon père m'a virée parce que c'était stressant de m'avoir. Je faisais pas mal de bêtises. Charlotte, elle, n'a jamais été renvoyée à la maison. Moi, j'étais incontrôlable. J'avais vingt et un ans, et mon père avait trop peur de ce qui pouvait m'arriver. Ma mère a exigé : "Renvoie-la tout de suite à la maison. Je ne vais pas tolérer ça." Charlotte, au contraire, est restée sage. Et elle a décroché un emploi, ce dont j'étais très fière.

« Charlotte a gagné le respect des autres sur la route. Moi, je ne travaillais pas, je restais juste à regarder depuis la banquette arrière. Elle a fait connaissance avec tout le monde, alors que je ne faisais que passer, traîner. Je restais parfois six semaines à me pavaner et à rester spectatrice. »

« J'ai tout de suite cherché le moyen de me rendre utile, confirme Charlotte. Je distribuais les feuilles de route tous les jours. C'était la seule chose qu'on me laissait faire, donc j'ai pris ça *extrêmement* au sérieux. J'ai même inventé une petite chanson et une chorégraphie pour aller avec. Finalement, Cheryl Ceretti, qui était chargée des médias, m'a très gentiment proposé un poste d'assistante. Je m'occupais des séances de dédicaces, des premières parties, je prenais des photos pour Instagram, ce genre de choses.

« Sur le papier, j'étais officiellement "Assistante exécutive de Charlie Watts." Je me disais : "Je lui achète une bombe de [mousse] Gillette un mois sur deux : ce n'est pas ça, être assistante exécutive." Je bossais pour le service médias, je faisais réellement des choses, mais sur le papier j'étais son assistante à lui. Ce n'est pas un métier, ça. Il n'a jamais eu d'assistants personnels. Il ne demandait rien. J'ai dû le travailler au corps. "Je vais passer à la pharmacie." Il me répondait : "Eh bien n'y va pas pour moi…" et moi : "Mais je te dis que j'y vais de toute manière." »

Charlotte prend aussi sur elle de rendre plus douillette la loge de Charlie, évidemment sobre et fonctionnelle, en y ajoutant des affiches de jazz, un lecteur de CD, un supplément de rafraîchissements… Tout ce qu'il faut pour rendre l'endroit plus accueillant pour ce grand-père qu'elle adore. « Les gens venaient me trouver avec des idées, et tout ça s'ajoutait peu à peu, dit-elle. "Rendons ça un peu plus confortable !" »

Charlie est de retour en Europe de l'Est à l'été 2009, où il se rend au haras de Janów Podlaski pour faire le plus gros achat de la prestigieuse vente de chevaux Pride of Poland. Il débourse 700 000 dollars pour une magnifique jument pommelée appelée Pinta, la dernière d'une longue lignée de chevaux arabes achetés avec Shirley. En 1993, ils ont acheté Palba pour 100 000 dollars ; en 1998, Emilda (200 000 $) ; en 2000, Euza (110 000 $) ; en 2001, Egna (120 000 $), et ainsi de suite. (L'histoire de ce haras polonais en elle-même devait le fasciner : il fut fondé en 1817 par le tsar Alexandre Ier pour regarnir la cavalerie russe après l'invasion napoléonienne survenue cinq ans plus tôt.)

En 2010, le travail en dehors des Stones comprend sa participation pour *Boogie 4 Stu*, l'album d'hommage de Ben Waters à celui qui l'a inspiré, Ian Stewart. Lancé l'année suivante, après le 25e anniversaire de sa mort, le disque propose exactement le genre de rhythm and blues que Stu aurait aimé. On y trouve un joyau méconnu du catalogue récent des Stones, pour lequel leurs contributions ont cependant toutes été enregistrées séparément : une version enlevée de *Watching the River Flow* de Bob Dylan avec Mick, Keith, Charlie, Ronnie et, pour la première fois sur un disque avec eux depuis presque vingt ans, Bill Wyman.

En 2010, Charlie se produit aussi avec le big band de la radio danoise, le DRBB, retournant dans le pays où il a vécu et travaillé pendant une courte période avant que commence l'ère des Stones. Il y est accompagné par ses copains Dave Green et Gerard Presencer, ce dernier étant à ce moment-là membre à part entière de l'orchestre. C'est Charlie lui-même qui lui a demandé s'ils avaient des ouvertures pour enregistrer ou jouer sur scène. Quatre jours de répétitions sont suivis d'un concert au Danish Radio Concert Hall, diffusé à la radio nationale. Le disque, *Charlie Watts meets the Danish Radio Big Band*, ne sortira qu'en 2017, et ce sera le dernier album avec le nom de Charlie.

C'est aussi en 2010 que les Stones, et surtout Mick, prennent un moment pour se retourner sur le passé et initier une série de rééditions d'albums en version luxe. La nouvelle édition augmentée d'*Exile on Main St.* s'enrichit de dix nouvelles pistes, dont la plupart avaient été piratées sous des formes variées mais qui gagnent désormais un statut officiel. Il est à noter que presque toutes contiennent de nouveaux *overdubs* vocaux de Mick, lequel fait remarquer au passage que sa voix, comme son tour de taille de 70 centimètres, n'a pas changé depuis 1972. Keith a aussi ajouté des parties à la guitare, et même Mick Taylor a repris du service pour jouer sur *Plundered My Soul*.

La présence de Charlie, certainement à son grand soulagement, n'est pas exigée pour ces bricolages sonores. Cependant, ce vin nouveau dans de vieilles bouteilles comporte de belles prestations de lui, notamment sur le coloré *Pass the Wine (Sophia Loren)*, un clin d'œil au style percussif de War, ce groupe américain injustement méconnu qui mêle les influences musicales, notamment latinas. Charlie participe quand même à la campagne de promotion, sans doute la plus longue jamais entreprise par le groupe pour un disque essentiellement ancien, en gémissant avec bonhomie : « Ça a quarante ans tout ça, du moins en partie. Pas étonnant que je ne me souvienne pas de chaque détail. On me dit des trucs comme : "Tu avais des chaussettes rouges." "Non, elles étaient bleues." »

Et c'est ainsi que, soutenu par l'artillerie lourde d'Universal Music, l'album non seulement fait le lien avec l'ancienne génération mais séduit aussi la nouvelle, retrouvant la place de n° 1 au Royaume-Uni trente-huit ans après y être monté pour la première fois. Quand je l'ai revu ensuite, Charlie était ravi. « J'ai adoré quand on nous a annoncé : "Vous êtes n° 1." Mick et moi, on pensait qu'il n'y aurait que dix quinquagénaires pour l'acheter. C'est étonnant, vraiment. »

Le même traitement de luxe sera ensuite accordé aux autres best-sellers *Some Girls*, *Sticky Fingers* et *Goats Head Soup*. Quand j'ai rencontré Charlie et Ronnie ensemble au Dorchester pour la promotion du coffret *Some Girls*, ils étaient d'humeur badine. « C'est pas vrai, encore toi ! » m'a lancé Ronnie en m'ouvrant les bras. « Oh ! miiince, a ajouté Charlie avec une surprise feinte. Si j'avais su, je ne me serais pas fait beau. J'ai mis un costume et tout. » En effet, il portait un costume noir à fines rayures et une chemise blanche impeccable.

Charlie fête ses soixante-dix ans en juin 2011, au moment où Mick panse les plaies ouvertes par des remarques fort peu aimables de Keith dans ses mémoires, le best-seller *Life*. Charlie se garde bien de s'en mêler et se fait de temps en temps conduire du Devon à Londres, une fois pour jouer avec les ABC&D au PizzaExpress, une autre pour assister au lancement du restaurant du jockey Frankie Detorri, le Cavallino, à Chelsea. Une rare apparition dans le rôle de célébrité qu'il abhorre à côté de Ronnie et d'un mélange de personnalités en vue, qui comprend Mike Rutherford de Genesis, Roger Taylor de Queen, et les sportifs Boris Becker et Carlo Ancelotti.

Avant la fin de l'année, les Stones se réunissent pour faire le bœuf sans pression, tout en gardant un œil sur le calendrier. Leur demi-siècle, en effet, pointe à l'horizon. Ronnie voudrait fêter ça par « une année entière de mariage royal », et même Charlie semble presque avoir envie de faire quelque chose pour marquer le coup, même s'il ne sait pas encore quoi. « Ce serait bien pour conclure, ou pour se lancer dans une nouvelle aventure, dit-il. Enfin, on est un peu vieux pour se lancer dans de nouvelles aventures, mais ce serait sympa de faire quelque chose l'an prochain.

« Une fois que je suis assis à ma place, tout va bien, mais on ne fera pas, en tout cas pour moi il n'en est pas question, une tournée de deux ans. Physiquement ce n'est plus possible, je pense, à notre âge. Mais j'ai joué un soir sur deux pendant deux semaines [avec les ABC&D] et je ne vois pas de différence. Les Rolling Stones, ce n'est pas du tout le même projet, j'entends par là que ça nous coûte une fortune de dire : "Allons jouer là-bas." Ce n'est pas Ronnie et moi qui jouons juste à côté d'ici, c'est un paquebot, alors je ne sais pas si ça se fera. » Ça se fera bien, pourtant, et cette fois ça s'étalera sur « seulement » neuf mois.

Des rumeurs commencent à courir : le groupe jouera aux jeux Olympiques de 2012 à Londres (faux), il sera au festival de Glastonbury (prématuré), et en février Keith affirme que les Stones ne sont simplement pas prêts à partir en tournée pour leur année de jubilé. Mais ils vont l'étonner. Après avoir joué ensemble dans un studio du New Jersey en mai et avoir réalisé quelques prestations en dehors des Stones ensuite, ils se remettent à s'activer. Au moment du 50e anniversaire de leur tout premier concert au Marquee, ils se retrouvent là-bas pour une nouvelle photo de groupe, qui devient un événement en soi.

Mais il apparaît clairement que le grand anniversaire ne va pas se limiter à une nouvelle photo, une expo et un livre. En août, ils sont à Paris pour ce que Keith appelle leur session la plus rapide (au moins dans l'histoire moderne des Stones) : deux chansons enregistrées en trois jours. Des répétitions suivent. *50 & Counting* est lancé, et même Charlie approuve, bien qu'il avoue avoir une fois de plus envisagé de prendre sa retraite.

La tournée qui couronne leur demi-siècle fait figure d'aimable dînette, comparée aux mastodontes qui ont précédé : seulement trente concerts en Europe et en Amérique du Nord combinées, avec des gains au box-office de « seulement » 148 millions de dollars. Mais ils font bien les choses, complétant la tournée par le documentaire *Crossfire Hurricane* et la compilation *GRRR !* qui comprend deux nouvelles chansons, dont le *Doom and Gloom* puissant et musclé de Mick. À soixante et onze ans, leur batteur est toujours le socle d'acier sur lequel repose l'immense édifice. Dans le même temps, lui qui est si détaché du monde des affaires observe avec effarement le nouveau marché numérique.

« Je ne comprends plus rien aux enregistrements, a-t-il avoué. On fait *Doom and Gloom*, et qu'est-ce qui se passe ? Ça s'est vendu, ou quoi ? La seule utilité, c'est que ça fait une nouvelle chanson, histoire de redonner de l'intérêt au spectacle. Je ne sais pas ce que ça devient après. Je suis dépassé par les évolutions de la musique enregistrée, et j'ai assez de disques comme ça, merci. Je ne sais pas, ça ne me dérange pas, j'ai toujours plaisir à jouer en studio, [mais] je préfère quand même le live, je préfère ce frisson-là.

« Le travail en studio, c'est un peu… Enfin, s'ils n'aiment pas ce que vous faites, ils vous retirent et mettent quelqu'un d'autre à la place. C'est ce qu'ils font, tu sais. Et si vous faites une erreur, Pro Tools arrange tout ça.

Il fut un temps où il fallait aller du début à la fin. C'était ce qu'on jouait qui s'entendait sur le disque. Nous, on *enregistre* encore comme ça, je précise, mais c'est en train de se perdre. Les ingénieurs du son font ce qu'ils veulent. C'est devenu un monde de producteurs, plus que jamais. »

Alors que l'industrie passait au numérique, Charlie était parfaitement satisfait de m'avouer en 2013 que non seulement il n'écoutait pas les disques du groupe, mais qu'en plus il ne savait même pas où ni comment ils se vendaient. « Je ne les entends pas, je ne sais pas où on va pour les acheter. Je n'ai pas un seul de ceux-là, a-t-il dit en indiquant l'écran de mon téléphone. Quand il y avait Stax Records, j'écoutais presque tous les artistes qui sortaient chez eux. Puis la Motown. Maintenant, il n'y a plus ces labels qui faisaient sensation. On est sur quoi, maintenant ? Universal. Un catalogue qui contient tout et n'importe quoi, vu qu'ils ont racheté tout le monde. »

J'ai mentionné que cela semblait quelque peu incongru que le groupe soit maintenant publié sous le label Polydor d'Universal. Réponse classique : il n'était pas au courant. « Je n'ai aucune idée de ces choses-là, pour être franc. Mick, lui, est très au fait de tout ça. Le dernier producteur que j'ai connu, c'était Ahmet Ertegün, et pour moi c'était un homme de disques. Il allait dans un club, entendait quelqu'un chanter et lui demandait si il ou elle voulait faire un disque.

« On voit tout le temps des groupes, je vois des jeunes qui prennent le train pour aller à l'université d'Exeter, et on se demande s'ils valent quelque chose parce qu'on se dit aussitôt qu'ils vont essayer d'être Bob Dylan. Mais la réalité, c'est que si ça se trouve ils sont merveilleux. »

La tournée commence par deux concerts à guichets fermés à l'O2 en novembre. Le groupe remonte jusqu'à la nuit des temps et aux premières fois où ils chantaient *I Wanna Be Your Man*, de Lennon et McCartney, quarante-huit ans plus tôt. « Il nous a fallu cinquante ans pour aller de

Dartford à Greenwich », crie Mick à un public enthousiaste de près de 20 000 personnes. Le retour de Mick Taylor pour un *Midnight Rambler* épique et interminable (« C'était bien, hein ? » lancera Charlie) fait brillamment le lien avec la fin des années 1960, et comme je l'ai écrit dans *Billboard* : « Les grands sourires et les tapes dans le dos de MM. Richards et Wood montrent de manière sincère que c'était un moment précieux pour eux aussi. Avec Charlie Watts qui conserve un *backbeat* d'une vigueur incroyable, le show est en route pour la gloire. »

« J'ai trouvé les concerts à l'O2 vraiment sympas pour les gens, et pour nous, m'a confié Charlie. C'est toujours super d'avoir Bill, de toute manière, c'est quelqu'un de très drôle, il l'a toujours été et l'est encore. Lui et Mick Taylor qui jouaient, c'était top. Je n'étais plus derrière ma cage en plexi, ils l'ont enlevée, ce qui fait un peu peur au début. Je ne le leur ai pas dit. Elle avait été installée à l'origine pour séparer les guitares et la batterie, mais c'est bien plus agréable de jouer sans, on communique mieux.

« On se fait à tout, finalement. Je veux dire, je n'arrête pas de déblatérer sur le fait que c'est merveilleux et tout de jouer dans des clubs, mais on s'habitue [aux grands shows]… Une fois qu'on est installés, de toute manière, c'est comme en club. Il n'y a plus que nous quatre ou cinq, Darryl est ici, Chuck est là, et Ronnie et Keith. C'est tout ce qu'on voit, en réalité. »

En mars 2013, la rumeur persistante selon laquelle les Stones vont jouer à Glastonbury se concrétise enfin. Tout le monde piaffe d'impatience, sauf une personne. En off, Charlie me confie qu'il était contre mais qu'il a perdu le vote ; les autres, et surtout leurs enfants, étaient tous pour. « Mes gosses et beaucoup de gens dans le monde vont être contents qu'on le fasse enfin », dit Ronnie. Il anticipe la fameuse météo anglaise : « Même l'hélico a sorti les bottes en caoutchouc. »

Une fois là-bas, bien sûr, Charlie passe un très bon moment. De même lorsque le groupe retourne à Hyde

Park la semaine suivante, puis de nouveau une semaine plus tard, quarante-quatre ans après leur premier fameux concert en plein air. « Je me suis vraiment amusé aux deux endroits, a-t-il avoué avant d'ajouter, un peu penaud : Il faut que j'apprenne à la fermer. C'est tout moi, ça. » En effet, en 1998 il a exprimé le vœu que le groupe joue toujours quinze ans plus tard… et la réalité dépasse ses espérances. Il a donc le grand plaisir de rejouer avec Mick Taylor, à la fois sur *Midnight Rambler* et sur *Satisfaction*, et le sentiment qu'une institution musicale est en train de se transmettre à une nouvelle génération est palpable.

Entre les deux concerts à Hyde Park, Charlie monte sur une autre scène, bien plus réduite, au Lyric Theatre, avec le *Rolling Stones Project* de Tim Ries – leur musicien de tournée et saxophoniste. Il s'agit d'une sorte de concert du groupe de tournée étendu, comprenant aussi Chuck Leavell, Darryl Jones et Bernard Fowler, et Charlie est clairement dans son élément. Il va jouer avec Ries plusieurs autres concerts dans les années suivantes.

En 2014, il participe à un clip tourné par Mick avec son ami, collaborateur et musicien de tournée Matt Clifford, pour promouvoir une série de spectacles des Monty Python, reformés pour l'occasion, à l'O2. Dans le clip, on voit Mick – toujours partant pour un éclat de rire et un peu d'autodérision, bien plus qu'on ne le pense –, dans une chambre d'hôtel, critiquer les « vieux croûtons ridés » qui reviennent se faire un peu de fric. Charlie, affalé à côté de lui sur le canapé, arbore une hilarante mine horrifiée – parfaite pour un technophobe revendiqué tel que lui – au moment où Mick mentionne YouTube.

« Je trouve les téléphones portables insupportables, mais la plupart des gens trouvent ça fantastique, me confiait-il déjà à la fin des années 1990. Je ne sais pas ce que ferait Mick sans le sien. Moi, je ne supporte pas. Mais je pense que je suis plus dinosaure que lui. »

« On plaisantait là-dessus, raconte Tony King. Il me sortait : "Tu es en train de télécharger ?" des phrases comme ça, pour essayer de faire moderne. Mais c'était clairement pour la blague. »

En 2020, les Stones sont tous interviewés pour le documentaire *The Tree Man*, qui célèbre la double casquette de Chuck Leavell, musicien de premier ordre mais aussi forestier et activiste pour l'environnement. « Charlie, comme d'habitude, n'avait pas grand-chose à dire, s'amuse-t-il. Dans l'un des clips utilisés, le réalisateur Allen Farst lui demande : "Que pouvez-vous me dire à propos de Chuck ?" et il répond : "Il est excellent… pour écrire des e-mails." Parce que je tape vite, et qu'il a pu me voir dans l'avion en train de saisir des infos dans une base de données ou de rédiger des communiqués. Il me demandait tout le temps : "Mais qu'est-ce que tu fais ?" »

« Je dirai ceci, ajoute Leavell. J'ai grandi dans le Sud [des États-Unis] et, selon nos traditions, écrire des lettres est un truc important qu'on nous apprend très jeune. Donc, j'écrivais à Charlie et à tous, surtout au début. Je pense que Charlie, en particulier, appréciait ça. Il me le signalait toujours. C'est le genre de communication qui lui plaisait. »

Charlie, cependant, prenait plaisir à reconnaître qu'il n'était pas le seul membre du groupe à parfois résister à des moyens de communication très simples. Une fois, décrivant les obligations des Stones, hors des tournées et loin des studios d'enregistrement, il a révélé : « Soudain on reçoit un fax de Keith, parce qu'il refuse de se servir du téléphone, vous savez. Il déteste ça, mais je peux le comprendre. »

Les Stones ayant retrouvé l'élan pour la scène, ils sont bientôt de retour pour les tournées : *14 on Fire* et *Zip Code* en 2014 et 2015, puis la tournée sud-américaine *América Latina Olé* en 2016. L'année comprend aussi une mini-tournée aux États-Unis à l'automne. C'est à ce moment-là que les difficultés physiques de Charlie – attendues pour n'importe quel batteur de rock, à plus forte raison s'il a soixante-quinze ans – deviennent plus tangibles. Elles persistent quand la vaste tournée *No Filter* commence en 2017.

Heureusement, Charlotte est là pour lui rappeler la maison : « Je n'en avais pas bien conscience à l'époque, mais beaucoup de gens m'ont dit, lors des dernières années sur la route, que ma présence faisait vraiment une différence, parce que c'était comme un petit bout de son chez-lui. Je suis extrêmement heureuse d'avoir pu être à ses côtés. Les jours de relâche, on passait beaucoup de temps ensemble. Je venais le voir dans sa chambre, et il tapait du pied en disant : "Va t'amuser, on est en ville, va explorer ! Est-ce que tu fais du shopping ? Tu sors avec tes copains ? Ne reste pas là pour moi, je me repose tranquille." »

« J'ai tellement peur en avion que j'ai des crises d'angoisse chaque fois qu'on décolle. Ça le contrariait parce qu'il ne savait pas quoi faire pour moi. Donc j'ai pris l'habitude de m'installer à l'arrière pour le décollage et l'atterrissage, et il me rejoignait pendant le vol, ou c'est moi qui allais le voir. On voyageait la plupart du temps ensemble, en voiture ou en avion.

« Les jours de relâche, ce que je préférais, c'était quand on allait dans un musée. On a fait beaucoup de musées de l'aviation les dernières années, parce que j'étais folle du Concorde – et je le suis toujours. Donc j'ai pu voir ça, et lui, il allait regarder tous les avions de la Seconde Guerre mondiale. Il collectionnait ces trucs-là. Son père et son grand-père avaient fait la guerre, donc ça l'intéressait. C'était vraiment agréable d'avoir des choses en commun, de ne pas avoir le sentiment de le traîner quelque part et vice versa. »

Chuck Leavell complète : « Avec le temps, Charlotte est vraiment devenue partie intégrante de la troupe. Ses dessins ont été utilisés pour des affiches, Charlie était très fier d'elle. Elle était à peu près la seule, à l'exception peut-être du garde du corps, à pouvoir frapper à la porte de sa chambre et à obtenir une réponse. Il était très secret pour ça. Charlotte est devenue une des nôtres. »

S'exprimant après le décès de Charlie, Keith réfléchit tout haut : « J'ai pris conscience que je n'étais jamais allé chez lui, en fait. Je ne suis jamais descendu dans le Devon, alors que j'étais dans le West Sussex. C'était encore une de ses bizarreries. Il ne voulait vraiment pas mélanger la vie privée et le travail. » Se parlaient-ils beaucoup de leur famille en tournée ? « Pas tellement, mais bon, personne n'en parle beaucoup. "Les enfants, ça va ? Du moment qu'ils vont bien et ta femme aussi…" Mais on voyait bien qu'il était très attaché à Charlotte. Quand il jouait au grand-père, c'était un spectacle touchant. Ils étaient connectés. Elle était super avec lui. »

« Il y a une ambiance à la fois familiale et confortable, surtout que c'est l'équipe avec laquelle j'ai grandi, renchérit Charlotte. En ce qui concerne les générations d'enfants, des groupes différents se sont formés environ tous les deux ans. Georgia May, Lucas, Gabriel [tous enfants de Mick] et moi, on a été un peu séparés par la différence d'âge.

« Vous avez Theo [la fille de Keith, Theodora], Lizzy [Jagger] et toute cette bande, qui sont maintenant trentenaires. Ils ont tous un ou deux ans d'écart. Moi, je n'ai pas beaucoup vu les enfants en tournée. Je passais bien plus de temps avec le staff, et j'étais plutôt du genre à dire : "Ah ! il y en a un qui arrive, ce sera sympa." Mais je ne faisais pas partie d'une de ces bandes de la même génération. »

Lisa Fischer a ces mots à propos de la petite-fille de Charlie : « Je crois qu'elle a été une planche de salut pour Charlie. Avoir Charlotte sur la route, c'était magnifique, et il était très protecteur avec elle sans être étouffant. En gros, il nous disait : "Ne l'influencez en rien qui soit négatif." Et on répondait : "On ne ferait jamais ça, on l'adore." Beaucoup de monde gardait toujours un œil sur les gosses. Ils passaient dans ma loge pour traîner là. Comme j'étais la seule femme, c'était le point de ralliement des filles. Elles venaient parler de leurs petits copains, entre autres. »

La famille, conclut Fischer, a longtemps été un élément crucial de l'énorme machine de tournée des Stones. « Crucial, insiste-t-elle. Et il faut voir comme ils s'impliquent, encore maintenant, avec leurs enfants. En tant que parents et grands-parents, ils sont attentifs mais, en plus, si quiconque – assistants personnels, gardes du corps, toute personne travaillant sur la tournée – voyait quelque chose de louche, ils étaient mis au courant tout de suite. Donc on s'occupait bien des gamins.

« Beaucoup de gens pensent : "Oh ! ce n'est pas un endroit pour des enfants." Mais ils avaient des jeux, des sorties préparées pour eux – en famille les jours de relâche. Certains poursuivaient leur scolarité en tournée, ils avaient des profs particuliers. C'était un environnement sain, équilibré, étant donné que la tournée était une vraie petite ville ambulante. »

Les vols interurbains et internationaux de la tournée valaient aussi le coup d'œil. « Pa saluait tout le monde d'un bout à l'autre de l'avion, à chaque vol », se souvient Charlotte. Leavell renchérit : « On montait dans l'avion privé, et... Keith le faisait souvent aussi, mais Charlie, en tout cas, faisait toujours sa tournée. Il y a bien sûr un protocole. L'équipage monte d'abord, puis le groupe, puis on attend les autres. Charlie parcourait l'allée centrale en demandant à chacun comment il allait, comment se passait sa journée, ce qu'il avait fait la veille. Très attentionné. Ça faisait toujours très plaisir que Charlie Watts ait envie de bavarder un peu avec vous. »

Charlotte décrit avec affection les habitudes de voyage excentriques de son grand-père. « J'ai un dossier dans mon vieil ordi appelé simplement "Pa perché", dit-elle. À chaque déplacement, il prenait son sac avec lui... Par exemple, dans la Viano – la Mercedes avec les banquettes face à face –, il gardait ses bagages à l'arrière, et dans le train ou dans l'avion, il les mettait dans les casiers au-dessus de sa tête. J'ai toute une série de photos de lui grimpant sur des sièges pour y prendre quelque chose. N'importe qui aurait plutôt descendu le sac, mais lui il grimpait sur les sièges pour attraper ses affaires. Je lui disais : "Mais descends !" Il me répondait : "Je prends mes affaires." C'était trop drôle. À cause de ça, il était horrifié quand il y avait des turbulences. Tout le monde était là dans l'avion : "Mais qu'est-ce qu'il fabrique ?" "Ne faites pas attention." »

Chacun des Stones conserve des souvenirs précieux de ses rituels de tournée, que ce soit en concert ou dans les moments de loisir. « On ne cherchait jamais trop à creuser avec lui, car on savait qu'il y avait une certaine limite à ne pas dépasser, dit Ronnie. Il vous donnait juste ce qu'il faut, et peut-être un peu plus si vous restiez un moment avec lui. Il entrait dans ma chambre avant chaque concert et prenait un café avec moi, puis il s'asseyait pour bavarder.

« Ensuite, il s'en allait, revenait pour un deuxième café, et on comparait notre sensation de froid. On descendait toujours à des températures glaciales. On avait les mains gelées, la tête aussi. Tout le monde nous disait : "Regardez-vous, vous deux." Les deux gémeaux, on gelait. C'était notre forme de trac à nous. Avec l'appréhension de monter sur scène, on refroidissait. Mais c'était super qu'on ait ça en commun. »

Mick révèle que, ces dernières années, la technique moderne est venue à la rescousse pendant un moment d'incertitude en répétition. « Charlie et moi, on plaisantait. Je disais : "Non, c'est pas tchh-boum-boum, c'est boum-boum-tchh." Sur scène, jusqu'à la toute fin, dans *Beast of Burden*, Charlie se trompait. "Ça ne sonne pas juste, ce que tu joues, Charlie. En tout cas, ce n'est pas ce que tu jouais sur le disque. Alors écoute le disque." Je l'ai passé sur mon téléphone, et il a concédé : "Ah ! oui…" »

« Une grande partie de ce que je faisais, se rappelle Don McAulay, c'était l'observer sur scène, ce grand taiseux, et apprendre à le connaître pour pouvoir comprendre son langage corporel, chacun de ses gestes. Vous savez comme Charlie était humble et discret. Mon père avait eu des soucis, et ils se connaissaient. Une fois, pendant un concert, alors qu'ils jouaient *Waiting on a Friend*, un morceau très simple, il m'a fait signe d'approcher. J'ai pensé qu'il y avait un problème. Et il m'a demandé : "Comment va ton père ?" En plein concert. »

« On ne le voyait jamais à mes soirées dites "de débauche", ajoute Keith. Pas son genre. Il était ce qu'il était, un type discret, qui s'intéressait à des tas de trucs. Toujours en train de dessiner. Parfois, je restais des heures à l'observer. À l'époque, il y avait des machines vibrantes à côté des lits dans les hôtels américains [pour les non-initiés, il s'agissait de l'appareil à pièces appelé Magic Fingers, installé sur les lits d'hôtel, qui fournissait « une sensation de picotements relaxante » pour 25 cents]. Je me souviens de deux heures qu'il a passées à dessiner ce machin, à se tromper, à recommencer. C'était extraordinaire à voir, et je ne crois pas qu'on ait échangé un mot, sans qu'il y ait de gêne ni rien. »

Fin 2015, lors des sessions d'enregistrement les plus rapides du groupe depuis une éternité, ils se trouvent aux studios British Grove, qui appartiennent à Mark Knopfler, pour l'album *Blue & Lonesome*. Un magnifique retour à l'énergie brute des débuts, un disque spontané et frémissant sur lequel se bousculent les prestations sensationnelles d'artistes qu'ils admirent comme Howlin' Wolf, Magic Sam, Little Walter ou Eddie Taylor. Il grimpe directement à la première place au Royaume-Uni, et ce sera le dernier album studio du vivant de Charlie.

Mars 2016 nous offre encore un exemple de sa générosité. Les Stones se préparent à se rendre à Cuba, pour un concert gratuit devant peut-être 450 000 personnes à La Havane. Une brouille ! Aussi discrètement que possible, Charlie participe avec Bernard Fowler et Tim Ries à la session jazz hebdomadaire de la Frost School de l'université de Miami.

Tous les lundis en effet, une centaine d'aspirants jazzmans se rassemblent dans cette école, en général pour écouter jouer des formations d'étudiants ou de professeurs. Cette fois, ils ont la chance de voir le nouveau big band de Ries interpréter *Under My Thumb* et *You Can't Always Get What You Want*, puis Charlie jouer un shuffle sur *Honky Tonk Women* côte à côte avec Marcelo Perez, un spécialiste de la batterie. « Il fallait voir la tête des étudiants quand il est entré, a raconté le doyen, Shelly Berg, sur le site Internet de l'université. Ils n'en revenaient pas. Il y avait beaucoup à apprendre de la personne qu'était Charlie. Il a prouvé que la célébrité ne doit pas nécessairement changer celui que vous êtes en tant que personne. »

Plus tard cette année-là, c'est *Desert Trip*, l'événement sur deux week-ends qui se déroule sur le site du festival Coachella, à Indio (Californie). Les Stones partagent une affiche d'anthologie avec Paul McCarney, Bob Bylan, The Who, Neil Young et Roger Waters… Rien d'étonnant, donc, à ce que cette édition soit restée dans les annales sous le nom de « Oldchella » !

Pendant ce séjour, Lisa Fischer donne de son côté un concert solo dans les environs. Elle reçoit alors une visite surprise. « Charlie, Ronnie et Keith sont venus m'écouter pendant que les Stones étaient dans le désert, dit-elle. J'étais sous le choc, parce que je savais qu'ils avaient des concerts. Je ne pensais pas du tout les voir. Pourtant ils sont tous venus, c'était vraiment adorable. Je sais que Mick n'a pas pu être là parce qu'il devait se reposer, mais eux avaient un peu plus de liberté. »

Charlie souffle ses soixante-dix-sept bougies sur la route, un soir où les Stones jouent à la Ricoh Arena, à

Coventry, en juin 2018. S'il a toujours été difficile sur la nourriture, cette fois son régime inquiète autant sa famille que le groupe. « Je le tannais pour qu'il mange, dit Mick. Surtout vers la fin, où on tournait dans des conditions parfaites. Je le forçais à sortir dîner avec moi le soir. On finit par s'ennuyer quand on reste dans sa chambre et, comme il n'y a personne pour vous encourager, on mange de moins en moins.

« Charlie et moi, on est sans doute les deux qui dépensent le plus d'énergie [en concert], et il se dépensait sans doute encore plus que moi. On ne peut pas s'arrêter, et on ne peut pas se planter. Mais, moi, si je ne me sens pas de courir jusqu'à l'autre bout de la scène, personne ne va m'y obliger. Alors que Charlie, s'il s'arrête, on est foutus. Il faut bien s'alimenter et il faut être bien suivi mais, allez savoir pourquoi, il refusait de manger comme il faut et de suivre son régime. » C'était une habitude prise depuis longtemps. « Il n'a jamais très bien mangé, confirme Linda. La seule chose qu'il adorait, c'était le poisson. »

Ronnie se souvient de la constante perplexité de Charlie devant la popularité du groupe. « "Pourquoi moi ? Pourquoi nous ? On est toujours là, et ça continue." À *toutes* les tournées, il me redisait ça. "Pourquoi est-ce que le public continue de venir ?" Je lui disais : "Charlie, il y a un truc… quand on est tous ensemble, les gens se pointent, c'est tout. C'est aussi simple que ça, ça ne s'explique pas." »

Keith s'inquiétait aussi pour lui : « Sur les deux dernières tournées, il accusait le coup. Ce n'était pas simplement qu'il n'avait plus envie. Il devait vraiment tout donner pour ces concerts, et il était crevé après chacun d'eux. » Don McAulay ajoute : « Je n'ai remarqué aucun déclin dans son jeu. C'était plus dur en tournée, oui, mais je l'ai vu devenir encore plus inventif dans sa façon de jouer. »

En janvier 2019, Charlie est à Los Angeles pour le 90ᵉ anniversaire d'un de ses pairs les plus respectés, le titan de Wrecking Crew, le batteur Hal Blaine. McAulay se rappelle qu'à cette occasion ils ont reparlé d'une autre réunion au sommet datant de cinquante-cinq ans plus tôt, après le fameux *T.A.M.I. Show* où James Brown avait tout déchiré. Un moment de cette soirée, en particulier, résume bien la loufoquerie de Charlie : « Hal a attrapé Charlie, Bill Wyman et je crois Andrew Loog Oldham, et ils ont traversé les collines de Hollywood dans la magnifique décapotable de Hal pour se rendre à une soirée d'après-émission. Les portes de garage automatiques venaient d'être inventées, et les gens commençaient tout juste à en avoir. Charlie ne connaissait pas du tout ça.

« Hal approche de la maison, il ne s'arrête pas, et la porte est encore fermée. Au tout dernier moment, il appuie sur un bouton, et la porte s'ouvre. Ça les a époustouflés. Tout le gratin était là, et Charlie n'en avait rien à faire : il a passé son temps à ouvrir et à refermer la porte. "Où est Charlie ?" "Oh ! il est dans le garage." »

Toujours prêt à apprendre, il profite de son temps libre, pendant la partie nord-américaine de la tournée *No Filter*, pour aller voir une exposition de batteries au musée du Jazz de La Nouvelle-Orléans, puis visiter la maison de Louis Armstrong dans le Queens, à New York. Il est alors photographié assis derrière le bureau de Satchmo : un sacré frisson pour quelqu'un dont le rêve, s'il avait eu une machine à remonter le temps, aurait été de le voir dans un big band au Roseland Ballroom, à New York. À moins qu'il ne se soit mis sur son trente et un pour aller voir Ellington au Cotton Club, bien sûr.

Une autre fois, il visite le musée Motown à Detroit et son fameux studio Snakepit. Selon McAulay, Charlie avait tout lu à son sujet avant même d'y être entré. Charlie distribue encore de charmantes surprises au groupe pendant cette tournée. Chuck Leavell raconte : « J'avais sorti un album intitulé *Chuck Gets Big*, avec le big band de la radio de Francfort. Pendant cette tournée, je devais jouer dans un théâtre à New York. Charlie avait entendu le disque et l'avait beaucoup aimé.

« Bien sûr, je l'ai invité au concert, et il est venu. Il est monté sur scène pour *Honky Tonk Women* avec quelques autres membres du groupe. Notre chanteuse, Sasha Allen, était là. C'était tellement généreux de la part de Charlie ! Et il n'en a dit que du bien après. Bien sûr, ça m'a rendu heureux – à vie ! – de savoir qu'il avait aimé le spectacle. »

La tournée *No Filter* s'achève enfin le 30 août 2019. Ce soir-là, 40 768 personnes voient Charlie Watts sur scène avec les Rolling Stones sans savoir que c'est la dernière fois. Le concert, déjà repoussé une fois à cause de l'opération du cœur de Mick, puis encore d'une journée en raison de la météo – c'est la saison des ouragans –, a lieu au Hard Rock Stadium de Miami Gardens (Floride). « Une *hurricane party* d'enfer ! » se délecte le *Miami New Times* en parlant du concert noyé sous des trombes d'eau. « Watts, l'air timide et légèrement détaché, perché derrière sa batterie minimaliste », écrit Wendy Rhodes dans son compte rendu de la soirée. Un commentaire qui pourrait s'appliquer à n'importe laquelle de ses centaines de prestations avec le groupe pendant cinquante-six ans et demi. Puis, ajoute-t-elle, la chanson de clôture, *Satisfaction*, « voit tous les membres du groupe, même Watts, rire, jouer et s'amuser visiblement comme des fous ». Personne ne le sait encore, mais alors que le Covid-19 est sur le point de rebattre les cartes, c'est une dernière image à savourer.

L'année 2019 est également l'occasion d'un ultime séjour en famille en France pour Charlie, Shirley, Seraphina et son mari, Barry. « Nous avons encore la maison dans laquelle j'ai grandi, et nous y sommes allés, rien que tous les quatre », dit Seraphina. « Je suis vraiment content qu'on l'ait fait, c'était très sympa, ajoute Barry.

Ce petit corps de ferme en France reçoit trois chaînes de télé, toutes françaises. Seraphina et Shirley parlent français. Charlie et moi, non. » Seraphina a un sourire mélancolique. « On pleurait de rire en regardant tous ces films français. C'était tellement bon de passer des moments comme ça. »

Même pendant le confinement, Shirley continue de travailler avec un refuge de lévriers, Charlie et elle en ayant adopté un nouveau au Forever Hounds Trust en mai 2020. Ce sont des années étrangement calmes, à l'arrêt, pour un homme qui a passé cinq décennies et demie une valise à la main. Mais, ils pourraient être sur des planètes différentes, le contact demeure, grâce à la nouvelle réalité du *live stream* : les quatre Stones, chacun de chez lui, interprètent *You Can't Always Get What You Want* pour le concert virtuel *One World : Together at Home* de Global Citizen. Peu après arrive le nouveau morceau *Living in a Ghost Town*, commencé en 2019, sur lequel Charlie maintient un rythme presque reggae et dont les paroles ont été adaptées par Mick pour les jours sombres de la pandémie.

Les quatre-vingts ans de Charlie, en juin 2021, sont célébrés par tous ses admirateurs. Mais les amis qui téléphonent pour lui présenter leurs vœux, comme Dave Green et Jools Holland, le trouvent en petite forme. Cette fois, Charlie est bien en retard sur le tempo.

9
À jamais le cogneur de Wembley

La première communication officielle indiquant que Charlie n'est pas au sommet de sa forme tombe en août 2021, avec l'annonce qu'il ne participera pas à la reprise de la tournée nord-américaine *No Filter*, retardée par la pandémie, qui doit avoir lieu fin septembre. Il a subi une opération chirurgicale, réussie, et a besoin de se reposer et de récupérer, ce que ne lui permettrait pas le programme des répétitions. « Pour une fois, je suis un peu hors tempo », concède-t-il dans le communiqué de presse.

Charlie a déjà exprimé sa traditionnelle hésitation à propos de la nouvelle tournée, mais pas pour les raisons habituelles. « Il hésitait un peu à partir dans cette dernière tournée, parce qu'il ne se sentait pas bien, explique Mick. Il m'a dit : "Mais c'est toi qui mènes le groupe et, si tu dis que je dois le faire, je le ferai, bien sûr, avec joie." »

Steve Jordan, le très distingué batteur, producteur et proche compagnon du groupe entier, partenaire de Keith depuis longtemps au sein des X-Pensive Winos, sera le nouvel élu, le seul remplaçant possible. La ligne officielle, selon laquelle le groupe s'attend à un rétablissement complet de Charlie, est sincère. « On l'espérait, et Steve aussi, précise Keith. Il lui a lancé : "Je te garde ton siège au chaud, Charlie", sans imaginer que ce serait définitif. Mais ils étaient bons amis, et c'était un extraordinaire coup de chance pour nous. Charlie m'a toujours dit : "S'il devait arriver quoi que ce soit qui m'empêche d'être à la batterie, Steve Jordan est votre homme." Il l'avait en quelque sorte désigné comme son héritier. »

« J'ai vu Charlie à l'hôpital, ajoute Ronnie, et il m'a confirmé que, décidément, c'était Steve qu'il fallait pour prendre sa place le temps qu'il revienne en tournée. On regardait les courses hippiques, et bien sûr il adorait Frankie Dettori. Les derniers jours de son hospitalisation, il pensait tout haut : "Ça ne me dit rien qui vaille", parce qu'il prenait déjà un lourd traitement et qu'une intervention était encore nécessaire. »

La bienveillante famille Watts, qui m'a accordé son temps et ses souvenirs avec tant de générosité pour ce livre, a choisi de garder pour elle les détails de la mort de Charlie. Elle m'a toutefois précisé que, après la réussite de son opération, il y avait eu des complications inattendues menant à un déclin rapide. Seraphina, Barry et Charlotte sont restés nuit et jour à son chevet, et Seraphina a pu être avec son père à la fin.

« Je lui parlais à l'hôpital, raconte Mick, et il était tellement allergique à la technologie que je lui ai envoyé un iPad pour qu'il puisse regarder le cricket. J'ai installé toutes les applis, et il a regardé un peu. Ronnie avait eu une maladie similaire et s'en était remis, donc je pensais que ce serait la même chose pour Charlie. Ça a été si vite, c'est ça qui était stupéfiant. Je lui parlais de la tournée et du nouveau logo, et du jour au lendemain, quasiment, il n'a plus été là. »

La mort de Charlie, le 24 août 2021, soulève une longue et puissante vague de lamentations parmi des millions de gens qui ne l'ont même jamais rencontré. Les images de ses presque soixante ans de service actif sont partagées des millions de fois sur les réseaux sociaux pendant des mois, et son décès est décrit comme un deuil familial. Bien sûr, il aurait été horriblement gêné qu'on fasse tant d'histoires pour lui.

310

« Ensuite, il a simplement fallu continuer, poursuit Mick. Enfin, on n'y était pas obligés, mais on avait le sentiment que c'était la chose à faire, et Charlie pensait lui-même qu'il le fallait. Il nous disait : "Vous devez faire la tournée quand même." Parce qu'elle avait déjà été retardée [par la pandémie], n'oublions pas. "Vous ne pouvez pas l'annuler de nouveau." » Fidèle à son caractère altruiste, trois jours avant sa mort, Charlie a parlé à Don McAulay et, loin de s'apitoyer sur son sort, s'est excusé de ne pas pouvoir assurer la tournée. « Il était facile à aimer, cet homme », dit simplement McAulay.

« Les répétitions étaient déjà bien avancées quand on a appris la nouvelle, enchaîne Ronnie. On s'est arrêtés une journée, et on s'est dit : "Bon, Charlie ne voudrait pas qu'on reste comme ça les bras croisés. On va s'y remettre. Et c'est tout." On a redémarré et porté le message que Charlie aurait aimé porter. » Ils récoltent alors les critiques les plus dithyrambiques de l'histoire récente du groupe. Steve Jordan confie à *Rolling Stone* : « Mon but était de faire revivre l'atmosphère qui imprègne les disques, puis de faire référence à la meilleure époque du groupe sur scène. Selon moi, elle se situe en gros entre 1971 et 1975, pendant les années Mick Taylor, où Charlie embrasait la scène. »

Fin 2021, Charlotte se force à voir les trois derniers concerts de la série, dont un avec une très bonne amie à Detroit. « C'était une soirée importante pour moi, dit-elle. Mon premier concert sans lui, et mon amie était là pour me tenir la main. C'était bon de voir tout le monde, et ça m'a aidée à comprendre réellement qu'il n'était plus là. »

« Charlie était un type en or, très marrant, a dit Ringo Starr en apprenant la mort de son vieil ami. J'ai donné une soirée dans les années 1970 à laquelle il a assisté avec John Bonham. On était trois batteurs. Bonham s'est mis à la batterie et, puisqu'elle n'était pas fixée au sol comme c'est le cas sur scène, Charlie et moi lui tenions la grosse caisse pendant qu'il jouait. Ça aurait fait une sacrée photo. »

Pete Townshend, de son côté, a eu ces mots émouvants : « Charlie Watts a pleuré à chaudes larmes à l'enterrement de Keith Moon. J'aimerais être capable de verser de telles larmes aujourd'hui. À défaut, je veux juste lui dire au revoir. Ce n'était pas un batteur de rock, mais un batteur de jazz en réalité, et c'est pour ça que les Stones swinguaient comme le groupe de Basie !! Un homme délicieux. Dieu bénisse sa femme et sa fille, et je parie qu'il manquera aussi aux chevaux. »

« Postérité » est un mot qui le ferait s'étrangler d'indignation, mais la signature temporelle wattsienne qui couvre plus d'un demi-siècle de musique populaire est magnifiée et amplifiée par la longue portée des meilleures prestations qu'il laisse derrière lui. « Pour moi, elles sont toutes exceptionnelles, dit Glyn Johns. La plus évidente est *Honky Tonk Women* parce qu'elle commence par lui et une cloche. Mais je n'en choisirais pas une de préférence aux autres. Il n'a jamais déçu sur rien. Il n'a jamais foiré une prise, ça je peux vous le dire. »

Mick se rappelle en particulier son jeu brillantissime sur *Get Yer Ya-Ya's Out !* Tony King a un faible pour son *breakdown* spectaculaire sur *Rock and a Hard Place*, de l'album *Steel Wheels*. Charlotte adore *Midnight Rambler* et *Sympathy for the Devil* sur scène et, sur disque, *Too Much Blood*, de l'album *Undercover*, ainsi que le single tardif *Don't Stop*. « Il y a une vidéo d'eux en coulisse pour celle-là, où il porte son pull bleu pastel, dit-elle. En plus, comme j'aurais voulu que les shows ne s'arrêtent jamais, je l'écoutais aussi entre les tournées. Tout le monde me manquait, et je les pressais : "Allez, quoi, repartons." C'était la plus belle période de ma vie. Je ne peux plus l'écouter en ce moment. Mais un jour… »

Dave Green se rappelle qu'il était en voiture quand il a appris la mort de son plus vieil ami. Il avait travaillé une version de *A Flower Is a Lovesome Thing*, de l'un des favoris de Charlie, Billy Strayhorn, avec la formation de dix du Ronnie Scott's. « J'avais oublié ce qu'il y avait dans le lecteur de CD, raconte-t-il. Ce morceau est passé, et je me suis retrouvé en larmes. C'est une ballade lente, une magnifique chanson, et c'est la première musique que j'ai entendue après la mort de Charlie. »

L'ancien compère John DeChristopher, de chez Zildjian, revient toujours à *19th Nervous Breakdown*. « On dirait presque Elvin Jones ou un batteur de be-bop, c'est tellement technique, et tellement bon ! s'exclame-t-il. Le parfait mélange de tout ce qui rend Charlie si unique. Et puis sur *Winter* par exemple, son jeu est exquis. Il n'avait pas de règles. Tout était bon, du moment que tout le monde sonnait bien. »

« Il était unique dans ce qu'il a apporté aux Stones, ajoute Dave. Il n'y a jamais eu d'idées préconçues sur la manière dont il faut jouer avec un groupe de rock. Il jouait comme il sentait la musique, et c'est tout. Il n'a jamais eu de côté m'as-tu-vu. Il était très discret, il jouait simplement pour la musique. »

« Je dois dire que je l'aimais énormément, dit de son côté Jools Holland. J'avais une grande complicité avec lui, et il était extrêmement gentil avec moi. Il était comme un personnage d'une autre époque, mais en même temps complètement connecté à l'instant. Il a eu une vie de rêve. »

« "Énigme" est un mot galvaudé, mais on peut l'employer pour Charlie "Boom Boom" Watts », dis-je à Keith. « En effet, convient-il, c'est le mot qui lui va le mieux. Il pouvait créer son propre monde, Charlie, à sa manière à lui. C'est difficile à définir. Il était un mystère pour moi. Il le sera toujours, de beaucoup de façons. Mais en même temps, tu vis avec un mec, surtout dans les années 1960... On a vécu comme ça, en gros, pendant quatre ans, chacun à un bout du même couloir. »

Les admirateurs de ceux qui sont extrêmement célèbres commettent souvent l'erreur égoïste de croire qu'ils ont le monopole du chagrin. Encaisser le départ d'un artiste qu'on adule, qui est dans votre vie depuis aussi loin que remontent vos souvenirs, c'est une expérience très chargée émotionnellement, mais ce n'est pas comparable à la perte d'un mari, d'un frère, d'un père, d'un grand-père.

« Il téléphonait tous les jours, sans faute, se souvient Seraphina. Il appelait ma mère, puis Charlotte et moi. Quand je rentre à la maison, c'est comme s'il était encore en tournée. Sur la route. J'ai dit ça à ma mère l'autre jour. On a l'impression qu'il va appeler d'une minute à l'autre. »

Charlotte ajoute : « Depuis très jeune, je me dis : "Je ne peux pas trop m'attacher à ce monde, parce que ça va finir un jour, c'est inévitable." Mais avoir eu cette opportunité, c'est encore difficile à croire. C'est ça qui est formidable, cette chance immense, à bien des égards, d'avoir eu quelqu'un d'aussi merveilleux dans ma vie. »

Elle paraphrase son ami Don McAulay décrivant la vision qu'avait Charlie de la vie : « C'était comme s'il nous invitait dans ce monde en nous faisant garder en tête que "tout ça, c'est pour de faux. Profitez-en tant que ça dure, mais on ne devrait pas s'y habituer, car chacun doit rentrer chez lui après la tournée." » Charlie Watts est bien rentré chez lui après la tournée, mais fermez les yeux, et il est toujours là, en train de créer un feu d'artifice derrière cette minuscule batterie, avec son éblouissant sourire, et il continue de nous faire tous vibrer, un beat après l'autre.

Épilogue

1er juin 2022, stade Wanda Metropolitano, Madrid. Cela semblait impossible, et pourtant les pierres roulent toujours. Plus de 50 000 Espagnols déchaînés sont là pour continuer la fête la plus longue du rock 'n' roll. Les Rolling Stones commencent la tournée européenne qui marque leur soixantième anniversaire, et un homme domine les écrans géants.

Les acclamations soulevées par les images des décennies de service de Charlie Watts montent jusqu'au ciel, avant que ses amis de toute une vie jouent en son honneur, trompant la nature, la gravité et toutes les autres lois naturelles imaginables avec un concert qui, fidèle à la légende des Stones, risque de s'effondrer à tout moment et pourtant monte en magnificence jusqu'à devenir prodigieux.

Une mauvaise pensée me vient en tête : si les petits jeunes qui font la première partie commencent maintenant, ils devront fouler les planches jusqu'en 2082 pour égaler la longévité de leurs aînés. Les Stones, menés à la victoire par un chanteur dont l'horloge physiologique semble s'être arrêtée quelque part dans les années 1980, ressortent des classiques pour le fun, avec l'ajout remarquable, pour la première fois sur scène, d'un extra ressorti du placard et remis à l'honneur, *Out of Time*. Et pourtant, du temps, ils en ont encore.

À la batterie, Steve Jordan joue des beats qui sentent le soufre avec une élégance sans faille, acceptant pleinement le fait que, d'une manière étrange et détournée, la soirée appartient au grand absent. « Steve est vraiment cool sur ce point-là, me confie Mick. Il a étudié ce que Charlie jouait sur scène et ce qu'on a sur les disques. Il ne copie pas servilement. Mais si on ne savait pas qui on a derrière soi, parfois on pourrait penser, dans l'intro de *Paint It Black* par exemple, que c'est Charlie. C'est à s'y tromper. Charlie est encore bon ce soir. »

Crédits photographiques

Bien que tous les efforts aient été faits pour retrouver les propriétaires des droits sur les images ici reproduites et obtenir l'autorisation de les publier, les éditeurs tiennent à s'excuser par avance pour toute omission et feront diligence pour intégrer tout crédit manquant dans les futures réimpressions de cet ouvrage.

Planches 1, 2 (bas), 7 (haut gauche) : avec l'autorisation de Linda Rootes

Planche 2 (haut) : avec l'autorisation de Claire Deacon

Planches 3 (haut), 11 (bas) : avec l'autorisation de Dave Green

Planche 3 (centre) : avec l'autorisation de Brian and Ann Jones

Planche 3 (bas) : collection de Charlie Watts

Planche 4 (haut) : Popperfoto via Getty Images

Planche 4 (bas) : Archive Photos/Hulton Archive/Getty Images

Planche 5 (haut) : TV Times via Getty Images

Planche 5 (bas) : Pictorial Press Ltd/Alamy Stock Photo

Planche 6 (haut gauche) : Daily Mirror/Mirrorpix/Mirrorpix via Getty Images

Planche 6 (haut droite) : Trinity Mirror/Mirrorpix/Alamy Stock Photo

Planche 6 (bas) : Stan Mays/Daily Mirror/Mirrorpix

Planche 7 (haut droite) : Keystone Features/Hulton Archive/Getty Images

Planche 7 (bas) : ABKCO

Remerciements

L'écriture de cette biographie n'a été possible que grâce à la gentillesse, à l'aide et au soutien enthousiaste de la famille, des amis et des collaborateurs de Charlie. Je tiens à remercier en particulier sa fille, Seraphina, sa petite-fille, Charlotte, et sa sœur, Linda, d'y avoir participé avec la grâce qui caractérise la famille Watts. Toute ma gratitude, aussi, à son plus vieil ami Dave Green, qui a devancé l'appel en me procurant un trésor de photos et de documents ; à l'équipe des Rolling Stones (notamment Joyce Smyth, Jane Rose, Paul Edwards, Bernard Doherty, Dave Trafford, Carol Marner, Rachel McAndrew et Sarah Dando) pour ses encouragements et son approbation ; et à tous les autres contributeurs (Bill Wyman, Tony King, Jools Holland, Glyn Johns, Lisa Fischer, Chuck Leavell, Don McAulay et bien d'autres) qui, eux aussi, aimaient Charlie autant que moi. Et, bien sûr, je dois énormément, comme souvent ces dernières décennies, à Mick Jagger, Keith Richards et Ronnie Wood à la fois pour leurs contributions historiques et pour le temps qu'ils m'ont accordé pendant les répétitions de la tournée *SIXTY*, qui a inauguré l'été 2022 avec une flamboyance intacte. Ils portaient encore en eux l'esprit de Charlie Watts, comme nous tous.

La traductrice, elle, tient à remercier Damien Le Peutrec pour sa relecture attentive.

Édité par HarperCollins France.
Composition et mise en pages
Nord Compo à Villeneuve-d'Ascq

Imprimé en septembre 2024
par CPI Black Print (Barcelone)
en utilisant 100 % d'électricité renouvelable.
Dépôt légal : octobre 2024.

Imprimé en Espagne.